Jerzy Besala

TAJEMNICZE DZIEJE POLSKI

BELLONA
Warszawa

Projekt okładki i stron tytułowych
Barbara Kuropiejska-Przybyszewska

Redaktor merytoryczny
Ewa Grabowska

Redaktor prowadzący
Zofia Gawryś

Redaktor techniczny
Krzysztof Sobczak

Korekta
Teresa Kępa

Skład i łamanie
BELLONA SA
Tel. 022 457 04 42

Bellona SA prowadzi sprzedaż wysyłkową swoich książek za zaliczeniem pocztowym z rabatem do 20 procent od ceny detalicznej.
Nasz adres: Bellona SA
ul. Grzybowska 77, 00-844 Warszawa
Dział Wysyłki: tel. 022 457 03 06, 652 27 01, fax 022 620 42 71
e-mail: biuro@bellona.pl
www.bellona.pl
www.ksiegarnia.bellona.pl

ISBN 978-83-11-11328-2

Drukarnia Wydawnictw Naukowych Sp. z o.o.
ul. Wydawnicza 1/3
92-333 Łódź
NIP 725-000-72-31

Część I

SKĄD NASZ RÓD

Rozdział 1.
Zagadka słowiańska

„Ligio, tyś stokroć piękniejsza od Poppei!" – wykrzyknęła Akte, była kochanka cezara Nerona. Henryk Sienkiewicz w Quo vadis, *powołując do życia płowowłosą Ligię, ukochaną Rzymianina Marka Winicjusza, i jej opiekuna, mocarnego Ursusa, dawał do zrozumienia, że pochodzą oni z pięknych puszcz nad Wisłą. Gdzieś z kraju Lugiów albo Wenedów, utożsamianych ze Słowianami.*

U nas lasy, lasy i lasy – mówi Ligia, która ma być prototypem łagodnej, pięknej Polki-Słowianki. Natomiast Ursus – prawzorem mocarnego, acz łagodnego, niezbyt rozgarniętego, sielskiego Słowianina.

Czy to tylko wytwór fantazji, czy niewiedzy pisarza?

W czasach panowania Nerona w I wieku Słowianie rzeczywiście gdzieś żyli – ale zapewne nie nad Wisłą, lecz między Dnieprem a Dniestrem. Na wielką scenę historii weszli późno, co potem da podstawę do tonów wyższości części zachodnioeuropejskiej historiogra-

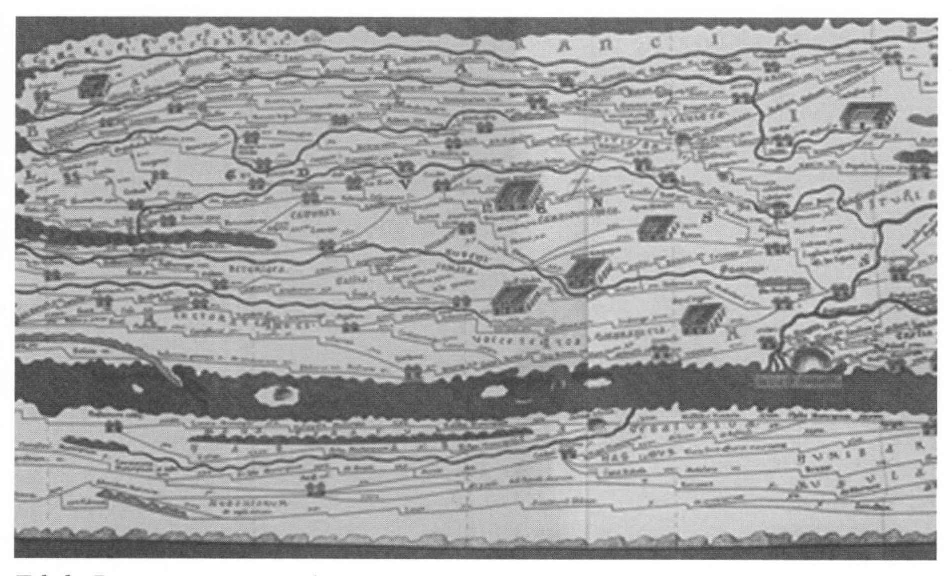

Tabula Peutingeriana sporządzona po 328 r., zapewne na podstawie mapy Agrypy za czasów cesarza Augusta w I w. Odkryta w XIII w. pokazywała sieć dróg imperium rzymskiego i nazwy niektórych ludów. Nie ma na niej Słowian. Czy dlatego, że część „mapy" (a właściwie obrazu sieci dróg) uległa zniszczeniu?

fii, szczególnie w czasach nacjonalizmu niemieckiego, gdy do historii w XIX wieku wplątała się polityka, szowinizm, potem nazizm i teorie rasowe.

Tymczasem, jak zbadał Witold Mańczak, Słowianie i ich język byli najpierw, zanim pojawili się i wytworzyli odrębną kulturę Germanie. „Praojczyzna indoeuropejska jest identyczna z praojczyzną Słowian i Bałtów, tzn. dorzeczem Odry, Wisły i Niemna. Innymi słowy zasadnicza różnica między Prasłowianami a Pragermanami polegała na tym, że Prasłowianie byli potomkami tej części ludności praindoeuropejskiej, która pozostała w praojczyźnie, podczas gdy Pragermanie byli jakąś ludnością obcą, która uległa indoeuropeizacji. Od zarania dziejów Słowianie i Germanie są sąsiadami, ale w okresie przedhistorycznym Słowian od Germanów oddzielało jakieś inne plemię indoeuropejskie, o którym nie wiemy nic poza tym, że nosiło ono imię Wenedów ... wszystkie moje tezy mają jedną bardzo ważną wspólną cechę, a mianowicie są sprawdzalne" – pisał wybitny znawca[1].

Historycznie pewna pierwsza informacja o Słowianach pochodziła z czasów, gdy wielkie imperium rzymskie dogorywało w IV–V wie-

[1] *Entolingwistyczne i kulturowe związki Słowian z Germanami*, red. I. Kwilecka, Wrocław 1987, s. 24–25.

ku, a po Europie coraz bardziej panoszyli się Germanie i Hunowie. W 512 roku Słowianie potwierdzili dobitnie swe istnienie na historycznej scenie: plemię germańskich Herulów, naciskane przez króla Gotów Hermanaryka, zmierzając do Skandynawii, przeszło „w poprzek przez wszystkie ludy Sklawinów", czyli Słowian, zauważył bizantyjski historyk Prokopiusz z Cezarei (zmarł około 562 roku)[2].

Podobnie relacjonował Jordanes, historyk z VI wieku. Jego informacja o Słowianach ma związek z Wenedami (Wenetami). Jordanes w 551 roku w *Historii gockiej* wymienia rzekę Vistulę (Wisłę) i pisze: „rozsiadł się, poczynając od źródeł rzeki Wiskla (Wisła) na niezmierzonych obszarach, liczny naród Wenedów. A choć imiona zmienne są teraz, stosownie do rozmaitych szczepów, to przecież głównie nazywa się ich Sklawenami i Antami. Sklawenowie zamieszkują od miasta Nowientunum (?nazwa celtycka) ... aż do Danastrum (Dniestru), a na północ aż do Wiskli; ci w miejsce miast mają błota i lasy. Antowie zaś, którzy są z nich najdzielniejsi, rozciągają się od Danastru... aż do Danapru (Dniepru)... Zaś nad brzegiem oceanu, tam gdzie trzema ujściami wchłania on wody rzeki Wistula, siedzą Widiwariowie, złączeni w jedno z rozmaitych narodów ... Pochodząc z jednej krwi, trzy obecnie przybrali imiona, tj. Wenetowie, Antowie oraz Sklawenowie". Przy okazji Jordanes dodawał, że byli oni

Gdy w 1933 r. uczniowie przypadkowo odkryli osadę kultury łużyckiej w Biskupinie, polska historiografia ucieszyła się, że Prasłowianie już w 738 r. p.n.e. tworzyli grody z regularną zabudową. Każdy naród chce mieć bogatą przeszłość. Tymczasem do kultury łużyckiej roszczą sobie pretensje także Pragermanie i Ilirowie i sporu nie sposób obecnie rozstrzygnąć.

[2] M. Plezia, *Greckie i łacińskie źródła do najstarszych dziejów Słowian*, Poznań–Kraków 1952, s. 65.

„kiepscy do oręża ... chociaż teraz za sprawą grzechów naszych wszędzie się srożą”[3].

Nazwa Sklaweni to zapewne łacińscy *Sclavini*, Słowianie. Nie wiemy, czy żyjący nad Bałtykiem Widiwariowie to także Słowianie. Raczej nie.

Dlaczego nazywali się Słowianie? Na ten temat teorii jest bez liku: że nazwa pochodzi od „swój”, „sławni”, „swobodni”, od „słowa” (mogący się porozumieć), od śląskiej „ślągwy” itd. Niewykluczone, że nazwę nadały Słowianom ludy ościenne.

Jednakże Słowianie nie spadli *deus ex machina* na europejski i polski teatr dziejów. Badania archeologiczne nadal trwają, ujawniając niebywałą mozaikę kultur na ziemiach polskich, z przewagą kultur germańskich. Archeologia, wyjaśniając krok po kroku kulturę ludów starożytnych ziem polskich, przynosi jednak coraz barwniejszy obraz wieloetniczności, wielkiej nieprzejrzystości i przenikania się w ciągu wieków.

Natomiast źródeł pisanych przetrwało mało i bardziej one gmatwają niż wyjaśniają sprawę zasiedlenia ziem polskich. Na przykład większość kronik – bułgarskich, czeskich, ruskich, polskich – wskazuje jednym głosem na Panonię jako kolebkę Słowian. A to z kolei nie pokrywa się z badaniami archeologicznymi.

Zapewne weszli więc Słowianie na niziny Panonii, idąc najpierw ze wschodu. Podobnie jak uczynili to później Węgrzy, którzy zasiedlili na stałe tę krainę. Stamtąd Słowianie przedostali się przez Karpaty na północ i pewnie na Bałkany, weszli w granice cesarstwa bizantyńskiego. Wzbudzali postrach swą liczebnością i okrucieństwem, przeplatanym... niezrozumiałą i podejrzaną łagodnością.

Teofilakt Symokatta w VII wieku opisywał, jak to Sklawini okrutnie nawiedzali ziemie trackie w Bizancjum. I nagle przeszedł do opisu idących z kitarami trzech Słowian, którzy schwytani oznajmili cesarzowi, że „noszą zaś kitary, ponieważ nie są przyzwyczajeni odziewać zbroje, bo ich ziemia nie zna żelaza i dlatego pozwala im żyć w spokoju i bez waśni”. Cesarz zadziwił się i ugościł, „a nadziwiwszy się ich wzrostowi i wspaniałej budowie, wyprawił ich do Herakles”.

Ta podkoloryzowana nieco relacja każe się nam jednak zastanowić, czy przypadkiem Słowianie nie byli mistrzami przebiegłości i kamuflażu. Jednocześnie bowiem potrafili zaciekle walczyć i być skrajnie okrut-

---

[3] E. Zwolski, *Kasjodor i Jordanes, historia gocka, czyli scytyjska Europa*, Lublin 1984, s. 59, 61; por. W. Kętrzyński, *Co wiedzą o Słowianach pierwsi ich dziejopisowie Prokopiusz i Jordanes?* Kraków 1901, passim.

ni – to rzecz pewna. Tę „indoeuropejską" cechę Słowian podkreślał już przed drugą wojną światową Kazimierz Moszyński[4].

A może Słowianami byli okrutni i tajemniczy szamańscy Neurowie, wymienieni przez Herodota? „Ojciec historiografii" w V wieku p.n.e. podawał, że Neurowie zamieniali się „raz w roku na parę dni w wilka". Prawdopodobnie z siedzib na Wołyniu, nękani przez Budynów, Neurowie emigrowali na Polesie. A może Słowianami byli Androfagowie (czyli ludożercy nad Dnieprem) i Czarnopłaszczowcy nad górnym Donem? Nie zostali bowiem przez Herodota zaliczeni do plemion scytyjskich.

Tajemnic jest tu bez liku. W dziele *Geographike hyphegesis* Ptolemeusz z Aleksandrii w połowie II wieku p.n.e. wskazuje między innymi na plemiona Galindów, Suedinów, Stawanów, Suewonów i Alanów, mieszkające na zachód od Wisły. Wymienia też Calisię na szlaku bursztynowym. Czy to Kalisz? Czy za Słowian należy uważać plemiona występujące w Ptolemeuszowym opisie „Sarmacji europejskiej"[5]?

Badacze są pewni, że „Sarmaci europejscy" nie byli Słowianami. Ale nie jest wykluczone, że Słowianie wchłonęli także Sarmatów, asymilując ich kulturę, o czym może świadczyć sposób walki tylko w spodniach, z gołym torsem – tak Sarmatów, jak i później Słowian. Historycy wskazywali również, że tamgi sarmackie przypominają żywo polskie herby.

Mity z elementami prawdy też mają swoją historię, więc w Rzeczypospolitej szlachta polska będzie się uważać za potomków walecznych Sarmatów. Walnie przyczyni się do tego *Traktat o dwóch Sarmacjach* Macieja z Miechowa wydany w 1517 roku. Ale też dzięki tej pomyłce z Sarmatami szlachta będzie mieć świadomość słowiańskich korzeni.

Jesteśmy więc pewni, że w VI wieku za Karpatami aż po wybrzeże Bałtyku rozciągały się plemiona słowiańskie. Skąd jednak tam się wzięły? Chyba najpewniejsza jest teza Kazimierza Godlewskiego, który na podstawie badań archeologicznych i języka uznał dorzecze górnego i środkowego Dniepru za kolebkę kultury słowiańskiej, gdzieś na pograniczu obecnej Białorusi i Ukrainy na ok. od dwustu do pięciuset tysięcy kilometrów kwadratowych. Stąd Słowianie zaczęli się rozprzestrzeniać z niezwykłą siłą i konsekwencją.

Wiemy niezbicie, że w VI wieku podczas wędrówek ludów Sclavinii rozpoczęli wielką ekspansję w kierunku Łaby i Bałkanów, zajmując dorzecza Odry i Wisły. Prokopiusz pisze też o słowiańskich Antach.

---

[4] K. Moszyński, *Kultura ludowa Słowian*, t. II, cz. II *Kultura duchowa*, Warszawa 1967; Por.: Z. Skrok, *Słowiańska moc*, Warszawa 2006, s. 178.

[5] Za: *Wielka Historia Polski*, P. Kaczanowski, J.K. Kozłowski, *Najdawniejsze dzieje ziem polskich (do VII w.)*, Kraków 1998, s. 249, 257.

Plemiona słowiańskie, pchane przez Awarów i Hunów, zajęły potem bez mała połowę Europy.

Kim byli, jak ich przyjęto w Europie? Prokopiusz w VI wieku pisał, że Antowie i Sklaweni mówią jednym językiem, „niesłychanie barbarzyńskim. A nawet i zewnętrznym wyglądem nie różnią się między sobą, wszyscy bowiem są rośli i niezwykle silni, a skóra ich i włosy nie są ani bardzo białe, ani płowe, ani nie przechodzą zdecydowanie w kolor ciemny, lecz wszyscy są rudawi. Życie wiodą twarde i na najniższej stopie, jak Massageci (Hunowie), i brudem są okryci stale, jak i oni. A przecież bynajmniej nie są niegodziwi z natury lub skłonni do czynienia zła". Prokopiusz wskazuje też na zamiłowanie Słowian do wolności: „Sklawinowie i Antowie nie podlegają władzy jednego człowieka, lecz od dawna żyją w ludowładztwie i dlatego zawsze wszelkie pomyślne i niepomyślne sprawy załatwiane bywają na ogólnym zgromadzeniu"[6].

Czy cechę tę odziedziczyli Polacy, od wieków wielcy miłośnicy wieców, zjazdów rycerskich, sejmu i wyborów? I jak tu nie wierzyć w archetyp Carla G. Junga?

Archeolog i publicysta historyczny Zdzisław Skrok wskazuje na inną ciekawą sprawę. Na możliwość utworzenia się na ziemiach polskich, na szlaku bursztynowym, „federacji z czasem jednolitej wspólnoty języka i krwi, Wandalów i Słowian na naszych ziemiach w drugiej połowie V wieku". Być może Słowianie z Wandalami trafili do Afryki. Antropologów dotąd zdumiewa liczba niebieskookich i jasnowłosych mieszkańców Tunezji. Byliby to potomkowie Wandali i Słowian?

Tak przecież, jako rudawych, jasnowłosych, opisywała Słowian większość kronik. Ale i Tacyt wskazuje Germanów jako kudłatych, jasnowłosych i niebieskookich; podobnie wyglądali również Celtowie. Zdzisław Skrok sugeruje, że od Wandalów Słowianie nabrali wigoru wojennego, sami zaś wnieśli niezwykłą moc płodzenia się i rozmnażania, dowód wspaniałego zdrowia. Wandalowie zapewne rozpłynęli się, pochłonięci i zasymilowani w morzu Słowian, większych miłośników spokojnego życia niż neurotyczni, jak się wydaje, Germanie[7].

Rozprzestrzenianie Słowian da się porównać więc tylko z germańskim przenikaniem Europy. Badania archeologiczne Przemysława Urbańczyka wskazują na docieranie plemion słowiańskich przez Skandynawię do Islandii, a nawet Grenlandii. Zapewne Słowianie zmiażdżyliby liczebnością i zasymilowali także Europę Zachodnią, gdyby nie zatrzymanie ich

---

[6] M. Plezia, *op cit.*, s. 68–69.

[7] Por. Z. Skrok, *op.cit.*, s. 37 i n.

na linii Łaby i częściowe wyniszczenie przez samego Karola Wielkiego, a potem przez Germanów i Niemców między Łabą a Odrą.

Kto wie, czy nie miał racji Moszyński, gdy pisał, że oszałamiający sukces Słowianie zawdzięczali prymitywnemu sposobowi życia i gospodarowania. Nie było co im zabierać, więc nie budzili obawy ani zawiści. Biedni, stosujący prawa mimikry, przebiegli aż do granic upokorzenia, niezwykle płodni – dzięki temu mnożyli się, przeczekiwali, a potem parli we wszystkich kierunkach, niekoniecznie wykorzystując siłę swych mieczy i łuków.

Bizantyjski autor podręcznika taktyki w VII wieku (data nie jest pewna), zwany Pseudo-Maurycym, zwraca też uwagę, że plemiona słowiańskie, „nawykłe do wolności nie pozwalają się w żaden sposób ujarzmić ani opanować, a zwłaszcza na własnej ziemi. Są bardzo liczni i wytrwali, znoszą łatwo upał, zimno i słotę, niedostatek odzienia i środków do życia. Dla przybywających do nich są życzliwi i chętnie ich odprowadzają z miejsca na miejsce, użyczając im, czego potrzebują". Dalej podkreśla cnotliwość słowiańskich niewiast, które „śmierć męża za własny koniec uważają i dobrowolnie same się duszą (wieszają zapewne – J.B.), nie uważając wdowieństwa za życie".

Nie był to jednak barbarzyński zwyczaj, ale dowód głębokiej wiary Słowian w życie pozagrobowe; tym łatwiej było im się rozstać z ziemskim. Byli więc Słowianie ludźmi uduchowionymi. Autor dostrzega też pewną słabość Słowian: „ponieważ mają oni wielu reges (królów, królików – J.B.) pozostających ze sobą w niezgodzie, dobrze jest pozyskać sobie niektórych namową lub darami"[8].

Pseudo-Maurycy dostrzegał też niezwykłą gościnność Sklawienów i Antów.

Przytoczone cechy pasują do tych, które przez następne wieki przypisywano Polakom. Poczucie wolności, siły, godności, gościnność, sielskość, zamiłowanie do swarów i... niechlujstwa oraz regularnych rządów. Tak nas widzieli nawet po wielu wiekach cudzoziemscy nuncjusze, posłowie, podróżnicy, szukający łaskawego chleba nad Wisłą[9].

Już Gall Anonim (a raczej mnich z Wenecji, Monachus Littorensis) w dwunastowiecznej *Kronice* wskazywał, że kraj, gdzie rodziła się Polska, „nigdy przecież nie został przez nikogo ujarzmiony w zupełności". Czy dziedziczymy aż tak daleko geny, czy to wpływ przeszłości, odkry-

---

[8] M. Plezia, *op.cit.*, s. 91, 95.

[9] Por.: *Cudzoziemcy o Polsce. Relacje i opinie, wybór i oprac.* J. Gintel, Kraków 1971, passim; *Dyplomaci w dawnych czasach. Relacje staropolskie z XVI–XVIII stulecia*, oprac. A. Przyboś, R. Żelewski, Kraków 1959, passim.

ty przez Carla Gustava Junga, nazwany archetypem nieświadomości zbiorowej?

Czy to tylko mit?

Słowianie mieli okrutnych, ale i dobrych nauczycieli. Byli nimi Hunowie, Sarmaci, ale nade wszystko Awarowie, Obrowie, Obrzy czyli „Olbrzymy", którzy w połowie VI wieku wlali się gdzieś z Ałtaju i Mandżurii do Europy. Sprowadzili Słowian do roli pasterzy bydła, dostarczycieli dziewek i „żywych tarcz". Przypominali działania nazistów zdecydowanych wytępić Żydów, Słowian i innych „podludzi".

Awarowie najprawdopodobniej skazali Słowian na zagładę. Jednakże sami doprowadzili się do bezpowrotnej zagłady. Od nich bowiem Słowianie nauczyli się walczyć, z nimi rozprzestrzeniali się, aby wreszcie w 626 roku podnieść wielki bunt i uwolnić się od panowania okrutników. Bunt zaowocował powstaniem pierwszego państwa słowiańskiego założonego przez frankijskiego kupca Samona. Awarowie, zdominowani przez Słowian, zgnieceni przez Karola Wielkiego i Bułgarów, znikli z areny dziejów. A Słowianie trwali i parli dalej aż do czasów założenia własnych państw, wbrew logice siły.

Historyczne badania i interpretacje zawsze uzależnione były i są od politycznego kontekstu. Oficjalnie mianowany w 1841 r. królewskim historiografem państwa pruskiego Leopold Ranke potwierdzał w swych badaniach rzekomą drugorzędność Słowian w procesie dziejowym.

Na arenie dziejów Europy Środkowej i Wschodniej, na tle rozpadającej się schedy po cesarstwie rzymskim pozostało w gruncie rzeczy trzech „wielkich": Romanie, Germanie, Słowianie. Pycha niemiecka narastała wraz z rozbiorami Polski: dziewiętnastowieczny historyk Leopold von Ranke uważał, że Słowianie jako „peryferyjne narody Europy" odegrali rolę „niemych statystów", oddzieleni od głównych rozgrywających, czyli narodów germańskich i romańskich. Nic bardziej bzdurnego – przez wieki Piastowie i Jagiellonowie decydowali w takim samym stopniu o losach Europy; a potęga Rosji wywróciła te rasistowskie poglądy wyprzedzające straszną epokę pogardy czasów faszyzmu i nazizmu[10].

Nic dziwnego więc, że odwzajemnione niemieckie niechęci do Słowian miały długą tradycję i poważniejsze podłoże. Nad Odrą i Łabą nastąpiło przecież starcie dwóch wielkich ludów, decydujących o obliczu Europy Środkowej. Neurotyczny strach germański przed Słowianami znajdzie miejsce w niemieckiej historii i ideologii. Germanie napotkali Słowian już nad Łabą i rozpoczął się ich *Drang nach Osten*, parcie na wschód i w innych kierunkach.

Według relacji duńskiego kronikarza Saxo Grammaticusa z XII w. na wyspie Rugia w grodzie Arkona miał się znajdować ogromny posąg głównego bóstwa Słowian połabskich, Świętowita. Ślady mitologii słowiańskiej są skąpe i wizerunku tego nie poprawia tajemnicza tzw. *Księga Welesa*, odkryta w 1919 r. przez oficera rosyjskiej „białej armii" Ali Izenbeka i spisana na drewnianych tabliczkach. Większość naukowców uważa tabliczki za falsyfikat. Neopoganie uważają je za świętą księgę Słowian.

Nie zdołali jednak zdominować Europy, mimo ogromnych sukcesów kolonizacyjnych. Potomkowie Germanów – niemieckie zakony kawalerów mieczowych i zakon krzyżacki – podbili wprawdzie Inflanty i Prusy, inni weszli aż do Siedmiogrodu i na Ruś, ale i oni zostali otoczeni morzem Słowian. Poczucie zagrożenia zaczęło rzutować na opinie o Słowianach i wyniki badań w dziedzinie tak tajemniczej jak początki ludów, narodów i państw.

Ten strach eksplodował w drugiej połowie XIX wieku w Rzeszy Niemieckiej wraz z pojawieniem się nacjonalizmów. Powstały też stosowne teorie uzasadniające „gorszość" Słowian. Nieświadomie czy świadomie nawiązywano do obłędnych słów pruskiego Fryderyka II, króla mającego poważne problemy ze sobą, że „Polacy to Irokezi Europy". I tak też usiłował traktować Rzeczpospolitą. Była to swoista zapłata za polską wielowiekową tolerancyjną opiekę nad Prusami.

[10] Cs. Szabó, *Trzy siostry. Europa Środkowa w chrześcijańskim średniowieczu*, przeł. E. Miszewska-Michalewicz, „Więź" 1989, nr 11–12, s. 112–113; M. Janion, *Niesamowita Słowiańszczyzna*, Kraków 2007, s. 165.

Historycy Heinrich von Treitschke, Gustaf Kossinna, Gustaw F. Klemma, czy później Albert Brackmann, Walther Holtzmann i O. Schulte oraz francuski hrabia Joseph Arthur de Gobineau i Joseph Chamberlain zaczęli udowadniać światu, że Słowianie nie mogli stworzyć państwa sami z siebie, ale w wyniku interwencji z zewnątrz. Nie mieli bowiem arystotelesowskiego instynktu państwowego „zoon". „Gorsi", „leniuchy" Słowianie zgodnie z tymi założeniami mieli być jedynie tłem dla panoszących się po Europie zwycięskich Germanów.

Te poglądy utrwalił potem Edward W. Said w dziele *Orientalizm*, w którym ukazuje proces przyswajania przez „Orient", między innymi słowiański, pozbawiony „historii", kanonu zachodnich fabuł i schematów. Było to ukoronowaniem przekonań o „Pięknym" Zachodzie i wschodniej, słowiańskiej „Bestii"[11].

Wedle niektórych badaczy, nie tylko niemieckich, ale i polskich, normańscy Germanie mieli przyczynić się do powstawania państw słowiańskich, gdyż Słowianie jako „rasa niższa", pozbawiona instynktu porządku, pozostaliby na etapie co najwyżej wspólnot plemiennych. Dowodem było założenie państwa kijowskiego przez normańskich Waregów i ich wodza Ruryka, skąd się brała cała dynastia Rurykowiczów. Mieszka umiejscawiano w galerii wodzów germańskich.

Tymczasem wbrew tezom o pochodzeniu od rasy panów „Ariów", z badań W. Mańczaka i innych wynika niezbicie, że Germanie wywodzili się z ludów indoeuropejskich i pojawili się później niż Prasłowianie. Przyszli zapewne z odległych stepów Azji, z Kazachstanu, koczując między Morzem Czarnym i Kaspijskim. Plemiona germańskie nie zdołały przy tym wytworzyć początkowo żadnego państwa, wcale nie miały jakiegoś przyrodzonego „zmysłu państwowego", tego nauczyły się od Rzymian[12].

Germanie odznaczali się ponadto niezwykłą brutalnością, pijaństwem i smrodem, opisywanym ze wstrętem przez wytwornych Rzymian. Nim się ucywilizowali, masakrowali wszystkich i wszystko po drodze. Słowian od brutalnych Germanów odróżniała dziwna pokojowość i duża liczebność. Nic dziwnego, że *servus* – dawne łacińskie określenie niewolnika – zastąpił termin *sclavus*; słowiańscy Sklawini, mniej dzicy, a więc mniej skorzy do walki, zapewne tak licznie dostawali się do niewoli, że ich nazwa stała się tożsama z określeniem niewolnika.

---

[11] Krytyczne spojrzenie na te postkolonialne poglądy: N. Davies, *Zachód i Wschód, czyli Piękny i Bestia*, „Tygodnik Powszechny"; 20 VII 1997; E.W. Said, *Orientalizm*, przekł. W. Kalinowski, Warszawa 1991.

[12] J. Kmieciński, *Nacjonalizm w germanoznawstwie niemieckim w XIX i pocz. XX w.*, Łódź 1994, s. 47 i n.

Ale mimo to Słowianie nadrabiali straty wojenne: płodzili potomstwo i rozlewali się po Europie, nie wdając się w wielkie wojny i zwycięskie bitwy. Jak sądzą K. Muszyński i Z. Skrok, w przetrwaniu i rozprzestrzenianiu się pomagała im umiejętność mimikry i przeczekania oraz przebiegłość. Nie byli przy tym wcale miękcy: Słowianie potrafili przemienić się momentalnie w okrutnych wojowników i nie odbiegali od zwyczajów panujących w tych strasznych czasach.

Czy Słowianie mogą więc uchodzić za pionierów „pokojowego podboju Europy" i służyć za swoisty symbol pacyfizmu? I tak, i nie. Musieli mieć w sobie albo dostać od siły wyższej immanentną moc, która pozwoliła im wyodrębnić się, rozrastać z niebywałą szybkością i zachować zdumiewającą etniczną jedność. Ich ekspansja na połowę kontynentu była niezwykła: to nie byli „niewolnicy", ale prężne ludy z własną kulturą, obdarzone dużą potencją demograficzną odporną na wyniszczenie, umiejącą przetwarzać obce wzorce i asymilować je tak, że to inni roztapiali się w morzu Słowiańszczyzny.

O sile i odporności Słowian wobec innych świadczy jednolitość etniczna, którą zachowali pomimo wpływu innych kultur. Na terenach przyszłej Polski w starożytności pozostało bowiem wiele enklaw po dawnych ludach: Staroeuropejczyków, Irańczyków, Bałtów, Celtów, Germanów, Daków, Hunów. Szczególną rolę odgrywali „wielcy przegrani" wczesnej Europy – Celtowie. Ci jasnoskórzy, wysocy, rudowłosi wojownicy, z których najwaleczniejsi walczyli całkiem nago, gardząc śmiercią, przejechali się w IV wieku p.n.e. nawet po antycznym Rzymie, paląc Weronę, Mediolan, Bolonię. Rzym wedle legendy w 387 r. p.n.e. uratowało gęganie gęsi, które zbudziło załogę na Kapitolu. Poselstwo celtyckie przyjmował w 335 r. p.n.e. Aleksander Wielki, co i tak pięćdziesiąt lat później nie uchroniło Grecji od nowych Termopil i straszliwego najazdu Celtów, którzy spalili wyrocznię w Delfach.

Celtowie osiedlali się też na terenach przyszłej rdzennej Polski. Chyba przez jakiś czas kontrolowali szlak bursztynowy nad Bałtykiem; taki rozbój na kupcach wracających znad zimnego morza ze „złotem Północy" mógł się bardzo opłacać. Jednakże nawet bitność i okrucieństwo Celtów okazały się niewystarczające wobec skrajnego okrucieństwa Germanów. To oni, a potem Rzymianie Cezara, bijąc Wercyngetoryksa, przyczynili się do zagłady i wyparcia Celtów aż do Irlandii.

Okazuje się jednak, że Celtowie pozostali tu i ówdzie, także na ziemiach polskich. W okolicach Pełczysk niedaleko Wiślicy w Małopolsce archeolodzy polscy odkryli ich kolejne osady. Osiągnięcia metalurgiczne Celtów, beczki, wełniane spodnie, biżuteria, monety, garnki toczone

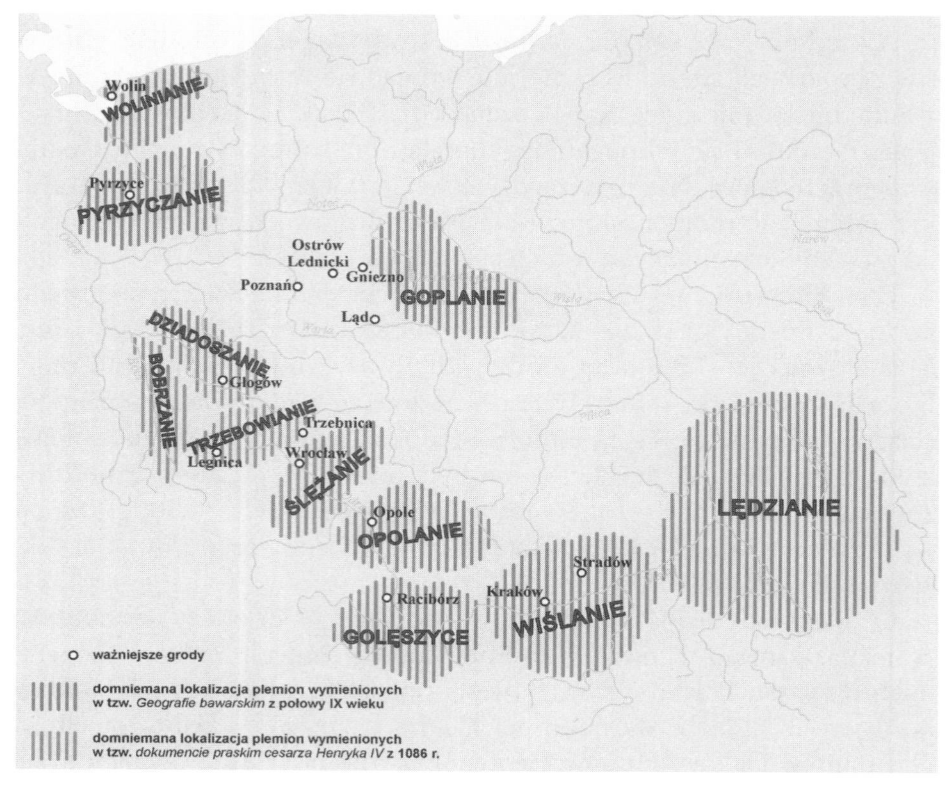

Rozmieszczenie plemion słowiańskich na ziemiach polskich na podstawie opisu tzw. Geografa Bawarskiego. Tajemnicza nazwa Polska pojawia się dopiero w rzymskim *Żywocie św. Wojciecha* na przełomie X i XI w. Jak się wydaje, spopularyzował ją kronikarz Bruno z Kwerfurtu i być może nazwę Polonia przyjął dopiero Bolesław Chrobry. Przedtem jego państwo nazywano „krajem Bolesława".

z domieszką polerującego grafitu, żelazne kosy wyrastały ponad epokę na ziemiach północnej Europy. Co ciekawe, ok. 60 r. p.n.e. w tej samej dolinie Strugi żyli obok siebie Celtowie, Germanie i Dakowie z Siedmiogrodu i nie bili się między sobą, ale współżyli. Celtowie górowali wzrostem i osiągnięciami cywilizacyjnymi; utrzymywali kontakt ze swymi rodakami w zachodniej Europie. Germanom i Dakom pozostało tylko uczyć się od nich.

Obok Celtów i innych w Pełczyskach żył inny odkryty niedawno lud. A może to Protosłowianie? Nic jednak na to nie wskazuje: zrekonstruowana twarz kobiety zdradza afrykańskie pochodzenie. „Kobieta mogła pochodzić z Maghrebu albo Hiszpanii, mogła przywędrować nawet z południowej Grecji", oceniał antropolog Karol Piasecki[13].

[13] Za: M. Wójcik, *Psy i nosy*, „Polityka", nr 44, 5 XI 2005.

Zdumiewające jest, jak zgodnie żyły w Pełczyskach różne nacje i kultury. Działo się tak do czasu, gdy pojawiła się tu wielka fala Słowian, o których zamiłowaniu do kłótni pisali od początku starożytni pisarze. Ale pomimo wyższości cywilizacyjnej osady, oppidy i kultura innych ludów nie zdołały zdominować napływowej kultury słowiańskiej.

Badania archeologiczne nadal nie przynoszą jednoznacznego obrazu kultury słowiańskiej. Wiemy tylko, że z pewnością nie wybujała ona w górę, jak budowle rzymskie czy rosnące z wolna kamienne kościoły na zachodzie Europy. Nie wyprodukowała też żelaznej kosy jak Celtowie. Praprzodkowie Lecha, Czecha i Rusa żyli na ogół w półziemiankach, bo tak surowy był tam klimat; jedli z marnych skorup służących za garnki. Ich osiągnięcia nie mogły się równać ze wspaniałymi osiągnięciami świata starożytnego i celtyckiego, z którego Germanie wcześniej zaczęli czerpać pełnymi garściami.

„To co nazywamy kulturą materialną Słowian było bardzo ubogie", pisze o V–VI wieku prof. Magdalena Mączyńska. „Nie wiedzieli jeszcze, jak się używa koła garncarskiego, lepili workowate, niekształtne naczynia gliniane z bardzo prostym wzorem". Stawiając popielnice ze spalonymi ciałami na słupach, o czym pisze Nestor w *Kronice staroruskiej*, „zatarli po sobie większość śladów".

Ostatecznie Słowianie znaleźli jednak miejsce w Europie. Wykorzystali swoją szansę. Potrafili się przystosować i podbili połowę konty-

Model zagrody przypisywanej Słowianom. Pełniła ona funkcje obronne; mieścił się w niej cały wielopokoleniowy ród.

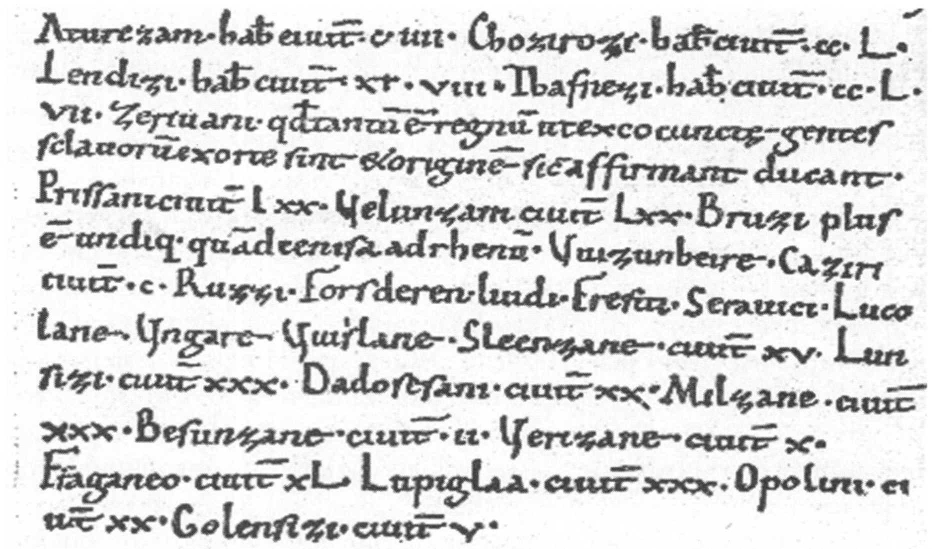
Atturezani hab ciuit c un· Chozirozi hab ciuit cc L·
Lendizi hab ciuit xc vııı· Thafnezi hab ciuit cc L·
vıı· Zeriuani q tantu e regnu ut ex eo cuncte gentes
sclauoru exorte sint & origine sic affirmant ducant·
Prissani ciuit Lxx· Uelunzani ciuit Lxx· Bruzi plus
e undiq quam de enisa ad rhenu· Uuizunbeire· Caziri
ciuit· c· Ruzzi· Forsderen liudi· Fresiti· Serauici· Luco
lane· Ungare· Uuislane· Sleenzane· ciuit xv· Lun
sizi ciuit xxx· Dadosesani ciuit xx· Milzane· ciuit
xxx· Besunzane· ciuit ıı· Uerizane· ciuit x·
Fraganeo· ciuit xL· Lupiglaa· ciuit xxx· Opolini· ci
uit xx· Golensizi· ciuit v·

Descriptio civitatum et regionum ad septentrionalem... nota sporządzona około 845 r. w Ratyzbonie przez tzw. Geografa Bawarskiego była przeznaczona dla króla Ludwika Niemca. Syn Karola Wielkiego zamierzał bowiem podbić i ochrzcić słowiańskie plemiona. Tajemnicą pozostaje brak Polan w wymienionych *civitas* – miastach i plemionach.

nentu. W tym czasie wiele ludów pojawiało się w Europie – Awarowie, Hunowie, Chazarowie – i ginęło na zawsze w pomroce dziejów.

Słowianie nie tylko przetrwali, ale i rozprzestrzenili się zdumiewająco, pozostając jednolitymi. I to było niesamowite. Obok Germanów stanęła groźna siła, zwana niekiedy sielską, gdyż nie prowadziła tak spektakularnych, długotrwałych, krwawych i skrajnie okrutnych wojen, jak inni. Choć to raczej pozór; gdy trzeba było porzucić „mimikrę", Słowianie bili się zaciekle i równie okrutnie. Mogą zatem uchodzić za pierwszych mistrzów społecznego kamuflażu, stosowania socjotechnicznych i psychologicznych sztuczek.

Odegrali też ważną rolę w wielu obszarach życia: od wojny, polityki po gospodarkę, decydując o obliczu Europy. Rozprzestrzeniając się, raz pokojowo, innym razem rąbiąc mieczami, sprawili, że Europa nie stała się monolitem germańskim albo schedą kulturową po starożytnym Rzymie – na szczęście dla Europy. Zdanie to nabiera sensu, gdy zestawimy je z ostatnią próbą germanizacji Europy przez szaloną ideologię i działania nazistów niemieckich pod wodzą „natchnionego" wodza „potomków Ariów", Adolfa Hitlera.

Rozdział 2.
Glosa dla ciekawych:
O próbach unii słowiańskiej

Świadomość wspólnych korzeni Słowiańszczyzny miała swój ciąg dalszy i przetrwała przez wieki. W XV–XVI wieku główną ostoją Słowiańszczyzny stała się wielonarodowa Polska szlachecka ze znaczną częścią polonizujących się Rusów. Niezwykłą płodność, pokojowe nastawienie i silną etniczną jedność Słowian próbowano więc wykorzystać w Rzeczypospolitej: królowie i szlachta polska szukali uzasadnienia unijnego zjednoczenia z „potomkami Rusa" nie tylko w obrębie ogromnego państwa litewskiego, ale i daleko za Dnieprem. Oczywiście było to skrojone na miarę ówczesnych poglądów i nauki, ale może też dlatego Jagiellonowie byli powoływani na tron „potomków Czecha".

Wielki kronikarz polski, kanonik Jan Długosz miał świadomość Słowiańszczyzny i polskich korzeni. Odnotował istnienie licznych ksiąg z czasów wprowadzania w Polsce obrządku słowiańskiego i głagolicy, o czym piszemy w rozdziale następnym.

Unia Polski i Litwy zawarta w Krewie w 1385 r. była pod względem narodowościowym unią słowiańską. Na ogromnych obszarach zdobytych przez Litwę mieszkali bowiem głównie Rusini; językiem ruskim posługiwali się też książęta litewscy i ich kancelarie.

Ale jak zwykle w przypadkach prób jednoczenia rodziło się fundamentalne pytanie: na czyich warunkach? Od chwili zjednoczenia czy raczej przyłączenia (słynne *applicare* w akcie unii krewskiej 1385 roku) Litwy do Korony Polska weszła w wielowiekowy konflikt ze słowiańskim Księstwem Moskiewskim. Starcia Rzeczypospolitej z Moskwą były coraz zacieklejsze, Polska i Litwa na ogół zwyciężały, jak w wielkiej bitwie pod Orszą w 1514 roku, a przegrywały twierdze, jak Smoleńsk w tymże roku. Jednocześnie istniała świadomość wspólnego pochodzenia, a nawet języka: przecież jeszcze w XVII wieku około czterdziestu procent aktów prawnych na Litwie pisano po rusku, cyrylicą.

Odrębność zauważał też ceniony publicysta, żonaty ksiądz, Stanisław Orzechowski (1513–1566). „Polacy ani są Niemcy, ani Tatarzy. Są tedy Sławianami Polacy, którem nazwiskiem od rozległości sławy, te wszystkie rzeczone narody ... mieszkają (...) Od tych więc Sławianów przyszli Polacy, co i sam język pokazuje, którego się po dziś dzień za wskazówkę trzymamy, który u Czechów i Polaków i Rusi, lubo odmiennym sposobem, wraz ze Sławianami, to jest Macedoniami i Dalmatami, jak i innymi tego rodzaju Lirykami za pospólny zostaje, który oznacza, iż te wszystkie narody od Sławian poszły", pisał w *Kronice*[14].

Fragment obrazu *Bitwa pod Orszą* 1514 r., czyli kolejne „słowiańskie starcie" Polaków z Moskwianami w walce o prymat nad wschodnią Europą.

[14] S. Orzechowski, *Kronika*, tł. M.Z.A Włyński, Sanok 1856, s. 9–10.

Po 1582 roku i zwycięskich wojnach o Inflanty, zajęte przez cara Iwana IV Groźnego, król Stefan Batory snuł wizje stworzenia ogromnej unii polsko-moskiewskiej na warunkach polskich. Idea była żywa i akceptowana w świadomości społecznej, skoro po śmierci bitnego króla, która nastąpiła podczas przygotowań do wielkiej wyprawy na Moskwę, plany unii nie zamarły.

Kanclerz i hetman Jan Zamoyski miał ogromne ambicje i nadzieje na panowanie, uzgodnione zapewne z królem Stefanem Batorym. Propagując ideę „króla słowiańskiego" myślał zapewne o sobie, pochodził wszak z ruskiego spolonizowanego rodu.

Na sejmie pacyfikacyjnym w 1589 roku Zamoyski wysunął projekt zagwarantowania prawa do tronu polskiego tylko Słowianom. Zapewne siebie przede wszystkim miał na myśli, a „Słowianie" dla kanclerza to po prostu „swoi", rodacy – pomiędzy Wartą a Dnieprem. Posłowie odrzucili projekt, gdyż jednocześnie Zamoyski żądał zwiększenia władzy hetmanów[15].

„Sprawa słowiańska" nadal jednak była zauważana w Rzeczypospolitej i wykorzystywana do politycznych celów. Litewski kanclerz Lew Sapieha, który stał na czele wielkiego poselstwa, tak miał przekonywać bojarów w Moskwie w 1600 roku:

„Myśmy z wami Słowacy (Słowianie – J.B.) narodu jednego,
Boga z wami chwalimy, w Trójcy jedynego"[16].

Z takimi przekonaniami łatwiej było młodym szlachcicom iść na Kreml. Nadzieje na unię słowiańską wróciły, gdy w 1606 roku Polacy, maszerując za Dymitrem Samozwańcem, znaleźli się w Moskwie. Oczywiście zdawano sobie sprawę, że idea wspólnego „państwa słowiańskiego" ma szansę na realizację tylko poprzez pokojowe układy i asymilację. Casus Litwy zdawał się być tu dobrym wzorcem. Litwa najpierw była zaciętym i podstępnym wrogiem Polski, a potem, w wyniku *applicare*, z mocy aktu krewskiego w 1385 roku, w szybkim tempie wchłonęła polską kulturę. Potomkowie bojarów i kniaziów

[15] Za: J. Besala, *Stanisław Żółkiewski*, Warszawa 1988, s. 74.

[16] K. Tyszkowski, *Plany unii polsko-moskiewskiej na przełomie XVI i XVII wieku*, „Przegląd Współczesny", nr 74, 1928, s. 138.

Kanclerz litewski Lew Sapieha (1557–1633) zdążał do unii personalnej Moskwy z państwem polsko-litewskim. Snuł plany matrymonialne króla Zygmunta III Wazy z Ksienią, córką cara Borysa Godunowa. Niestety, bardziej realna okazała się krwawa zbrojna interwencja polska na Kremlu w XVII w.

spolonizowali się w znacznym stopniu, zachowując jednak poczucie odrębności. Podobnie działo się na Ukrainie.

Wierszokleta J. Jurkowski, wierząc w polsko-litewsko-moskiewskie połączenie na początku XVII wieku, pisał w Hymenaeusie Najjaśniejszego Monarchy Dymitra:

„...zaś kto będzie taki,
kto zjednoczy miłością Moskwę i Polaki?”[17].

Przygoda z próbą „zjednoczenia się Słowian” w XVII wieku skończyła się jednak katastrofą. Polacy po próbie stworzenia unii przez hetmana Żółkiewskiego za zgodą bojarów, naciskani i oblężeni, spalili w końcu Moskwę w 1611 roku. Rosjanie odtąd pilnie szukali odwetu: już w 1654 roku zdołali zająć, złupić i wymordować mieszkańców Wilna. Przepaść wzajemnej wiekowej niechęci i nieufności pogłębiła się, a nienawiść dopełniły rozbiory i rzezie polskich powstań dokonane przez Aleksandra Suworowa i jego następców.

W XIX wieku już tylko Rosja spośród państw słowiańskich triumfowała; Polska i inne wielkie narody słowiańskie zeszły z wielkiej sceny historii za podrzędne kulisy. Więk-

Czech František Palacký (1798–1876) chciał utworzenia państwa słowiańskiego w ramach habsburskiej Austrii. Oznaczałoby to jednak utrwalenie podziału rozebranej Polski.

[17] Za: J. Besala, *op.cit.*, s. 201.

szość ich utraciła niepodległość państwową: Czechy w 1620 roku, Słowacja od początku miała kłopoty z tożsamością, narody bałkańskie drżały pod tureckimi bułatami, a w końcu i potężna niegdyś Polska, decydująca o dziejach w tej części Europy, została rozebrana.

„Pośród niesnasek Pan Bóg uderza
W ogromny dzwon,
Dla słowiańskiego oto papieża
Otworzył tron" – wieszczył w 1848 r. Juliusz Słowacki. Czy to tylko przypadek natchnienia profetycznego?

Wzrastała natomiast despotyczna Rosja, której zwycięstwa i przewagi nad Rzeczpospolitą otworzyły drogę do wielkości. Wojska carskie docierały aż do Paryża. Było w tym coś pozytywnego dla idei Słowian, gdyż Zachód był raczej przekonany o „gorszości słowiańskiej", „azjatyckiej", „orientalnej". Sukcesy Rosji i jej potęga podcinała heglowskie i inne teorie o Duchu świata, który, jak dotąd, omijał narody słowiańskie...

Idee Słowiańszczyzny usiłowano więc wykorzystać dla sprawy niepodległości. W 1823 roku narodziło się w Czechach Stowarzyszenie Zjednoczonych Słowian. W Pradze coraz pilnej studiowano kulturę, folklor i zwyczaje dawnych Słowian, w nadziei stworzenia wielkiej federacji słowiańskiej, zdolnej między innymi przeciwstawić się pangermanizmowi. W 1848 roku František Palacký zwołał do Pragi kongres słowiański, by wywrzeć wpływ na cesarza Austrii. Chodziło o utworzenie federacji pod berłem Habsburgów, z udziałem Słowian.

Na fali romantycznego mistycyzmu w Polsce Juliusz Słowacki proroczo wieszczył też Słowianina na tronie papieskim. Panslawizm stał się romantycznym sztandarem walki o odrodzenie wolnych państw.

Zjednoczenie Słowian nie powiodło się jednak. Katoliccy Polacy, zbliżeni raczej do kręgu kultury Zachodu, niegdyś dyktujący warunki „europejskiej unii wschodniej", nie chcieli się zgodzić na dominację Rosji w ewentualnym związku. Czuli, że pod ideą Słowiańszczyzny, nawet w opakowaniu „rosyjskich demokratów", czai się wielkoruski imperializm. I po doświadczeniach z Rosją sowiecką możemy zaryzykować tezę, że raczej się nie mylili. Zapewne dlatego idee głównego ideologa polskiego obozu narodowego, Romana Dmowskiego, szukającego na przełomie XIX i XX wieku szansy odrodzenia Polski z pomocą Rosji – nie zyskały większego poparcia.

Jednakże odrzucenie panslawizmu przez Polaków w XIX i XX wieku wywarło w świecie „potomków Lecha, Czecha i Rusa" fatalne wrażenie. Polacy zyskali w Rosji i Czechosłowacji kolejny epitet: tym razem „zdrajców jedności słowiańskiej".

Na osłodę Polakom pozostał hymn Słowian nawiązujący do Mazurka Dąbrowskiego. Był hymnem Jugosławii, teraz jest hymnem Chorwacji. Pozostał chyba najbardziej widocznym symbolem prób stworzenia unii słowiańskiej i dawnej jedności etnicznej Słowian.

Rozdział 3.
„Obłęd lechicki"

Rozpoczyna się walka. Lechici obwołują hasło argyraspidów. Donoszą królowi, że to nie napad nieprzyjaciół, lecz buntowniczy zgiełk wśród swoich.

Jest to opis jednej z bitew Aleksandra Macedońskiego, dokonany w XIII wieku przez polskiego mistrza Wincentego, zwanego Kadłubkiem. Wedle naszego kronikarza wskutek podstępu lechickiego wielki wódz macedoński zmuszony był ustąpić z pola walki.

Po czym Aleksander pisze do Arystotelesa: „Wiedz, że doskonale powodzi się nam u Lechitów. Jest zaś sławne miasto Lechitów, bardzo blisko północnych stron Panonii, które nazywają Caraucas, raczej ludne niż bogate, dobrze zabezpieczone, raczej dzięki sztuce niż położeniu; nad tym miastem i nad sąsiednimi triumfowaliśmy zgodnie z życzeniem"[18].

Ten opis uczonego mistrza Wincentego, dobrze znającego dzieje antyczne, nieźle namieszał w polskiej historiografii. Argyraspidzi istnieli rzeczywiście: byli wyborowymi wojownikami macedońskimi ze srebrnymi tarczami. Jednakże nic ponadto nie jest wiarygodne w tym opisie w zestawieniu ze zbadanymi później faktami.

Księga listów Aleksandra Macedońskiego do jego wielkiego nauczyciela

Uczoność mistrza bł. Wincentego zwanego Kadłubkiem (po 1150–1226) prowadziła do mieszania przezeń wątków z dzieł antycznych ze współczesnymi wydarzeniami. W ten sposób powstały legendarne dzieje Polski. Ale czy do końca legendarne?

[18] Mistrz Wincenty (Kadłubek), *Kronika polska*, przekł. i oprac. B. Kürbis, Wrocław 1992, s. 23.

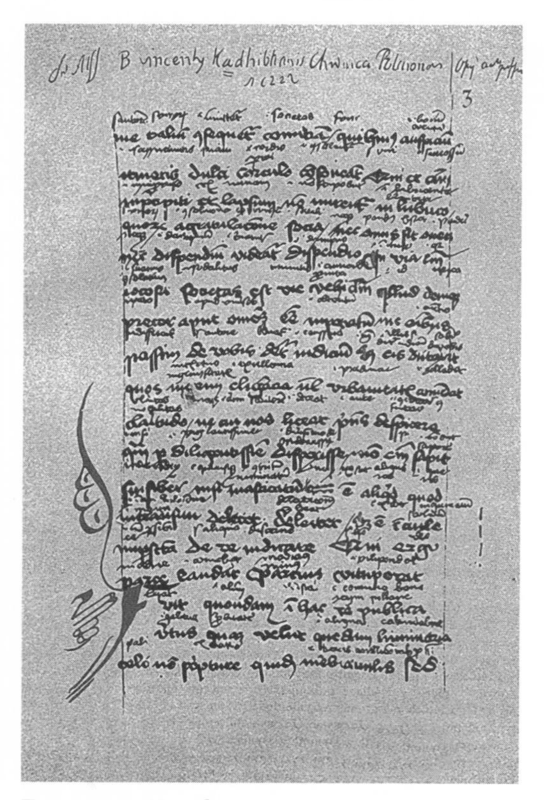

Fragment *Kroniki* mistrza Wincentego. To w jego dziele pojawili się tajemniczy Lechici jako protoplaści Polaków już w czasach antycznych i rzekomych podbojów Aleksandra Macedońskiego. Dopiero nauka historii od XIX w. zaczęła urealniać te mity.

Arystotelesa, na którą się powołał Kadłubek, to apokryfy, czyli rzeczy dodane, niepewne. W XV wieku Jan Długosz wiedział, że Aleksander Macedoński nie mógł dotrzeć do Caraucas, czyli Krakowa, którym władali Lechici. W ogóle nie bywał w tych stronach Europy, zajęty podbojem Grecji i Azji po Ganges. Był to wiek IV przed Chrystusem i zapewne wokół Wąwla-Wawelu hulał jedynie wiatr, gnąc potężne drzewa w gęstych puszczach. Tajemniczy, zaciekle walczący Lechici mogli się raczej uczyć od wilków sztuki walki i zażywać halucynogenne czerwone muchomory, nadające im wściekłą waleczność, a nie budować Wąwel[19].

Jan Długosz także nie wspomniał w swych *Rocznikach Królestwa Polskiego* o rzekomych legendarnych walkach Lechitów z legionami Cezara w I wieku p.n.e., mimo że wieści te także przytaczał mistrz Wincenty Kadłubek.

Skąd jednak się wzięli ci Lechici? Przecież Kadłubek nie wyssał ich sobie z palca, musieli istnieć. A może to oni stworzyli podwaliny państwa polskiego? Zagadka pochodzenia niezwykle licznej szlachty polskiej drążyła przez wieki i wabiła niespokojne umysły. Czyżby wywodzili się od Lechitów? Powstawały teorie ukazujące rzekome pochodzenie Polaków: Długosz łączył ich z Sarmatami, idąc za poglądami geograficznymi Ptolemeusza.

W 1517 roku Maciej z Miechowa, a potem w 1555 roku Marcin Kromer usiłowali wyjaśnić tajemnicę polskich korzeni. Udowadniali, że polska szlachta wywodzi się właśnie od bitnego plemienia Sarmatów. W ten sposób w ich sprawozdaniach bohaterscy Sarmaci nałożyli się na

[19] O „wilczym plemieniu" i „grzybowym locie" pisze Z. Skrok, *Słowiańska moc*, Warszawa 2006, s. 119 i n.

figurę Lechitów, przywoływanych przez mistrza Wincentego, walczących z samym Aleksandrem Wielkim i Rzymianami, w co szlachta polska zdawała się przez wieki niezbicie wierzyć.

Biskup warmiński Marcin Kromer (1512-1589) napisał dzieło *O pochodzeniu i czynach Polaków ksiąg trzydzieści*, podając kolejny raz Sarmatów jako praprzodków szlachty polskiej. Przekonanie to było silnie zakorzenione. Czy miało racjonalne podstawy?

Przekonanie mistrza Wincentego wydawało się tym bardziej umotywowane, że autor podjął także trud wyjaśnienia nazwy Lechitów. Wątek ten ujęty został też w trzynastowiecznej *Kronice wielkopolskiej*. „A ponieważ Polaków nazywa się Lechitami, wypada zbadać, skąd się takim mianem nazywają", pisał jej autor na początku swego dzieła, dotyczącego „królów, książąt i władców rozległego królestwa polskiego, czyli Lechitów".

Wedle *Kroniki wielkopolskiej* nazwa „Lechici" wywodziła się od Lecha, który miał braci: Rusa i Czecha. Ruszyli oni zakładać swe królestwa z Panonii, ziemi biblijnego Jafeta, która „jest matką i kolebką wszystkich narodów słowiańskich". Autor *Kroniki* dodaje, że bracia mówiący tym samym językiem brali swój „początek z mowy jednego ojca Sława, stąd Sławianie"[20].

Przez całe średniowiecze i początek dziejów nowożytnych wierzono więc święcie w owe „teorie" wspólnego języka i pochodzenia. Gdy wreszcie w XVIII wieku pojawiły się pierwsze próby naukowego spojrzenia na przekazy i zastałe „prawdy" historyczne, pisarze-historycy zaczęli zastanawiać się bardziej krytycznie. Czy Lechici istnieli i czy rzeczywiście byli to przodkowie Polaków? A jeśli tak, to skąd się wzięli?

Wiedziano jednak nawet w wiekach średnich i później, że w określeniu Lechici jest coś, co ma związek z Polakami. Przez stulecia na Ukrainie i w Wielkim Księstwie Moskiewskim, a potem w Rosji Polaków nazywano „Lachami". Na dodatek Leszek, Lestko, „który czynami rycer-

[20] *Kronika wielkopolska*, przekł. K. Abgarowicz, Warszawa 1965, s. 45–47.

Niemal każdemu narodowi towarzyszą mity o cudownym początku. Nie inaczej było z legendarnym Lechem, któremu orzeł biały wskazał gniazdo (czyli miejsce osiedlenia – Gniezno).

skimi dorównał ojcu w zacności i odwadze", występował u oszczędnego w bajaniach Galla Anonima[21].

Potem jednak pojawił się u Wincentego Kadłubka w zwielokrotnionej postaci, co jeszcze bardziej zagmatwało sprawę „potomków Leszka", Lechitów...

I jak się do tego miał „Piast", występujący u Galla Anonima jako rzekomy założyciel wielkiej dynastii. Pierwszy wydawca *Kroniki wielkopolskiej*, Fryderyk Wilhelm Sommersberg, uznał w 1730 roku, że Piast nie pochodzi z plemienia Lechitów wymienionych przez *Kronikę* i Kadłubka. W dwa lata później gdańszczanin Gotfryd Bogumił Lengnich stworzył niezwykłą teorię wywodzącą „Polaków-Sarmatów" z Kolchidy i ludów kaukaskich. Lengnich udowadniał, że żyli tam jacyś „Lazi", czyli „Lacy", a ich następne pokolenia uczony gdańszczanin zinterpretował jako żyjące „po Laci", czyli właśnie Polacy. Z kolei lud „Zechów", sąsiadów „Laców" miał dać początek Czechom...

Sarmacki wątek podtrzymali też pierwsi nowożytni historycy polscy, w tym najsłynniejszy z nich, Adam Naruszewicz, w *Historii narodu polskiego*. Wielki erudyta Joachim Lelewel w dobie romantyzmu uznawał wprawdzie przekazy Kadłubka i innych za „podania niepewne", ale był przekonany, że „Polacy mieli za królików Leszków i Popielów". Tym samym utrwalał wizję początków Polski wziętą od Kadłubka i *Kroniki wielkopolskiej*[22].

Kolejni uczeni polscy w początkach XIX w. umiejscawiali sarmackich Lechitów w Dacji (obecnie Rumunia), skąd mieli ruszyć nad Łabę i zawrócić nad Wisłę. Tak dowodził w 1832 roku Wacław Aleksan-

[21] Gall Anonim, *Kronika polska,* przekł. R. Grodecki, Wrocław 1975, s. 16.

[22] J. Lelewel, *Historia polska do końca panowania Stefana Batorego*, w: *Dzieła* VI, Warszawa 1962 (1. wyd. 1813, s. 54); por. H. Łowmiański, *Początki Polski*, t. V, Warszawa 1973, s. 344.

der Maciejowski. F. L. Lewestamm podawał z kolei, że Lechici pochodzą z celtyckich Leksowów-Llachów[23].

Historyk-samouk i Polak z wyboru Karol Szajnocha (1818–1868) wysunął tezę o najeździe normańskim na ziemie polskie. Usiłował potwierdzić ją naukowo akademicki historyk Franciszek Piekosiński (1844–1906).

Z kolei August Bielowski w 1850 roku widział Lechitów idących z Ilirii w Dalmacji, bo tam dojrzał jezioro Lychnitis etc., etc.

Na ogół zdawano sobie sprawę z mityczności tych przekazów, tworzących legendarne początki Polski. Ale przeważał ton Juliana Bartoszewicza: „Zamącona to prawda, a jednak przeźroczysta", napisał w roku 1864 pracowity historyk[24].

Kilka lat wcześniej, bo w 1857 roku Karol Szajnocha uznał jednak, że poglądy o kierunku napływu Lechitów podawane przez Maciejowskiego i Bielowskiego są mylne. W dziele *Lechicki początek Polski* Szajnocha podał nową teorię – najazdu normańskich Skandynawów w VI wieku na ziemie polskie. Koronnym argumentem miało być słowo wikingów *lah,* czyli towarzysz; stąd Lachowie, Lechici itd. Polska miała więc powstać w wyniku najazdu, podobnie jak Ruś.

Tezy Karola Szajnochy, choć mało narodowe i patriotyczne, pomimo patriotyzmu samego autora, natrafiły na dużą życzliwość Franciszka Piekosińskiego. Pobudziły tego badacza do bardziej wnikliwego zbadania i rozszerzenia poglądu o „drugim najeździe normańskim". W 1881 roku opublikował on kontrowersyjną pracę *O powstaniu społeczeństwa polskiego w wiekach średnich i jego pierwotnym ustroju*[25].

Fundamentem przekonania Piekosińskiego o „najeździe normańskim" były znaki runiczne, czyli pismo skandynawskich Normanów. Przypominały one, wedle badacza, herby szlachty polskiej. Lechici

[23] F.L. Lewestamm, *Pierwotne dzieje Polski*, Warszawa 1841 r., passim.

[24] J. Bartoszewicz, *Historia pierwotna Polski*, w: *Dzieła,* t. III, Kraków 1878 r., s. 159; H. Łowmiański, *op.cit.*, s. 345.

[25] F. Piekosiński, *O powstaniu społeczeństwa polskiego w wiekach średnich i jego pierwotnym ustroju*, Kraków 1881.

Czy szlachta polska była potomkami wojowniczych i okrutnych wikingów, którzy swą bezwzględnością budzili przerażenie w całej Europie?

nad Wisłą ulegli najeźdźcom idącym z zachodu w tak zwanym drugim najeździe; pierwszym było podbicie przez Germanów Słowian połabskich, dowodził Franciszek Piekosiński. Jak przypomina Jerzy Wyrozumski, echa tych poglądów przetrwały jeszcze do 1925 roku, kiedy to Kazimierz Krotoski poprowadził Normanów w najeździe do Polski z innego kierunku: przez Ruś, z ziem kijowskich, gdzie Ruryk założył wielką dynastię[26].

Czy szlachecka warstwa Polaków wywodzi się od germańskich Normanów, a samo państwo polskie i dynastia jest germańskim tworem? Niezwykłe tezy Piekosińskiego, godzące, co tu kryć, w dumę narodową, zostały poddane naukowemu osądowi.

Były czasy wielkich i ważnych sporów! Teorie Piekosińskiego niemal natychmiast wywołały potężną krytykę i naukowy spór. Ludzie zawsze szukali gwałtownych, jednorodnych zdarzeń jako motywu inicjującego na przykład państwo, dynastię, naród, społeczeństwo – i tendencja taka nie omijała historyków. „Teoria najazdu" doskonale mieściła się w tym schemacie; łatwa też była do pojęcia jako akt jednorazowy i jednorodny. Ale nie wszyscy historycy skłonni byli ulegać takim schematom i potocznemu myśleniu.

---

[26] *Wielka Historia Polski*, t. II: J. Wyrozumski, *Dzieje Polski piastowskiej*, Kraków 1999, s. 74.

Michał Bobrzyński i Stanisław Smolka w pracy o Mieszku II jako pierwsi skrytykowali – wprawdzie nie wprost, ale pośrednio – „teorię najazdu". Wykazali ewolucyjność powstawania Polski. Ich teorie były znacznie bardziej skomplikowane, gdyż ukazywały rodzenie się Polski i późniejszego stanu rycerskiego poprzez zmiany gospodarcze, rozwarstwienie społeczne, pojawienie się rodów, plemion, wieców, zgromadzeń ludowych, starszyzny itd.

Michał Bobrzyński (1849–1935), założyciel krakowskiej szkoły historycznej, zakwestionował „obłęd lechicki polskiej historiografii". Rodzenie się państwa polskiego było prawdopodobnie długotrwałym procesem, a nie jednorazowym aktem.

Pozostała jednak do rozstrzygnięcia nadal kwestia Lechitów i pojawienia się pierwszej dynastii polskiej – Piastów. W 1897 roku Antoni Małecki opublikował książkę *Lechici w świetle historycznej krytyki*. Sprawę najazdu, mieszania „Lachów" z Sarmatami i inne zabiegi wiodące Polaków od Lechitów nazwał „obłędem lechickim polskiej historiografii"[27].

Odtąd zaczęło się leczenie tego „lechickiego obłędu". Niemal równocześnie opublikował bowiem swe badania i przemyślenia Karol Potkański. Przyrównał on „teorie lechickie" do karuzeli, od której nauka dostała zawrotu głowy. Co ciekawe, równolegle w tymże 1898 roku ostrą krytykę teorii lechickich przedstawił niezależnie badacz petersburski, Ernst Kunik.

Z tych głosów krytycznych wynikało, że najwięcej, jak się wydaje, namieszał nasz mistrz, błogosławiony Wincenty. W zestawieniu z Gallem dodał on mnóstwo nowych wątków: Daków, Gallów, księcia Kraka zakładającego państwo krakowskie, Lechitów walczących z Aleksandrem Wielkim i Cezarem, a dalej galerię Lestków: I, II, II i IV. Samo imię Lestka wywiódł w dziwaczny sposób od „podstępny" (po łacinie *astutus*).

Efekt, nawet po wiekach, był piorunujący. Nie dość, że przez wieki badacze usiłowali utożsamiać Polskę z Lechitami, to na dodatek do „Lachów" na wschodzie przylgnęło miano „podstępny, chytry, przebiegły". W takich to szatach, skrojonych niechcący przez Kadłubka,

[27] Tamże, s. 73.

W dokumencie *Dagome iudex* Mieszko występuje jako Dagome. Dlaczego? Czy był Dagobertem, czy też normańskim wodzem o imieniu Dago lub Dagr?

przyjdzie szlachcie chodzić w opiniach między innymi Kozaków, Rosjan, a nade wszystko czerni ukraińskiej!

Lechici jednakże zapewne istnieli. Byli to mieszkańcy Lechii, późniejszej południowej Polski. Nazwa „Lachy" stała się obiegowa na pograniczu polsko-ruskim i tak przetrwała przez wieki. Od przyłączenia Rusi Halickiej przez Kazimierza Wielkiego w XIV wieku poprzez siedemnastowieczne wojny domowe z Kozakami, do obecnych czasów i niedawnego wołania nacjonalistów ukraińskich: „Lachy za San!".

Polska nie wyszła jednak od Lechitów, wyłaniała się najpierw z organizacji rodowych. A może, jak widzą to inni znawcy, głównie ze związków plemiennych? To bardzo skomplikowany problem i trudne są jego badania. Jerzy Wyrozumski wskazuje jednak na znamienną rzecz, że podanie Galla o rodzimym Piaście zdaje się potwierdzać ewolucyjność powstawania Polski i wyłaniania się rodzimej dynastii[28].

W dziele pierwszego kronikarza Polski, Galla Anonima, Piast nie przyszedł z zewnątrz, ale był rodzimym oraczem, żyjącym tu od pokoleń. Być może przesiedlił się kiedyś jak najbliżej władcy, do domku pod strzechą w podgrodziu Gniezna, jak wskazuje Gall[29].

To niemożliwe, by Gall Anonim w swej kronice aż tak się mylił albo kłamał, wiedząc o germańskim pochodzeniu Piastów albo o pochodzeniu od „Lecha". Inna sprawa, że Gall ulegał ewangelicznemu toposowi o tajemniczych przybyszach, w których możemy rozpoznać symbol trzech króli (mędrców) lub aniołów cudownie rozmnażających piwo itd. Takich odniesień, jak wykazali to Czesław Deptuła i Marian Dygo, jest bez liku[30].

[28] Tamże, s. 76.

[29] Gall Anonim, *op.cit.*, s. 12.

[30] M. Dygo, *Uczty Bolesława Chrobrego*, „Kwartalnik Historyczny", CXII, 2005, nr 3 s. 41 i n.

Jaka była pierwotna rola Ostrowa Lednickiego, nim pojawiło się tam chrześcijaństwo, kaplica i palatinum? Czy i tu handlowano niewolnikami i łupami w ramach „państwa rozbójniczego Polan"?

W obecnych badaniach wokół narodzin Polski Lechici jako założyciele państwa zeszli w końcu, chyba zasłużenie, do roli legendy i plemienia żyjącego na południu Polski. W podręcznikach triumfują raczej Polanie jako plemię, od którego wywodzi się „państwo gnieźnieńskie", a potem Polska.

Ale i to jest zdumiewające, gdyż nazwy „Polani", „Poleni", „Polenia" pojawiają się dopiero na przełomie X i XI wieku w najstarszych żywotach świętego Wojciecha i kronice biskupa merseburskiego Thietmara[31].

Zapewne pierwotnie nazwy te oznaczały mieszkańców w dorzeczu Warty. Później dotyczyły coraz większego obszaru.

Polanie zrobili ogromną karierę jako założyciele państwa polskiego. O nich, o Gnieźnie jako pierwszej stolicy i o rodzimych Piastach uczą się dziatki w szkołach, jak o niewzruszonej prawdzie.

Gdybyż uczniowie wiedzieli, jak te wszystkie „pewniki" są chwiejne w opiniach uczonych badaczy! Jak wszystko podlega tu krytyce, skomplikowanym badaniom, oglądom, rozważaniom, interpretacjom! Mamy jeszcze nadzieję, że gdzieś w romańskim kościele, w podziemiach, czeka na odkrycie cudem zachowany pożółkły pergamin z tajemniczym

[31] *Kronika Thietmara*, przeł. M. Z. Jedlicki, Kraków 2002.

zdaniem, jak rodziła się Polska; a może gdzieś w Wenecji, skąd przyszedł zapewne pierwszy polski kronikarz.

Może ów pergamin rozstrzygnie albo przybliży nam prawdę, skąd się wzięli Piastowie, synowie „kmiecia" i ów niezwykły książę Mieszko? Pierwszy historycznie pewny władca państwa gnieźnieńskiego ni stąd, ni zowąd w dokumencie oddającym państwo pod opiekę świętego Piotra zwał się Dagome...

Czy był wikińskim jarlem, wodzem Dagrem, który się szybko zesłowiańszczył, przybierając imię Mieszka? Czy to Dagr-Mieszko albo inni Normanowie założyli „kupiecką faktorię" na Ostrowie Lednickim, „wyspę niewolników"[32]?

Teza o wikińskim pochodzeniu pozornie najłatwiej tłumaczyłaby niezwykłą bojowość i okrucieństwo „Piastów" i ich wojów.

Nie jest bowiem wykluczone, że Polska powstała z „państwa rozbójniczego". Chodziło o niewolników, branki, siłę roboczą i najwartościowszy towar wymienny. Jednakże do ich zdobywania i wykorzystywania potrzebna była organizacja, książę, wojsko, ideologia. Wkrótce owa społeczność rozbójników przerodziła się w państwo, które swym impetem, ekspansją i okrucieństwem miało nieraz porażać sąsiadów.

Ale dlaczego słowiańscy Przemyślidzi byli równie okrutni i ekspansywni jak dynastie cesarskie czy rody niemieckie? Być może dlatego, że większość państw rodziła się w wyniku rozboju; wojny wymuszają organizację. Idee rozbójnictwa stanęły u początków państw, także polskiego, i przetrwały przez wieki. Na przykład w odpowiedzi na polskie rabunki Bolesława Chrobrego czeski książę Brzetysław najechał, zniszczył i złupił w 1038 roku Gniezno.

Przy okazji niszcząc zapewne ślady, może i spisane, skąd się właściwie wzięli Polacy i Piastowie i dlaczego zwano ich Lechitami.

---

[32] Z. Skrok, *op.cit.*, s. 88 i n.

Rozdział 4. Prawosławna Polska

W podręcznikach i syntezach historii niemal za pewnik przyjmuje się, że kolebką państwa polskiego było Gniezno, Kruszwica, może Ostrów Lednicki, a więc Wielkopolska. Książę Polan Mieszko, potem jego dwór i drużyna mieli przyjąć chrzest w 966 roku w obrządku zachodnim, w późniejszej wierze rzymskokatolickiej.

Tymczasem wcale nie jest pewne, kto pierwszy, gdzie i w jakim obrządku przyjął w Polsce chrześcijaństwo. I jakie ono miało oblicze.

Kronikarz Gall Anonim opisuje początki państwa polskiego w otoczce cudownych zdarzeń towarzyszących wiekopomnemu aktowi. Najpierw, wedle Galla, mały książę Mieszko po siedmiu latach odzyskuje wzrok. A potem żeni się z Dąbrówką czeską, oddala siedem nałożnic i w 966 roku chrzci siebie i dwór.

Gall powtarza te historie za „starcami sędziwymi", ale bardziej wygląda to na alegorię losu Polski, na opowieści wzrowane na ewangeliach. Przekazy o „ślepej" od pogaństwa Polski, która „przejrzała na oczy", „odzyskała wzrok", w wyniku aktu chrztu i przyjęcia wiary Jezusa. Gall był zakonnikiem łacińskim i redaguje swą kronikę tak, że jesteśmy pewni, iż Mieszko, a potem poddany mu lud przyjęli chrzest w obrządku łacińskim.

W 1054 r. biskup Rzymu i patriarcha Konstantynopola obłożyli się wzajemnie klątwami. Kościół chrystusowy rozpadł się na wschodni (prawosławny) i zachodni (rzymski). Polska wedle przekazów od razu przyjęła chrześcijaństwo w obrządku rzymskim, Ruś – we wschodnim. Ale czy rzeczywiście tak było, na ile silne były wpływy obrządku słowiańskiego?

Jednakże dla wielu badaczy nie jest to oczywiste.

W 1521 roku kronikarz Maciej z Miechowa (Miechowita) w dziele

Misjonarze greccy Cyryl i Metody w IX w. uzyskali od papieża uznanie słowiańskiej liturgii. Stworzyli też na potrzeby Kościoła alfabet słowiański zwany głagolicą. Jednakże język staro-cerkiewno-słowiański w Polsce się nie przyjął i nasz kraj wszedł w orbitę krajów łacińskich (Zachodu).

Cronica Polonorum wydanym w sławnej drukarni krakowskiej Wietora podał, że Małopolska z Krakowem przyjęła chrzest w obrządku wschodnim wcześniej niż Wielkopolska z Gnieznem. Czy twórca *Opisu Sarmacji azjatyckiej i europejskiej* aż tak bardzo się mylił?

Jeśli Małopolska została ochrzczona wcześniej, to zapewne dzięki związkowi z Państwem Wielkomorawskim. Państwo to powstało w IX wieku. Chrześcijaństwo wprowadzali w nim dwaj Grecy pochodzący z Macedonii: Cyryl i Metody, zwani całkiem zasłużenie apostołami Słowian, później wyniesieni na ołtarze. Ci niezwykli misjonarze stworzyli pierwszy alfabet słowiański, zwany głagolicą i przetłumaczyli Biblię na język staro-cerkiewno-słowiański (starobułgarski).

Jak wskazuje *Żywot św. Metodego (Legenda panońska),* dwaj wielcy misjonarze mieli też ochrzcić potężnego księcia Wiślan. Opisywali to zdarzenie głagolicą następująco:

„Miał też Metody dar proroczy i wiele spełniło się z jego przepowiedni, z których jedną lub dwie wymienimy. Pogański książę, bardzo potężny, siedząc w Wiśle, urągał chrześcijanom i szkody im wyrządzał". Metody posłał więc doń ze słowami: „Dobrze by było, synu, ochrzcić się z własnej woli na swojej ziemi, bo inaczej w niewolę będziesz wzięty i zmuszony przyjąć chrzest w cudzej ziemi. Wspomnisz moje słowo. Tak się stało".

Czy wielkoplemienny władca na terenach późniejszej Małopolski może więc być uznany za pierwszego ochrzczonego, „księcia Wiślica I"? A może zmuszono go do tego „w obcej ziemi", jak sądzi Jerzy Wyrozumski? Uznany badacz Henryk Łowmiański tłumaczy tekst *Legendy panońskiej* inaczej: „i będziesz mnie wspominał”, co może być uznane za „pobłogosławisz mi za to”, tzn. za chrzest[33].

Wszystko jest tu zagadką, która zapewni chleb kolejnym pokoleniom badaczy i publicystów.

Jaka szkoda, że ani autor *Żywota św. Metodego*, ani tzw. Geograf Bawarski nie pozostawili dla potomności imienia tego księcia! O sto lat można by przesunąć datę powstania Polski, gdyż Metody zmarł w 885 roku, a chrzest „księcia wiślickiego” odbył się przed zgonem misjonarza. Pewnie wraz ze znajomością nazwiska księcia zaroiłoby się w Polsce od ulic, szkół i pułków imienia „Wiślica I”.

Badacze jednak zastanawialiby się, skąd ów „potężny bardzo książę” rządził i na jakim obszarze: z Wiślicy czy z Krakowa, między Sanem a dorzeczem Wisły?

Nadal nie znamy odpowiedzi. Potęga „państwa wiślickiego” była zapewne epizodem, prawdopodobnie już po kilku latach od chrztu książę wiślicki został podporządkowany Państwu Wielkomorawskiemu i jego księciu Świętopełkowi. Wybitny historyk romantyczny Joachim Lelewel, idąc za relacją żydowskiego podróżnika Ibrahima ibn Jakuba o ziemiach państwa Polan i dokumentu praskiego z 1086 roku, był przekonany, że Kraków był wówczas miastem należącym do państwa czeskiego (zresztą w mowie i obyczajach nieodbiegającego od Słowian między Bugiem a Odrą). Ibrahim wymieniał bowiem czterech królów słowiańskich: Bułgarów, Bolesława króla Pragi, Bohemii i Krakowa, Mieszka, króla północy i Nakona „na krańcu Zachodu”. Ten ostatni był władcą związku czy państwa Obodrytów rozciągającego się na terenach obecnej niemieckiej Meklemburgii. Szczególną rolę Obodryci mieli odegrać w XI wieku, za panowania księcia Gotszalka[34].

Sąd o przynależności Krakowa do Czech, jak podaje historyk J. Widajewicz, „wylągł się on w głowie polskiego uczonego J. Lelewela”[35].

Teza Lelewela poszła w dzieje i głowy, znajdując wielu zwolenników; dopiero badania Stanisława Zakrzewskiego wykazały, że „nasz Kraków nad Wisłą nie ma nic wspólnego z obydwoma zbadanymi źródłami”[36].

---

[33] Por.: *Wielka Historia Polski*, t. II: J. Wyrozumski, *Dzieje Polski piastowskiej*, 66–67; H. Łowmiański, *Początki Polski*, t. IV, Warszawa 1970, s. 459.

[34] *Helmolda kronika Słowian*, tł. J. Matuszewski, Warszawa 1974, s. 143 i n.; H. Łowmiański, *op.cit.*, t. V, s. 282.

[35] J. Widajewicz, *Najdawniejszy piastowski podbój Pomorza*, Poznań 1931; por. Henryk Łowmiański, *op.cit.*, s. 515.

[36] S. Zakrzewski, *Czeski charakter Krakowa za Mieszka I*, s. 307.

Bite przez Bolesława Chrobrego denary opatrzone były napisami łacińskimi i cyrylicą. Napisy głosiły *rex Boleslav, Gniezvn civitas*. Czy pojawienie się cyrylicy na monetach było jedynie wynikiem przyłączenia Grodów Czerwieńskich w 1019 r.? Czy też przyjęcia liturgii słowiańskiej?

Również niezwykle zasłużony wybitny znawca początków Polski historyk Henryk Łowmiański był przekonany, że jedna z domniemanych kolebek państwa polskiego nie była czeska, pomimo interpretacji wysuwanych przez historyków znad Wełtawy od czasów Františka Palackýego, który poszedł za tezami Joachima Lelewela[37].

Pozostaje sprawa chrztu. Jeśli książę Wiślan przyjął chrzest z rąk Metodego lub jego uczniów, to z pewnością uczynił to w obrządku słowiańskim. Polska miała więc wszelkie szanse, by stać się krajem późniejszego prawosławia! W 1054 roku doszło przecież do rozłamu Kościoła na rzymskokatolicki (papieski) i greckoprawosławny, po ostatecznym obłożeniu się klątwami przez papieża i patriarchę wschodniego.

Wiele śladów wskazuje na prawosławny ślad polski: w kronice ruskiej z XI–XII wieku Nestor pisze, że obrządek wschodni był przeznaczony przez Cyryla i Metodego także dla Polaków. Osiemnastowieczny historyk Adam Naruszewicz był przekonany, że dwaj goście, którzy odwiedzili Piasta i Rzepkę w podaniu przytoczonym przez Galla Anonima, to nie anioły, ale właśnie dwaj wysłannicy misjonarzy z Biblią napisaną głagolicą. Sam Gall, zakonnik łaciński, pisze, że po śmierci Bolesława Chrobrego w 1025 roku „a r c y b i s k u p i, biskupi, opaci, mnisi i księża polecali go (Chrobrego – J.B.) w swych modłach Bogu"[38].

Co się kryje pod słowem „arcybiskupi", skoro Polska miała jednego – gnieźnieńskiego – a krakowskiego „dorobiła się" dopiero w 1925 roku? Czy Gall się przejęzyczył, czy też nieopatrznie odkrył ważną tajemnicę, że Polska miała od dawna drugiego arcybiskupa obrządku słowiańskiego, wschodniego?

Czyż to przypadek, że Chrobry bił mińce także z napisami cyrylicą? Zachowało się dziesięć takich monet z dwudziestu odnalezionych, co może sugerować, że co najmniej połowa kraju chrystianizowała się

---

[37] H. Łowmiański, *op.cit.*, s. 515.

[38] Gall Anonim, *Kronika polska*, przekł. R. Grodecki, Wrocław 1975, s. 39.

w obrządku słowiańskim! Zresztą trudno sobie wyobrazić, by było inaczej w odniesieniu do ludu, a nawet dworu, dla którego łacina była taką abrakadabrą, jak język słowiański dla łacińskich mnichów.

Freski z 1418 r. w stylu bizantyjskim z domniemaną postacią Władysława Jagiełły w kaplicy św. Trójcy na Zamku Lubelskim wskazują na duże wpływy prawosławia w Polsce.

To tylko poszlaki. Ale pozostały poważniejsze ślady. Jan Długosz pod datą 1390 roku wspomina „słowiański klasztor świętego Benedykta", sprowadzony z Pragi do Kleparza koło Krakowa. I dodaje: „Król polski Władysław II (Jagiełło) ze swą żoną Jadwigą ... pragnęli roszerzyć na Królestwo Polskie i ... naród słowiański ... że wszystkie święte obrzędy i nabożeństwa tak nocne jak dzienne, a nawet tajemnica Mszy Świętej, mogą być odprawiane w jego (słowiańskim) – co jak widzimy – nie spotkało żadnego języka prócz greckiego, łacińskiego i hebrajskiego, z których znakomitością Dobroć Boża zrównała również język słowiański"[39].

Wprowadzenie języka słowiańskiego było wówczas raczej równoznaczne z przyjęciem liturgii greckoprawosławnej.

To nie przypadek, że w piwnicach kościołów rzymskokatolickich w Krakowie w XVII wieku pełno było butwiejących ksiąg liturgicznych pisanych cyrylicą. Zapewne Polacy przez długi czas modlili się w tym obrządku. Jak to się jednak stało, że Polska porzuciła „wyznanie słowiańskie"? I czy zaczęło się to w Gnieźnie, czy w Krakowie?

Wielu historyków z Wacławem A. Maciejowskim i Stanisławem Zakrzewskim było i jest przekonanych, że kolebką państwa polskiego była Małopolska z Krakowem na czele, a progi chrześcijaństwa przestąpiła przyszła Polska właśnie w obrządku słowiańskim. W tajemniczy sposób Polacy weszli też na drogę chrześcijaństwa w wydaniu łacińskim. Ksiądz Umiński uważał wręcz, że do latynizacji Kościoła przyczynił się najbardziej bodaj Kazimierz Odnowiciel, który

[39] J. Długosz, *Roczniki, czyli kroniki sławnego Królestwa Polskiego*, ks. 10, Warszawa 1981, s. 238 i n.

w 1058 roku przywiódł ze sobą „rycerstwo zachodnie i kler już wyłącznie tylko łaciński”[40].

Chyba niewiele brakowało, by Polska znalazła się trwale w kręgu religii wschodniej, słowiańskiej, tej, która potem przerodzi się w Kościoły prawosławne. Na progu państwowości polskiej to ten odłam kościelny przewodził zapewne nowemu życiu duchowemu Polan, Lechitów i innych plemion tworzących państwo Piastów! W czasach „państwa Wiślan”, podczas spotkania z „apostołami Słowian” w Rzymie w 866 roku liturgia słowiańska została uznana przez papieża Adriana II. Potem była kilka razy potwierdzana. Mieszko, uznawany za pierwszego historycznego władcę Polski, miał wielkie szanse, by ochrzcić się w obrządku słowiańskim. Nie jest przy tym wykluczone, że akcja chrystianizacji w obrządku wschodnim zaczęła się wcześniej i Mieszko najpierw ochrzcił się w obrządku słowiańskim, po czym wskutek ożenku z Dobrawą „przeszedł na obrządek łaciński, przyjmując chrzest po raz wtóry”. Tak pisał w 1839 roku Wacław Aleksander Maciejowski, dowodząc, że rebelie kmieci w XI wieku wywołane były represjonowaniem przez władze starego chrześcijańskiego obrządku słowiańskiego[41].

Tezy te doczekały się naukowej repliki badaczy, negujących rolę obrządku słowiańskiego w dziejach polskich. Być może idzie jedynie o język liturgiczny słowiański, a nie obrządek, jak sądził Tadeusz Lehr-Sławiński[42].

Istnieje jednak wiele niedomówień i niejasności, czy i jak misja Cyryla i Metodego wpłynęła na recepcję obrządku wschodniego w Polsce? Czy dlatego udana misja apostołów Wschodu wywołała „nienawiść wśród misjonarzy niemieckich”?[43]

Rozwój obrządku wschodniego w Polsce został bowiem gruntownie powstrzymany z kilku przyczyn. W 884 roku papież Stefan V zakazał stosowania liturgii słowiańskiej. Gdy Węgrzy w 906 roku rozbili Państwo Wielkomorawskie, upadł także, choć nie został do końca unicestwiony, obrządek słowiański.

---

[40] J. Umiński, *Obrządek słowiański w Polsce IX–XI wieku i zagadnienie drugiej metropolii polskiej w czasach Bolesława Chrobrego*, Roczniki Humanistyczne KUL, 1953, wyd. 1954, z. 4, s. 41, 43.

[41] W.A. Maciejowski, *Pamiętniki o dziejach, piśmiennictwie i prawodawstwie Słowian...* t. I, Peterburg–Lipsk 1839, s. 157 i n.

[42] 10 T. Lehr-Spławiński, *Od piętnastu wieków. Szkice z pradziejów i dziejów kultury polskiej*, Warszawa 1961, s. 41–81.

[43] J. Klinger, *Nurt słowiański w początkach chrześcijaństwa polskiego* w: *O istocie prawosławia. Wybór pism*, przyg. M. Klinger, H. Paprocki, Warszawa 1983, s. 366.

Tak Jan Matejko wyobrażał sobie wprowadzenie chrześcijaństwa w Polsce. W rzeczywistości był to długi i bolesny proces, a jeszcze w XVII w. Piotr Skarga narzekał na pogaństwo ludu czczącego święte gaje, drzewa i węże.

Skutki tych zdarzeń były ogromne i zaważyły na losach państw. Język staro-cerkiewno-słowiański w Polsce się nie przyjął. W zmodyfikowanej formie zostanie przyswojony przez Moskwę, a potem Rosję wraz z obrządkiem wschodnim. Słowiańszczyzna zaczęła się dramatycznie dzielić w najbardziej wrażliwych obszarach: religii, pisma i mowy. Większość Słowian przyjmie obrządek bizantyjski i cyrylicę bułgarską; stanie się prawosławna, odrębna od Kościoła greckiego i łacińskiego (później rzymskokatolickiego).

Ale nie Polska, choć miała na to wielkie szanse. Była zbyt blisko Niemców, Czechów i zachodniego kręgu religijno-kulturowego. Nadeszła Wielka Sobota wielkanocna 14 kwietnia 966 roku. Na wzgórzu Ostrowa Lednickiego, w blasku wiosennego poranka, ruszył po rozłożonym dywanie dostojny orszak. Książę Mieszko w nieskazitelnie czystych szatach, boso, zatrzymał się przed drzwiami kamiennej kaplicy. Żona z Czech, Dobrawa, która go do wiary Chrystusowej przygotowywała, stoi za księciem. Wreszcie drzwi kaplicy otwierają się i kapłan Jordan dostojnie pyta po łacinie: Czego chcecie od Kościoła Bożego?

Wiary – odpowiada Mieszko. We wzniesionym niedawno baptysterium, czyli chrzcielnicy, biskup Jordan poświęca wodę; Mieszko zdej-

Księżniczka Matylda wręcza kodeks Mieszkowi II. Z jej listu ok. 1026 r. wynikało, że modły w Polsce odprawiano także w obrządku i języku słowiańskim. Czy księgi liturgiczne również pisano głagolicą, jak na to wskazywałoby zdanie Jana Długosza o butwiejących w podziemiach księgach słowiańskich?

muje szaty i zanurza się po trzykroć w zimnej wodzie. W tym czasie kapłan wypowiada: *Ego te baptisto in nomine Patris et Filii et Spiritus Sancti* – Ja cię chrzczę w imię Ojca i Syna i Ducha Świętego.

Czy tak zaczęła się droga Polski do zachodniego chrześcijaństwa, w przytoczonym obrządku, *Ordo Romanum*? A może jednak chrzest odbył się w katedrze w niemieckiej Ratyzbonie? Czy Jordan był kapłanem przybyłym z Lotaryngii, Włoch, Irlandii czy Saksonii? Ponoć ten pierwszy w Polsce znany nam duchowny, sprowadzony do kraju Polan za zezwoleniem cesarza, wiele napocił się, nawracając Mieszka i jego otoczenie. Wiemy jedynie, że był zza Odry. Co w gruncie rzeczy wiele rozstrzyga, gdyż Polska poprzez łaciński chrzest weszła w krąg kultury i religii Zachodu.

Nic jednak nie było oczywiste w tamtych czasach, a nawet później. Podziały kościelne były wówczas nieostre, w fazie rodzenia się i krzepnięcia. Jeśli wierzyć *Kronice minionych lat* Nestora z około 1113 roku, niewiele brakowało, by ochrzczona w łacińskim obrządku Polska graniczyła z państwem islamskim lub żydowskim. Wedle relacji mnicha Nestora potężnemu księciu kijowskiemu Włodzimierzowi misjonarze różnych religii proponowali wiarę mahometan i Żydów. Władca Rusi był jednak niechętny obrządkowi obrzezania, zakazowi jadania wieprzowiny, a nade wszystko nie podobał mu się zakaz spożywania wina: „Na Rusi picie jest weselem, nie możemy bez tego być". Odesłał też Włodzimierz misjonarzy niemieckich posłanych od papieża, uznając wiarę za surową, oddaloną już przez jego przodków.

Włodzimierz rozesłał więc po świecie swoich posłów, którzy po powrocie zdali mu relację. Wysłuchawszy ich, orzekł, że wiara niemiecka jest gorsza niż grecka, gdyż posłowie podpowiedzieli mu, że w nabożeństwach łacińskich „piękności nie widzieliśmy żadnej". Natomiast podczas mszy greckich, mówili posłowie księcia, „nie wiedzieliśmy, czy jesteśmy w niebie czy na ziemi”[44].

Oczarowany tą opowieścią Włodzimierz przyjął grecką odmianę wiary chrześcijańskiej, która potem przerodziła się w słowiańsko-prawosławną z wykorzystywaniem w piśmie cyrylicy.

Opis Nestora w *Kronice* łączy zapewne elementy baśniowe z rzeczywistymi. Za kulisami przyjęcia chrztu przez Ruś w obrządku wschodnim stało wydarzenie polityczne: prośba cesarza bizantyjskiego Bazylego II, zagrożonego przez uzurpatora Bardasa Fokasa, o pomoc. Ceną była ręka cesarzówny Anny dla księcia Włodzimierza. Aby Anna mogła iść za Włodzimierza, przedtem musiało się jednak odbyć przyjęcie wiary w obrządku właściwym dla Bizancjum, czyli wschodnim.

Kalendarz krakowski z poł. XIII w. z wpisami z XI w. nie rozjaśnia do końca sprawy wpływów liturgii słowiańskiej we wczesnośredniowiecznej Polsce.

Chrzest odbył się w 6495 roku od stworzenia świata, czyli w roku 988. Włodzimierz jako świeży chrześcijanin dostał cesarzównę Annę po dłuższych wahaniach i zwłoce cesarza, dopiero gdy pokazał siłę i zajął Chersones. Tym samym Ruś, a potem Rosja wkroczyła na oddzielną, bizantyjsko-słowiańską drogę.

Polska wahała się czas jakiś, nawet po przyjęciu chrztu przez Mieszka w obrządku łacińskim, zachodnim. Słowiański obrządek i prawosławie stały przy Polakach długo. O tym, że nie było przesądzone, w którą stronę pójdzie kraj Piastów, a nawet pierwszych Jagiellonów, świadczą różne zapomniane zdarzenia. Wiele zależało od królów, książąt, dworu i wyodrębniania się samej liturgii grecko-słowiańskiej.

Oto około 1026 roku córka księcia szwabskiego Matylda wysłała synowi Bolesława Chrobrego, królowi Polski Mieszkowi II Lambertowi księgę liturgiczną. Dołączony był do niej list.

„Nie dość ci tego, że możesz we własnym i w łacińskim języku chwalić godnie Boga, zapragnąłeś jeszcze w greckim! – pisała księżniczka.

[44] *Kroniki staroruskie*, oprac. Franciszek Sielicki, Warszawa 1987, s. 60, 70.

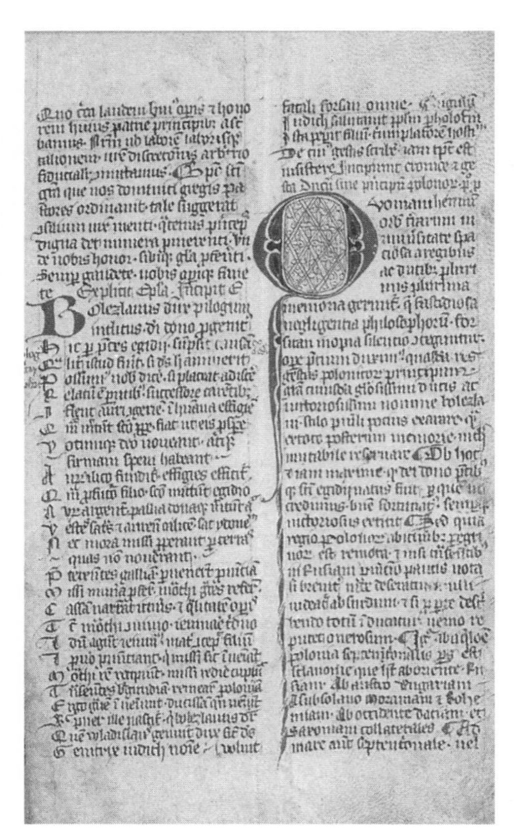

Kronika Galla Anonima pisana była po łacinie. Ostatnie badania Tomasza Jasińskiego wskazują jednak, że twórcą najstarszej kroniki polskiej był nie Gall (Francuz), a mnich z Wenecji – Monachus Littorensis.

– Tę książkę dlatego Tobie posyłam, by nic nie zostało w służbie Bożej nieznanym Twej Królewskiej Mości, wiedząc, że niewątpliwie chętnie przyjmiesz ją Ty jako wykształcony w duchownych rzeczach”[45].

A więc modły na ziemiach Piastów odprawiano w języku słowiańskim! Pierwsze księgi liturgiczne być może pisane były też głagolicą! W kilka lat później znów natrafiamy na zdania świadczące o związku Polski z obrządkiem słowiańskim. W zapiskach z roku 1031 klasztoru w Brauweiler czytamy: „Królowa Rycheza, dokonawszy rozwodu z królem mężem swoim (Mieszkiem II Lambertem – J.B.) ... ze wzgardy do obrządku Słowian, przybyła do Saksonii do cesarza, przez którego została z czcią przyjęta”[46].

Widocznie liturgia słowiańska, wzgardzona przez Rychezę, wstrętny dla niej język staro-cerkiewno-słowiański i głagolica dominowały wówczas w uczącej się modlić Polsce. Ten „ślad grecki” i słowiańskiego obrządku wskazuje jednak na ważne rzeczy. Jakiś czas Polska nadal chyba pozostawała pod wpływem obrządku słowiańskiego, nie wiedząc długo, którą drogą przyjdzie jej iść.

Wydaje się bowiem, że co najmniej do czasu pojawienia się pierwszej kroniki Galla Anonima pisanej po łacinie w XII wieku, wcale nie było pewne, że obrządek łaciński będzie dominować w Polsce. W tym okresie wahań i ścierania się słowiańskiej liturgii z łacińską Kościół rzymski zdołał wykonać gigantyczną pracę dla utrwalenia swych struktur. W XIII wieku podzielił kraj na archidiakonaty i dekanaty, rozbudował

[45] *Piastowie. Leksykon Biograficzny*, red. nauk. S. Szczur, K. Ożóg, Kraków 1999, s. 41.
[46] Za: St. Rosik, *Mieszko II Lambert i jego czasy*, Wrocław 2002, s. 18.

sieć parafialną, wprowadził tak zwany przymus parafialny, a wreszcie sprowadził nad Wisłę zakony otwarte, dominikanów i franciszkanów z zachodniej Europy.

Polska, zarówno dworska, jak i przede wszystkim ludowa, tkwiła więc w tym czasie pomiędzy wielkimi odłamami chrześcijaństwa, mając szansę wyodrębnić się i wyjść spod władzy Rzymu. Lud, zapewne siłą tradycji, mowy, języka, chciał obrządku słowiańskiego: to jednak tylko przypuszczenie, gdyż z braku źródeł niepiśmienni kmiecie byli wielkimi niemowami na scenie historii. Wiemy natomiast dobrze, że dwór poprzez kontakty z Niemcami, Włochami, Frankami stał się łaciński i takie też struktury Kościoła wprowadzano w Polsce. Lud poszedł za swymi panami i księciem panującym, zachowując tylko szczątki tradycji obrządku słowiańskiego. Jak pisaliśmy, ślady dawnej liturgii i księgi odnajdujemy jeszcze w XV wieku.

To rozdwojenie w wierze jednak bardzo przyda się Polakom. W przyszłości Rzeczpospolita stanie się państwem wielu narodów, wyznań i religii. Niezwykle łatwo zrodzi się wtedy słynna polska tolerancja: istny kwiat na bagnie podzielonych religijnie, zwalczających się krwawo państw europejskich.

Rozdział 5.
Bolesław Zapomniany?

Ten zaś Mieszko zrodził z siostry cesarza Ottona dwóch synów, to jest Bolesława i Kazimierza. Gdy umarł w roku Pańskim 1033, nastąpił po nim pierworodny syn jego Bolesław. Skoro ten został ukoronowany na króla, wyrządzał swej matce wiele zniewag.

Zdania te pochodzą z *Kroniki wielkopolskiej* z XIII–XIV wieku. Kronikarz pisał o królu Mieszku II Lambercie, jego żonie Rychezie i ich synach: Bolesławie i Kazimierzu. Nie wiemy kim był kronikarz wielkopolski, może biskupem poznańskim w latach 1242–1253 Boguchwałem II, może, co bardziej prawdopodobne, kustoszem katedry poznańskiej Godzisławem, zwanym Baszkiem, znanym z dokumentów z lat 1268–1273.

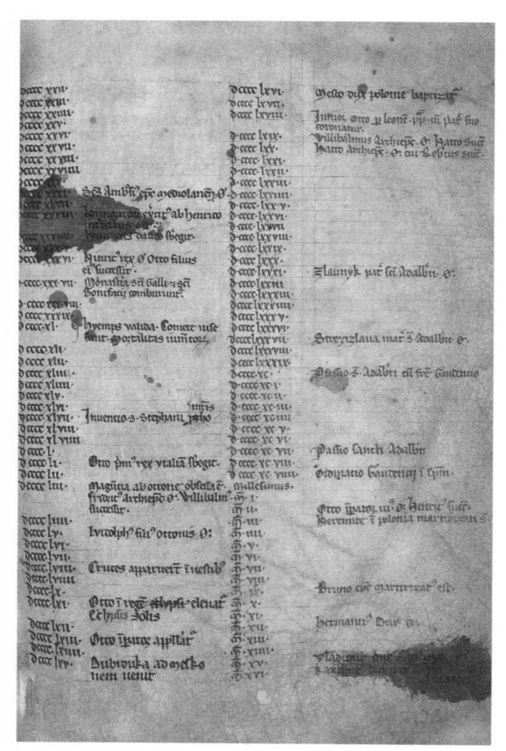

Cenne źródło kryjące wiele tajemnic: *Rocznik kapituły krakowskiej*, być może pisany na podstawie tzw. Rocznika Rychezy i zaginionych *Annales regni Polonorum.* Tutaj znajduje się wzmianka o śmierci króla Bolesława w 1038 r. Kim był i czy w ogóle istniał ów „Zapomniany"?

Kronikarz pisał dalej: „Matka jego, pochodząca ze znakomitego rodu, nie mogąc znieść jego niegodziwości, zabrawszy maleńkiego synka swego Kazimierza, wróciła do ziemi ojczystej do Saksonii, do Brunszwiku i umieściwszy tam syna dla nauki, miała wstąpić do jakiegoś klasztoru zakonnic. Bolesław zaś z powodu srogości i potworności występków, których się dopuszczał, źle zakończył życie i choć odznaczony koroną królewską, nie wchodzi w poczet królów i książąt Polski"[47].

[47] *Kronika wielkopolska*, przekł. K. Abgarowicz, Warszawa 1965, s. 75–76.

Rzeczywiście – Bolesława, syna Mieszka II Lamberta nie znajdziemy ani w podręcznikach, ani w pocztach książąt i królów polskich, ani w leksykonach. Nie istniał, znikł albo wymazano go na wieki. Czy w ogóle był?

Jego tajemnicza, acz mało sympatyczna z opisu postać wywołała poważne naukowe spory. Od czasów badań Stanisława Kętrzyńskiego, o czym niżej, uznaje się „Bolesława Zapomnianego" za postać legendarną, nieistniejącą i taką też tezę przyjęła oficjalna polska historiografia. Stąd nieobecność Bolesława w pocztach. Dzieje się tak, pomimo że Bolesław pojawia się w niemieckiej *Kronice z Brauweiler*, w *Kronice Czechów* Kosmasa, w *Kronice węgierskiej*. W *Rocznikach kapituły krakowskiej* w 1038 roku zapisano śmierć króla Bolesława. Nie mógł to być Chrobry, który zmarł w 1025 roku, ani zmarły 2 lub 3 kwietnia 1082 roku Bolesław Śmiały. Dalej Bolesław Krzywousty w *Roczniku małopolskim* określany jest jako Bolesław IV, a zniszczony w XIX wieku *Kodeks tyniecki* stawia cyfrę III przy Bolesławie Śmiałym. W połowie XIII wieku Wincenty z Kielczy podał, że po Mieszku II zostało dwóch synów: „starszy Bolesław i małoletni Kazimierz". Pierworodny Bolesław „nie panował długo, ale nagromadził tyle zbrodni, że śród nich stracił życie".

Czy zatem istniał król Bolesław II, być może narodzony w 1014 lub 1015 roku?

Z jakichś przyczyn zapadła kurtyna milczenia nad osobą tajemniczego władcy, który był lub go nie było. Nie został wymieniony nie tylko przez Galla Anonima, ale i w piętnastowiecznych źródach: *Roczniku świętokrzyskim*, tzw. *Rękopisie sochaczewskim* i *Roczniku mazowieckim* zredagowanym przez Sędziwoja z Czechła. Albo też pojawia się pod imieniem tajemniczego Włodzisława. W *Tabula regnum Poloniae* z końca XIV wieku napisano, że „jeden waleczny król został wymazany z rzędu panujących".

Są to jednak relacje znacznie późniejsze niż *Kronika wielkopolska* i powielają opisy zdarzeń zanotowane przez *Kronikę*. Badacze nade wszystko koncentrują się na fakcie, iż o Bolesławie Zapomnianym nie ma żadnej wzmianki w najstarszej kronice polskiej napisanej przez Galla Anonima. Kolejny kronikarz, uczony mistrz Wincenty Kadłubek, przytacza tylko opinie, że syn Mieszka II Lamberta i Rychezy, Kazimierz, został wydziedziczony wskutek machinacji pewnej *pellex*, kochanki. Nałożnica Mieszka II czynić tak miała, „żeby jej własna latorośl wstąpiła wreszcie na tron królewski".

Czy tą „latoroślą" był przyrodni brat Kazimierza Mnicha, Bolesław, który, jak chce Kadłubek, nie został jednak władcą?

Wyobrażenie Rychezy, żony Mieszka II. Czy uciekła z synem Kazimierzem z obawy przed *pellex,* nałożnicą męża i nieślubnym synem Mieszka II – Bolesławem Zapomnianym? Dlaczego Bezprym oddał jej polskie insygnia królewskie?

Ale jak to możliwe, by kronikarz wielkopolski mylił się tak bardzo, nazywając Bolesława, syna Mieszka II Lamberta, dwukrotnie królem? W owych czasach *rex*, król, znaczyło niesłychanie wiele. To nie pierwszy lepszy książę, który i tak już choćby z racji siły militarnej i sądowej cieszył się szacunkiem okraszonym nieludzkim strachem przed jego wojami i strasznymi podwodami, niszczącymi w mgnieniu oka dorobek kmieci. Król był kimś niewyobrażalnie ważniejszym, charyzmatycznym pomazańcem Bożym, koronowanym sakralną koroną, panem życia i śmierci poddanych. Z tego kronikarz wielkopolski dobrze zdawał sobie sprawę i z pewnością zdań o królowaniu Bolesława nie puścił, ot tak sobie, z pisarskiego rozpędu, na wiatr.

Bolesław II Zapomniany mógł być zatem trzecim królem w dziejach Polski: po Bolesławie Chrobrym i jego synu Mieszku II Lambercie. Koronowanym władcą, którego starano się wymazać z kart historii Polski z pewnych wstydliwych przyczyn. Ale jakich?

Trzeba sięgnąć do losów jego rodziców. Ojciec domniemanego Bolesława, Mieszko II Lambert, zapowiadał się na wspaniałego władcę. Jego rodzice, Bolesław Chrobry i matka Emnilda, którą Chrobry szczerze pokochał, zadbali o wykształcenie syna. Lambert czytał w kilku językach, co w ówczesnych czasach analfabetów na tronach i w grodach stawiało władcę w rzędzie intelektualistów. Zapewne zdolności Mieszka, jak i wpływ Emnildy sprawiły też, że Chrobry na swego następcę wyznaczył właśnie Mieszka Lamberta, a nie pierworodnego Bezpryma, zrodzonego z węgierskiej księżniczki.

Sprawę małżeństwa swego ukochanego syna Bolesław Chrobry ustalił zapewne w Merseburgu w Zielone Świątki 25 maja 1013 roku. Wybranką była Rycheza, córka palatyna reńskiego Erenfrieda, potocznie nazywanego Ezzo. Kronikarz z klasztoru Brauweiler napisał: „Dziewica była jak należy przysposobiona wychowaniem i wielu narzeczeńskimi zaletami; ponieważ wielu niepłonną nadzieją wierzyło, iż przy sposobności tego związku małżeńskiego królestwo słowiańskie spoi się sojuszem z królestwem niemieckim"[48].

Mieszko II po objęciu władzy w 1025 roku wdał się jednak w wojny z cesarzem niemieckim i książętami ruskimi oraz musiał poskramiać ambicje pierworodnego, przyrodniego brata, Bezpryma. Nie był Mieszko wcale przy tym władcą gnuśnym, jak go ochrzcił w XVIII wieku Julian Ursyn Niemcewicz. Zmuszony został do wojen, przejmując trudną schedę po bezustannych podbojach ojca, po wprowadzaniu chrześcijaństwa mieczem i gwałtem oraz niekonsekwentnego odsunięcia pierworodnego Bezpryma od władzy. W rezultacie tych walk, przebywający zapewne na Wawelu, zagrożony przez Bezpryma król Mieszko II uciekł do pobliskich Czech.

Nie był to dobry wybór. Czesi nie zapomnieli gwałtów zadawanych im przez Bolesława Chrobrego podczas prób stworzenia „imperium słowiańskiego" na warunkach władcy Polan. Syna Chrobrego, Mieszka II, „schwytali zdradziecko na wiecu i rzemieniami skrępowali mu genitalia tak, że nie mógł już płodzić, za to, że król Bolesław, jego ojciec, podobną im wyrządził krzywdę, oślepiwszy ich księcia, a swego wuja" Bolesława III Rudego. „Mieszko tedy powrócił wprawdzie z niewoli, lecz żony więcej nie zaznał", czytamy u Galla Anonima (*Kronika*, s. 43)

Maiestas Domini. W czasach feudalnych wierzono, że władzę dynastyczną dostaje się z wyroku bożego jako Pomazaniec. Panowanie władcy z nieprawego łoża podważałoby tę świętą zasadę.

Kara kastracji była aktem skrajnie okrutnym, ale wpisanym w średniowieczną rzeczywistość i prawo. Nie była wówczas pokazem bezsensownego okrucieństwa, miała po prostu pozbawić skazanego potomstwa i upokorzyć dynastię. Tak też się stało.

---

[48] Za: G. Labuda, *Mieszko Drugi, król Polski (1025–1034). Czasy przełomu w dziejach państwa polskiego*, Kraków 1992, s. 40, 41.

Kastracja oznaczała jednak dla Mieszka II Lamberta, że odtąd nie zaznał już nie tylko Rychezy, ale i nałożnicy. Owa *pellex,* rywalka Rychezy, jest wymieniana kilka razy. Być może Mieszko II miał kilka kochanic, skoro wpisane to było w dawne tradycje władców słowiańskich, wszak jego dziad Mieszko I przed chrztem wdzięków „siedmiu żon zażywał". W zapiskach z 1031 roku klasztoru w Brauweiler znajdujemy więc zapis, że żona Mieszka miała uciec „z powodu nienawiści i podjudzania niejakiej nałożnicy" wraz z synem Kazimierzem Mnichem do Niemiec[49].

Czy Bolesław Zapomniany był synem owej nałożnicy, jak sądził w XIX w. Joachim Lelewel? A może był jednak synem Rychezy i Mieszka Lamberta i zmarł w 1019 roku, jak sądzi Jan Długosz? Nie wiedząc o kastracji nieszczęsnego męża i króla, Rycheza w tym czasie uciekała z Polski. Przyczyną była zapewne obawa o życie jej i syna Kazimierza Karola Mnicha, ale i zapiekła niechęć do „dzikiego kraju" ze słowiańskim, podejrzanym obrządkiem religijnym, pod którym ona, surowa chrześcjanka łacińska, przeczuwała recesję pogaństwa. Pisaliśmy o tym w poprzednim rozdziale.

Mieszko w praskim więzieniu rozpamiętywał na średniowieczny sposób swą kastrację jako sprawiedliwą Bożą karę za nałożnice. Popadał tym samym w coraz większe szaleństwo, a rządy w kraju przejął cztery lata starszy Bezprym. Szybkość, z jaką zdobył władzę, pozwala nam przypuszczać, że miał powszechne poparcie; być może zezwolił nawet na powrót pogaństwa czy przywrócenie jakiejś formy neopogaństwa. Czytamy bowiem w czeskiej kronice Kosmasa, że gdy Bezprym rozpoczął rządy, „działo się wtedy prześladowanie chrześcijan w Polsce, paliły się kościoły i klasztory". Potwierdzają to źródła ruskie[50].

Być może była to gwałtowna, ludowa próba nawrotu do religii słowiańskich przodków i krzyk buntu przeciw gwałtom możnych, reprezentujących „wiarę przemocy".

Na dobitkę Bezprym oddał Rychezie namaszczoną koronę, którą zwieńczył skronie Bolesław Chrobry i Mieszko II. Rycheza powiozła ją z innymi świętymi insygniami królewskimi do cesarza; towarzyszył jej szesnastoletni syn Kazimierz Karol Mnich. Przydomek Mnich zyskał on wskutek umieszczenia go przez rodziców w klasztorze, niewykluczone przy tym, że Kazimierz był przewidywany przez dumną Niemkę i jej słowiańskiego męża na następcę Karola Wielkiego. Wskazywałoby na to nadanie mu drugiego imienia – Karol.

---

[49] Za: S. Rosik, *Mieszko II Lambert i jego czasy*, Wrocław 2002, s. 18.

[50] Za: G. Labuda, *op.cit.*, s. 97, 98.

Jednakże wymuszone przez Bezpryma oddanie korony w „niemieckie" ręce sprawiło, że niektórzy historycy okrzyknęli nie tylko Bezpryma, ale także króla Mieszka II „pierwszym zdrajcą sprawy narodowej".

Polska rzeczywiście za jednym zamachem zdawała się tracić niezależność, którą wywalczył dla swej dynastii Bolesław Chrobry. Oddanie insygniów zdawało się potwierdzać niemieckie przekonanie, że „Bezprym przesłał cesarzowi koronę wraz z innymi insygniami królewskimi, które brat jego niesłusznie sobie przywłaszczył", jak czytamy w roczniku z Hildesheimu[51].

Zapewne w marcu 1032 roku doszło wreszcie do przesilenia. Czterdziestopięcioletni Bezprym „został zabity z powodu najstraszliwszej srogości swojego tyraństwa, ale także nie bez knowań swoich braci", czytamy w roczniku z Hildesheim[52].

Mieszko II został wypuszczony przez Czechów i wrócił na tron piastowski. Pomimo kalectwa miał jeszcze tyle siły i zaciekłej energii, że udało mu się zjednoczyć dziedzictwo po Chrobrym, na przekór podziałom narzuconym przez cesarza Konrada II.

Ale Mieszko, jak się wydaje, popadał w coraz większe szaleństwo po akcie kastracji. Odnotował to *Rocznik Traski*, wspominając: „Mieszko drugi, który popadł w szaleństwo i zmarł" 10 maja 1034 roku. Nie przeżył wiekiem brata Bezpryma, miał czterdzieści cztery lata. Inne źródło, zapiski kapelana cesarza Konrada II, Gotfryda z Witerbo, podaje jednak, że „Mieszko został zabity przez swego giermka"[53].

W okrutnych bólach dynastycznych rodziła się polska państwowość; zresztą nie tylko ona. Piastowie byli niezwykle okrutni, tego się nie da zatuszować. Być może po Mieszku II nastąpił jeszcze okrutniejszy, jak akcentuje *Kronika wielkopolska*, Bolesław II Mieszkowic. Dlaczego jednak Gall usiłował wymazać właśnie Bolesława Zapomnianego? Ewentualne okrucieństwo Zapomnianego nie mogło zadecydować o usunięciu niewygodnego króla z kart dziejów, gdyż było ono normą owych czasów, a ludzie władzy byli skrajnie surowi i bez skrupułów.

Tadeusz Wojciechowski w 1885 roku udowadniał przekonująco, że Bolesław Zapomniany istniał. Został tylko pominięty, gdyż Gall pisał kronikę dworską, a to uniemożliwiało ujawnianie chrześcijańskich potworów wśród członków dynastii. Koronnym argumentem dla Wojciechowskiego i innych historyków było pominięcie przez Galla niecnego Bezpryma, choć ten z pewnością istniał.

---

[51] Tamże, s. 99.

[52] S. Rosik, *op. cit.*, s. 15.

[53] G. Labuda, *op. cit.*, s. 136–138.

Wyobrażenie księcia Kazimierza Odnowiciela wracającego do Polski. W Polsce po 1038 r. nastąpił nawrót pogaństwa, co symbolizuje męczennik przygnieciony krzyżem. Czy do recesji przyczynił się swym okrucieństwem Bolesław Zapomniany?

Drugim argumentem, równie poważnym, było przeznaczenie syna Chrobrego i Rychezy, Kazimierza Karola do życia klasztornego, o czym wspomina Gall Anonim i oblacja: *monasterio parvulus a parentibus est oblatus*. Kazimierz „w dzieciństwie został oddany przez rodziców do klasztoru"[54].

W zwyczajach średniowiecza oddanie syna do klasztoru oznaczało pozbawienie go prawa do tronu. Kazimierz nie był zatem przeznaczony do korony. Z drugiej jednak strony, dlaczego nadano mu imię Karol, jakby antycypujące przeznaczenie go do roli Karola Wielkiego jednoczącego Germanię ze Słowianami? Czy tylko dlatego, że wyznaczona mu przez chrzest i rodziców droga zmieniła się wskutek biegu zdarzeń?

Istnieje pewne wiarygodne wytłumaczenie, dlaczego Gall Anonim nie mógł odnotować w swej *Kronice* Bolesława Zapomnianego. Gall pisał swą kronikę w czasach Bolesława Krzywoustego. Porównanie relacji

[54] Za: O. Balzer, *Genealogia Piastów*, Kraków 1895, s. 80, tamże wykaz źródeł.

Bolesława Zapomnianego z Kazimierzem Mnichem, przeznaczonym do stanu duchownego, mogłoby się fatalnie skojarzyć Bolesławowi Krzywoustemu, który oślepił w 1109 roku swego przyrodniego brata Zbigniewa – przeznaczonego również do stanu duchownego. Tę zbieżność zauważył w 1927 roku historyk T. Tyc. Gall Anonim pisał wszak na dworze Krzywoustego i był na łaskawym chlebie biskupim. Nie mógł więc nawet wspomnieć o okrutnym Bolesławie Zapomnianym i jego konkurencie Kazimierzu Mnichu, bo gdyby niepatyczkujący się z nikim Krzywousty dowiedział się i mimowolnie skojarzył z sytuacją swoją i brata Zbigniewa, to ... być może nigdy byśmy nie wiedzieli o jakimkolwiek Gallu Anonimie czy Monachusie Littorensisie oraz jego kronice[55].

Zwolennikiem istnienia postaci króla Bolesława Zapomnianego był natomiast wybitny historyk Oskar Balzer. W rozległej i fundamentalnej *Genealogii Piastów* wydanej w 1895 roku udowadniał, że wzmianka o Bolesławie Zapomnianym w *Kronice wielkopolskiej* świadczy nie tylko o istnieniu tego króla, ale i o „dążności do restytuowania w historiografii polskiej zapomnianego faktu dziejowego". Balzer ustalił nawet datę urodzenia Zapomnianego: w 1014 lub 1015 roku; zmarł on zapewne najpóźniej w 1037 roku[56].

Natomiast „ciemna jest wiadomość o jego koronacji", sądzi kolejny zwolennik istnienia Bolesława Mieszkowica, Zygmunt Wojciechowski. Historyk ten, piszący również w pierwszej połowie XX wieku, nie wykluczał jednak możliwości koronacji Zapomnianego[57].

Dopiero w 1961 roku opinie te Stanisław Kętrzyński uznał zdecydowanie za nadinterpretację i wymysł. Wedle tegoż badacza autor *Kroniki wielkopolskiej* pomylił po prostu Bezpryma, na którego ślad natrafił w *Roczniku hildesheimerskim*. Nadał mu imię Bolesław i wpisał w kronikę dziejów po śmierci Mieszka II Lamberta.

Większość historyków polskich została przekonana przez Stanisława Kętrzyńskiego. Pojawiły się jednak inne sceptyczne opinie, na przykład Danuty Borawskiej twierdzącej, że Bolesław Zapomniany istniał, ale nie koronował się ani nie był okrutny. Z kolei Tadeusz Wasilewski udowadniał w 1989 roku, że Bolesław był młodszym przyrodnim bratem Kazimierza Mnicha-Odnowiciela, zrodzonym z konkubiny Mieszka II. Na tron małoletniego Zapomnianego wynieśli możni, wyrzucając z kraju Kazimierza. Może dlatego czeski Kosmas pisze

---

[55] Por. Z. Wojciechowski, *Bolesław Mieszkowic*, Polski Słownik Biograficzny.

[56] O. Balzer, *op.cit.*, s. 78, 80.

[57] Z. Wojciechowski, *op.cit.*

Zawsze pozostaje nadzieja, że być może w jakichś nieodkrytych podziemiach romańskiej rotundy tkwi dokument rozjaśniający sprawę Bolesława Zapomnianego.

w *Kronice*, że podczas straszliwego łupienia Polski przez Czechów księcia Brzetysława w 1038 roku w Polsce „panowały dzieci". Czy owym dzieckiem był Bolesław II?

Mimo wszystkich zastrzeżeń i braku biogramu w pocztach królów polskich, zapomniany władca po Mieszku II – Bolesław II zapewne istniał. Być może inny ważny czynnik zadecydował o wymazywaniu go z kronik dworskich i klasztornych. W tych latach odbywała się restytucja pogaństwa, a chrześcijaństwo, „tak dobrze zaczęte" przez Mieszka II i jego poprzedników, „żałośnie upadło", czytamy w *Rocznikach* klasztoru w Hildesheim. Jeśli wierzyć piętnastowiecznym relacjom Długosza, podobno lud, wracając do pogaństwa, mordował możnych, palił dwory itd. Nie można więc z całą pewnością wykluczyć, że tak Bezprym, jak i Bolesław Zapomniany opowiedzieli się za pogaństwem – i dlatego obaj zostali pominięci przez Galla Anonima.

Pozostali jednak w innych źródłach. Bolesław miał jednak większego pecha historycznego, gdyż najwartościowsze świadectwo źródłowe jego istnienia i panowania – *Kronika wielkopolska* – okazało się za słabe, by mógł się on przedostać na wielką scenę dziejów Polski. Następne przekazy stały się bowiem powieleniem *Kroniki wielkopolskiej* i nic dziwnego, że Zapomniany tkwi nadal w zapomnieniu i jest przyczyną rozterek badaczy.

Nie znalazł też dotąd miejsca w licznych pocztach polskich królów. Pozostaje zatem nadzieja, że jakiś badacz odnajdzie dokument lub jakieś źródło niepisane, potwierdzające panowanie Bolesława III Apostaty w czasach nawrotu pogaństwa.

Rozdział 6.
Czy Polską rządzili Jagiellonowie?

Śmierć Kazimierza Wielkiego w 1370 roku oznaczała dla Polski kres dynastii Piastów i jej linii głównej. Odtąd na krakowskim tronie nie zagościła na trwałe żadna dynastia, pomimo rozmaitych prób.

Polacy nie chcieli czeskich Przemyślidów. Z kolei Ludwik Andegaweński, zwany Wielkim, okazał się bardziej łaskawy dla Węgier niż Polski. Poza tym nadzieje na panowanie dynastii Andegawenów w Polsce skończyły się, gdyż żona Ludwika Wielkiego rodziła same córki. A królem mógł być, zgodnie z tradycją, jedynie mężczyzna.

Tymczasem dynastia oznaczała dla ludzi średniowiecza *sacrum*, świętość, łaskę bożą, trwałość, bezpieczeństwo. Król był zwornikiem, na którym trzymało się społeczne sklepienie.

W Krakowie pozostała jednak córka Ludwika – Jadwiga, zaręczona z Wilhelmem Habsburgiem. Płynęła w niej krew słowiańska poprzez dwie babki – księżniczki piastowskie i dziada, bana Serbii Stefana Kotromanićia. Dzięki tym parantelom spokrewniona była z prawosławnymi królami Serbii i Słowiańszczyzną. Teraz miała iść za Habsburga, który otworzyłby niemiecką dynastię na tronie polskim.

Królowa Jadwiga położyła wielkie zasługi dla państwa polskiego. Została wyniesiona na ołtarze przez Jana Pawła II w 1997 r. Nie dała jednak Jagielle potomka, co ciężko przeżywała; los nowej dynastii stał się niepewny.

Krakowscy możnowładcy nie chcieli jednak „Niemca" i Jadwigi Andegawenki nie wypuścili na spotkanie z ukochanym, pomimo jej prób porąbania furty wawelskiej. W dramatycznych okolicznościach Wilhelm uciekł z Wawelu, spuszczony w koszu. Na męża panowie krakowscy wyznaczyli Jadwidze kosmatego „pogańskiego psa Jagala", tak przynajmniej

Wyobrażenie Władysława Jagiełły. Król posuwał się w latach i wciąż nie miał męskiego potomka.

głosiły odnotowane w kronice plotki krzyżackie.

Czternastego sierpnia 1385 roku wielki książę Litwy Jagiełło podpisał wiekopomny akt w Krewie, w którym zobowiązał się przyjąć chrzest z rodziną i poddanymi, jeśli królowa go poślubi. W chwili ożenku ze słynną ze strzelistego wzrostu, urody i bystrości umysłu młodziutką Jadwigą Andegawenką Jagiełło miał około trzydziestu czterech lat. Wcale nie był kosmaty ani nadmiernie „dziki": wykazywał spokojną, niespożytą energię i wydawało się, że zdoła założyć wielką dynastię z tak piękną królową.

A jednak los jakby się uwziął na króla z Litwy. Jadwiga, która w chwili ślubu miała trzynaście lat, nie dopuszczała Jagiełły do siebie, tak przynajmniej donoszą kroniki krzyżackie. Ponoć ilekroć król się zbliżał, ona z gniewem odwracała się od niego. Spowiednikowi Piotrowi Wyszowi, który miał ją namawiać do uległości wobec Jagiełły, z gniewem nakazała milczeć, po czym odeszła od konfesjonału. Nosiła czarną zasłonę na twarzy. Czy brzydziła się mężem?

Po części tak, byli z innych kultur. Zarówno Jadwiga, jak i otoczenie nie mogli się też pogodzić z niektórymi obyczajami świeżo ochrzczonego Jagiełły. Pomimo rosnącej i widocznej pobożności ulegał dawnym zwyczajom, obracając się na przykład trzy razy przed wejściem do zamku czy domostwa, spluwając i rzucając za siebie pogiętą słomkę czy patyczek albo myjąc włosy wyrwane z brody, które wkładał między palce.

Nikomu nie chciał zdradzić, po co to robi.

Poza tym była za młoda i niechętna do współżycia. W małżeństwie Jagiełły z Jadwigą przez dwanaście lat nie pojawiło się dziecko. Wspólne łoże nie spodobało się zapewne młodziutkiej Andegawence, o czym świadczą częste rozstania, podróże i okazywana mężowi niechęć. Jagiełło długo nie zaznał ani rozkoszy, ani potomstwa; wyrzucał więc żonie brak dziecka, co szczególnie nasiliło się po 1395 roku.

Jadwiga czuła się z tym źle, pisała o „sromocie bezpłodności". Średniowiecze nawet u schyłku traktowało nieródki wyjątkowo podle, podobnie jak poprzednie cywilizacje grecka, rzymska, żydowska i wschodnie, jako napiętnowane przez Boga jawnogrzesznice, które mąż mógł nawet maltretować. Jadwiga modliła się żarliwie i wreszcie ku radości Jagiełły poczęła: 22 czerwca 1399 roku urodziła przedwcześnie wątłą dziewczynkę.

Przeczuwając jej śmierć, ochrzczono ją szybko, 13 lipca. Jadwiga poszła do grobu za córeczką trzy dni później, 17 lipca 1399 roku. Miała wówczas najwyżej dwadzieścia pięć lat i nie doczekała XV wieku. Była nadzieją Polski, Litwy i Rusi; umierała w opinii świętości, tak biedna, wyzuta z kosztowności na rzecz uniwersytetu, że do trumny włożono jedynie lipowe pozłacane insygnia.

Jej kult szerzył się od razu po zgonie, po wiekach została wyniesiona na ołtarze przez papieża Jana Pawła II. Obecnie bywa uważana za patronkę Słowiańszczyzny, a jej szczególnym osiągnięciem był udział w chrzcie Litwy, pokojowe odzyskanie Rusi Halickiej dla Polski, sprowadzenie benedyktynów słowiańskich do łacińskiego Krakowa w 1390 roku, co zostało uznane przez Violettę Reder CHR za przejaw „subtelnego ekumenizmu Jadwigi"[58].

Ziemskie zasługi świętej Jadwigi są rzeczywiście nie do przecenienia.

Jagiełło po śmierci niezwykłej żony rozpaczał, ale najgorsze było przed nim: trzy kolejne małżonki nadal nie rodziły mu potomka. Tymczasem lata biegły nieubłaganie, w chwili śmierci w 1420 roku ostatniej żony Elżbiety Granowskiej, która była po czterdziestce, król dobiegał siedemdziesiątki. Miał jedynie córkę Jadwigę, zrodzoną w atmosferze podejrzeń i skandalu. Zapowiadało się, że panowie polscy będą zmuszeni szukać założyciela kolejnej dynastii. Polska zdawała się nie mieć łaski niebios, jak to wówczas interpretowano.

Władysław Jagiełło osiągnął wiek matuzalemowy, jak na owe czasy. Trzymał się jednak znakomicie. Nie pił alkoholu, chyba obawiając się otrucia – dość typowego na Litwie sposobu rozstrzygania sporów w walce politycznej. Polowania, liczne podróże, wojny, ciągły ruch fizyczny i umysłowy pozwoliły mu zachować niezwykłą formę, a uczeni medycy nie zdołali go przedwcześnie wykończyć lewatywami i puszczaniem krwi za pomocą pijawek lub nacinania żył.

Nie dał się też skrępować etykietą, tym przekleństwem dworów królewskich, pomimo że dworska etykieta polska była dopiero w po-

---

[58] *Święci i świętość u korzeni tworzenia się kultury narodów słowiańskich*, red. W. Stępniak-Minczewa, Z.J. Kijas, Kraków 2000, t. 2, s. 150.

wijakach w porównaniu z późniejszą na zachodzie Europy. Do końca Jagiełło był bezceremonialnie sobą: bywało ponoć, że panów, radę i posłów przyjmował, siedząc na nocniku czy sedesie. Lekarze namawiali więc króla, by nie rezygnował z małżeństwa, przekonani, że im starszy mężczyzna i młodsza kobieta złączą się, tym zdrowsze, mądrzejsze i liczniejsze spłodzą potomstwo.

Książę litewski Witold Kiejstutowicz (ok. 1350–1430). Jego relacje z bratem stryjecznym Władysławem Jagiełłą były powikłane, kłótnie w rodzinie kończyły się zdradami, czasem krwawo. Witold ożenił się z Julianną Holszańską, bratanicą lub siostrą stryjeczną Sonki Holszańskiej, żony Jagiełły. Był obwołany królem Litwy i starał się o potwierdzenie tego tytułu u cesarza. Do czego w rzeczywistości zdążał?

Swatano króla z wdową po czeskim królu, na ogół nietrzeźwym Wacławie III. Potem z jej jedenastoletnią córką Elżbietą. Ale wysłany w swaty Zawisza Czarny nie dotarł do wybranki króla, gdyż wolał się bić i dostać honorowo do niewoli.

Poza tym Jagiełło od jakiegoś czasu gotów był poślubić pannę z innego, a doskonale znajomego mu kręgu kulturowego: pannę ruską. Wskazywałoby na to zdanie zamieszczone w *Latopisie ruskim*: „Miałem trzy żony, dwie Laszki i trzecią Niemkę, a teraz proszę cię, wyjednaj mi u kniazia Semena jego młodszą siostrzenicę Zofię, żebym ją pojął za żonę z pokolenia ruskiego, aby Bóg mi dał potomstwo", zwrócił się król do stryjecznego brata, wielkiego księcia Witolda[59].

Na przełomie 1420 i 1421 roku król pojechał do Drucka, zapewne nie przypadkiem. Tam przedstawiono mu trzy młode księżniczki Holszańskie: Wassylisę, Sonkę (Zofię) i Marię. Król zobaczył trzy rozkwitające kwiatuszki.

[59] Za: E. Maleczyńska, *Rola polityczna królowej Zofii Holszańskiej na tle walki stronnictw w Polsce w latach 1422–1434*, Lwów 1936, w: *Archiwum Towarzystwa Naukowego we Lwowie*, Dz. II, t. 19, z. 3, s. 34–35; Krzyżaniakowa J., Ochmański J., *Władysław II Jagiełło*, Wrocław 1990, s. 271.

Pierwszy wybór Jagiełły padł na najstarszą Holszańską, zresztą tak nakazywała pilnie przestrzegana tradycja, by najpierw szła starsza, a dopiero potem mogły młodsze. Król zawahał się jednak, o czym świadczą przypisywane mu słowa: „Dziewka jest mocnaja, a ja czełowik stary, nie smeju onoię pokusitysia"[60].

Czy Zofia Holszańska, zwana Sonką, urodziła dzieci Jagiełły? Książę Witold i Jan Długosz podejrzewali, że to nie król jest ojcem Kazimierza Jagiellończyka.

Wahanie króla przyniosło jeszcze bardziej niezwykły efekt. Uwagę Jagiełły przyciągnęła bowiem młodsza Sonka. Zobaczył, że jest stworzona na matkę: tryskała energią, porażała zgrabną krzepkością. Miała około siedemnastu lat, mogła już rodzić dzieci. Na dodatek król mógł droczyć się z nią w języku staroruskim, powszechnie używanym na Litwie, a nie porozumiewać przez tłumaczy, jak w przypadku niemieckojęzycznych księżniczek. Fakt, że Sonka była niepiśmienna, łączył ich, gdyż Jagiełło był królem półanalfabetą, jak wielu innych w Europie.

Ślub Sonki i Władysława odbył się na zapusty 24 lutego 1422 roku. Największy ówczesny polski kronikarz Jan Długosz, który nie lubił Jagiełły, odnotował to zgryźliwie: „Z wielkim przepychem urządzono w Nowogródku zaślubiny między nierównymi partnerami: zgrzybiałym już królem Władysławem i młodziutką wówczas wspomnianą Zofią, której uroda piękniejsza była od obyczajów"[61].

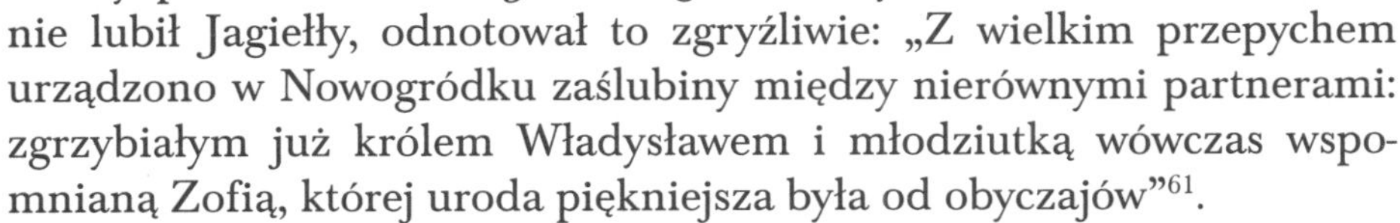

Nie tylko Długosz miał krytyczny stosunek do małżeństwa Jagiełły. W *Dopełnieniu szamotulskim* znajdujemy łacińskie zdanie: „I tak król, wprowadziwszy pannę młodą do sypialni, zasnął w nocy spokojnie, pozostawiając Zofię nietkniętą"[62].

Podczas wesela zebrani nie wierzyli zupełnie w możliwości i potencję króla.

W ten sposób zaczęła się jedna z największych polskich tajemnic dynastycznych.

---

60 E. Maleczyńska, *op. cit.*, s. 26, 164.

61 J. Długosz, *Roczniki, czyli kroniki sławnego Królestwa Polskiego*, t. XI, Warszawa 1981, s. 166.

62 *Monumenta Poloniae Historica*, II, s. 870.

Zofia spędziła pierwszy rok „pożycia małżeńskiego" oddzielona od męża. Odwlekano jej koronację. Żaliła się więc bardzo, choć postępowanie Jagiełły nie odbiegało od jego norm: na początku związku zwykł dystansować się od swych żon. Stanisław Krzyżanowski zwracał jednak uwagę, że trwał ożywiony kontakt listowny między małżonkami[63].

Ale przecież to nie wymiana listów decydowała o tak wyczekiwanym potomstwie władcy ogromnego polsko-litewskiego państwa unijnego.

Zdaje się, że pozostawiona sama sobie młoda Sonka nie zasypiała gruszek w popiele. Chyba miała dar zjednywania ludzi pogodą ducha i niefrasobliwą młodością, bo przecież nie intelektem. Powołała nieśmiało własne stronnictwo dworskie, między innymi z synem podskarbiego królestwa Hińczą z Rogowa. Ten ostatni zdaje się być Sonce nieobojętny. Młoda krew w niej zapewne wrze; na Litwie swoboda obyczajowa jest dużo większa niż w Polsce; Hińcza też jest młody i ambitny.

Wreszcie od kwietnia 1423 roku Sonka towarzyszy mężowi na Rusi. „Strojna, zalotna i pełna życia. Podwody kazimierskie raz po raz przewożą jej szaty, futra, klejnoty, balneamina, aptekę i kuchnię lub prowadzą kolebki królowej na miejsce przeznaczenia", opisuje jej podróż Ewa Maleczyńska na podstawie źródeł lwowskich. Zbliża ich zamiłowanie do higieny osobistej: Sonka lubi się myć i kąpać, podobnie jak król, co raczej wyjątkowe w tej epoce. Chyba darzy męża żywym uczuciem i następuje pierwsze zbliżenie. Domyślamy się tego ze wzmianki w *Kodeksie Witolda*: Jagiełło właśnie wtedy wezwał Lwów do zebrania pieniędzy na koronację żony. Razem jadą przez Krosno, Łańcut, Przeworsk, Medykę, Trembowlę, Halicz, Drohobycz, Sambor i Przemyśl. A mało co tak zbliża (lub zupełnie oddala), jak wspólna podróż.

Ale po zbliżeniach Zofia nadal nie zaszła w ciążę. „Owszem, poczęto już utyskiwać na bezpłodność Sonki", zauważa *Latopis ruski*[64].

Mimo to Jagiełło zdecydował się na jej koronację „po odbytej wówczas naradzie z prałatami i panami swego Królestwa", czyli stronnictwem Oleśnickiego, jak pisał o tym Jan Długosz[65].

Uroczystości koronacyjne Litwinki odbyły się 5 marca 1424 roku. Zjechali na nie do Krakowa wszyscy ważni z Europy Środkowo-Wschodniej: trzej monarchowie, w tym król rzymski, potem cesarz Zygmunt Luksemburski, książęta litewscy, ruscy, śląscy, mazowieccy,

---

[63] Krzyżanowski S., *Podwody kazimierskie*, Archiwum Komisji Historycznej t. XI, s. 420; por. Maleczyńska E., *op.cit.*, s. 45.

[64] Za: Maleczyńska E., *op. cit.*, s. 48.

[65] J. Długosz, *op.cit.*, t. XI, s. 205.

niemieccy, papiescy legaci. Kraków szalał prawie przez tydzień, podziwiając za dnia turnieje, a tańcząc i pijąc po nocach. Kończyło się średniowiecze; moda jako wyraz wolności człowieka wydobywała się pstrokatymi barwami spod mnisich szarości i brązów. Ciżmy z nosami noszone przez młodzianów i modnisie przerastały długością te, które widzimy współcześnie. Stroje stawały się bardziej opięte, eksponując podniecający erotyzm ciał. Na nic zdawały się biadania księży. „Cóż mamy rzec o tych, które dbają, aby ich suknie dobrze pachły (pachniały); by ich pośladki widziano, chodzą jak żurawie i pawie; by włosy żegadłem (żelazkiem) zakręcano; jedzą wonności, by z ust im pachło; ściskają szyje i nogi, a szaty ich wszystkich z krwi i potu ubogich", grzmiał z ambony kaznodzieja Maciej z Książa[66].

Po koronacji Sonka dziwnie zaniemogła. Zaniepokojony król 9 i 11 marca zapisał żonie dwie wsie w Sandomierskiem i dwieście tysięcy groszy praskich zabezpieczonych na Radomiu, Sączu, Bieczu, Korczynie, Żarnowcu, Sanoku, Inowrocławiu i Nieszawie. Okazało się, że niemoc ta wynikała z zatrzymania się miesiączki żony Jagiełły. Pojawiła się nadzieja na potomstwo.

W dzień Wszystkich Świętych 1424 roku król słuchał mszy w katedrze w Przemyślu. W ciszy posłaniec wyszeptał nowinę: poprzedniej nocy królowa Zofia na Wawelu powiła syna! Od chwili narodzin Kazimierza Wielkiego, czyli po stu czternastu latach w Polsce pojawił się męski następca tronu. Ciągłość dynastyczna została uratowana!

Syna Jagiełły i Sonki ochrzcił uroczyście w katedrze wawelskiej 18 lutego 1425 roku arcybiskup Wojciech Jastrzębiec, nadając mu imię Władysław. Mistrz Henryk z Brzegu „na podstawie układu gwiazd towarzyszącego odpowiednio każdym urodzeniom, twierdził, że pierworodny Władysław zdobędzie władzę nad wieloma królestwami i księstwami, jeżeli losy nie pozazdroszczą mu długiego życia"[67].

Zdziwilibyśmy się trafnością tej przepowiedni, gdyby nie fakt, że Długosz odnotował ją już po tajemniczej śmierci Władysława III prawdopodobnie na polach Warny w 1444 roku.

Ale niebawem Kraków i cała Polska z Litwą spragnione nowin i nadziei wstrzymują oddech, gdyż Sonka znów zachodzi w ciążę...

Drugie dziecko urodziło się na Wawelu o wschodzie słońca 16 maja 1426 roku. Ochrzczone imieniem Kazimierz, wychowywane przez Kachnę Koniecpolską, nie żyło długo: zmarło 2 marca 1427 roku. Młodszego królewicza pochowano w katedrze krakowskiej; badania kości

---

[66] Za: A. Klubówna, *Cztery królowe Jagiełłowe*, Warszawa 1990, s. 213.

[67] J. Długosz, *op. cit.*, t. XI, s. 242.

Ojcostwo Jagiełły wobec pierwszego syna, Władysława, zwanego później Warneńczykiem, nie było na ogół kwestionowane. Zawsze jednak istnieje cień podejrzeń, pomimo *sacrum* przysiąg królowej Sońki.

w 1950 roku wykazały, że niemowlę w chwili śmierci miało około półtora roku.

Podróż na Ruś zbolałej królewskiej pary miała pomóc w przezwyciężeniu żałoby. Chodziło też o zapewnienie następstwa tronu dla pierworodnego, a na to potrzebna była zgoda szlachty i miast. W imieniu małego Władysława podróżująca para królewska odbierała więc zapewnienia wierności.

Po czym zaczęły narastać coraz cięższe podejrzenia. Królowa bowiem znów zaszła w ciążę. Tym razem sprawa stała się podejrzana. „Wielki książę litewski Witold żywił wielkie podejrzenia dotyczące ciąży królowej Zofii, która urodziwszy dwóch synów, również w tym roku spodziewała się potomka. Podejrzenia budziły plotki ... oraz zgrzybiały raczej niż starczy wiek króla Władysława, na który zwykł się przed nim uskarżać", relacjonował Długosz[68].

Do króla dochodzą ohydne plotki, ale może i sam kojarzy pewne fakty. Nie cierpi przecież na starczą demencję; przytomność i jasność umysłu zachowuje do końca.

Czternastego września 1427 roku podczas spotkania Jagiełły z Witoldem w Horodle wielki kniaź litewski miał powiedzieć: „Królowa Zofia, pofolgowawszy hamulcom wstydu, związała się niezgodnym z prawem uczuciem z niektórymi rycerzami polskimi ... jeżeli szybko nie zapobiegnie się złu, to królowa, ulegając słabości swej płci, popadnie w gorsze występki przynoszące hańbę królowi, Królestwu i jej rodowi", pisał Jan Długosz[69].

Z kim to miała się związać sromotnym uczuciem królowa Zofia? Książę Witold w swych oskarżeniach podpierał się wymuszonymi tor-

[68] Tamże, s. 238.

[69] Tamże.

turą zeznaniami jakichś sióstr Szczukowskich, które potwierdziły „zbrodnicze zbezczeszczenie łoża".

Sprawa dotyczyła losów dynastii, więc historycy pilnie szukali „zbrodniczych" śladów dwórek Katarzyny i Elżbiety Szczukowskich, dla których Witold domagał się kary śmierci. Nie znaleźli nic. Sam król nie był przy tym zgrzybiały, jak pisał kolejny raz niechętny Jagielle Długosz, trzymał się znakomicie, nadal z przyjemnością polował i podróżował po okropnych wertepach. Złamana na polowaniu w 1426 roku noga zrastała się szybko. Co zatem wywołało oskarżenie królowej Sonki o cudzołóstwo?

Czy skrajnie ambitny kardynał Zbigniew Oleśnicki przyczynił się do plotek o zdradzie małżeńskiej królowej Zofii? Jeśli tak, to w jakim celu?

Większość historyków od czasów Antoniego Prochaski przez Ludwika Kolankowskiego i Ewę Maleczyńską uważa, że za rzekomym oskarżeniem Sonki przez Witolda stała intryga biskupa krakowskiego, niezwykle ambitnego i zdolnego Zbigniewa Oleśnickiego. Królowa prawdopodobnie nie została oskarżona przez wielkiego księcia litewskiego; Długosz relacjonował jedynie poglądy opozycji antykrólewskiej, z którą wyraźnie sympatyzował. Badania Ewy Maleczyńskiej potwierdziły bowiem, że Witold w liście do panów Królestwa w ostrym tonie wypowiadał się przeciw potwarzy i upowszechnianiu kłamliwych oskarżeń królowej o wiarołomność! Być może było więc całkiem inaczej niż pisał o tym Długosz[70].

Królowa z kolei przypisywała oskarżenie o zdrady małżeńskie Janowi Straszowi z Białaczowa. Został on chyba uwięziony, ale nie powiedział, w czyim interesie działał, by potargać więzy między Jagiełłą i Zofią: Oleśnickiego, książąt mazowieckich, Krzyżaków, Luksemburczyków? Gotów był stanąć na sąd boży z każdym rycerzem, który go

[70] Por. E. Maleczyńska, *op. cit.*, s. 68 i n.

Późniejsi kronikarze dowodzą, że Kazimierz Jagiellończyk przypominał z wyglądu swego ojca Jagiełłę. Łysawy, nie pił także wina – chyba z obawy przed otruciem – gdyż przeżył ponoć kilkanaście prób zamachów.

oskarży. Nikt jednak się nie zgłosił na pojedynek, co dowodziłoby, że chyba nikt z rycerzy nie wierzył w jego winę. Jana Strasza z Białaczowa ukazuje później Długosz wtrąconego do lochów zamku sandomierskiego, na wpół zaduszonego dymem. Tymczasem z akt sądowych z grudnia 1431 roku wynika, że po złożeniu przysięgi oczyszczającej został uwolniony z zarzutów[71]. Przeżył i chyba był niewinny.

Jednakże fala podejrzeń zataczała coraz szersze kręgi. Jesienią 1427 roku doszło do ucieczek rycerzy podejrzanych o współżycie z królową. Ukrył się Jan z Koniecpola oraz bracia Piotr i Dobiesław ze Szczekocin. Królewskie straże schwytały natomiast brata arcybiskupa gnieźnieńskiego, kasztelana Piotra Kurowskiego, marszałka Królestwa Wawrzyńca Zarembę z Kalinowy i notariusza kancelarii królewskiej Jana Kraskę.

Jednakże domniemani kochankowie królowej mnożyli się nadal. „Hińcza z Rogowa, który najbardziej był podejrzany o nierząd, usiłował zbiec. Schwytany podczas ucieczki, kiedy popadł w większe podejrzenie, wtrącony głęboko do brudnej wieży w Chęcinach i omal nie wyzionął ducha od smrodu w więzieniu", pisał Długosz[72].

Duże wrażenie wywarło też usunięcie dwórek królowej, które podejrzewano, że są zamieszane w aferę, wspomnianych sióstr Szczukowskich.

Jagiełło odesłał żonę do Krakowa. I tam 29 lub 30 listopada 1427 roku Sonka urodziła kolejnego syna! Ochrzcił go biskup krakowski Zbigniew Oleśnicki imieniem Kazimierz Andrzej. Długosz przytoczy astrologiczną przepowiednię, że „urodził się pod złowróżbną gwiazdą" i że „za

[71] J. Długosz, *op. cit.*, t. XI, s. 20, 42.
[72] Tamże, s. 240.

jego rządów Królestwo spotkają różne nieszczęścia i zagrozi mu niemal zguba"[73].

W rzeczywistości za panowania tegoż Kazimierza Jagiellończyka Polska wyrośnie na wielkie mocarstwo, a Jagiellonowie na wielką dynastię trzęsącą Europą Środkową. Pomimo wielu potknięć i kryzysów.

Ale czy maleńki królewicz Kazimierz był Jagiellonem? Jan Długosz, będący bardzo blisko wydarzeń i znający ludzkie opinie, podawał, że sprawa jest wielce podejrzana. Nie mógł tego oczywiście wyrazić wprost, ale okrężnymi drogami. „I jak narodziny pierwszego syna Władysława były dla własnych obywateli pożądane i miłe, a u sąsiadów budziły niepokój i strach, tak przeciwnie, urodzenie się tego ostatniego swoim sprawiło ból i wywołało ich przekleństwa, a budziło zadowolenie i radość u obcych, którzy w wesołych opowiadaniach podkreślali piętno hańby, na które naraziła się królowa i dziecko"[74].

Kim byli zatem następcy tronu w Polsce, a szczególnie Kazimierz Andrzej, przyszły wielki król? Potomkiem Jagiełły? Czy Hińczy z Rogowa? A może Śreniawity Kurowskiego? Czy Zarembów?

Wątpliwości musiały być rozwiane, jeśli państwo polskie miało się utrzymać bez kryzysu dynastycznego. A w owych czasach dynastyczne zawirowania oznaczały poważny kryzys państwa. „Decyzją doradców nakazano królowej oczyścić się w towarzystwie sześciu niewiast", pisał Długosz, wymieniając ich nazwiska. Sonka uczyniła to przed krakowskimi możnymi „osobiście i przez usta znaczniejszych kobiet i matron", cieszących się wówczas dużym szacunkiem[75].

W katedrze wawelskiej słuchali oczyszczenia biskup, kasztelan, wojewoda, starosta krakowski i inni dostojnicy. Z dokumentów nie wynika jednak, czy Sonka zaprzysięgła niewinność i co oznacza termin „oczyszczenie".

Pewnym tropem wskazującym na niedopuszczalny romans jest młody wiek domniemanych kochanków. W czasach tej afery małżeńskiej Hińcza z Rogowa, mianowany przez królową kanclerzem zapewne jej dworu, mógł mieć niewiele ponad dwadzieścia lat. A jednak mimo podejrzeń nie stracił łask króla i królowej. Do końca życia awansował, dowodził wojskami. Czy dlatego, że był kochankiem królowej, czy dlatego, iż okazało się, że nim nie był?

Jagiełło miał już bowiem siedemdziesiąt sześć lat, a Sonka dwadzieścia dwa. Nikt jej w cudzym łożu ani w ogrodzie podwawelskim nie zła-

---

[73] Tamże, s. 242.

[74] Tamże, s. 241.

[75] Tamże, s. 241.

pał na gorącym uczynku, jakby zresztą śmiał. Skąd jednak tak wielkie i dosadne plotki? Rzecz znamienna, że królowa od chwili oskarżenia i oczyszczenia przestała zachodzić w ciążę. I to również zastanawia podejrzliwych historyków.

Przysięgom wierzono niemal bezgranicznie, gdyż na przysięgach wierności, zależności, wiary i innych trzymały się struktury społeczeństwa feudalnego. Przykrą sytuację dla królowej Sonki poprawiło w końcu widoczne podobieństwo rysów maleńkiego Władysława do Jagiełły. Dopatrzył się podobieństwa także sam Jagiełło; zapewne stary król rzeczywiście spłodził potomka i przedłużył dynastię. Ale do pełnego rozwiania wątpliwości trzeba by badań DNA, a na ich odkrycie i stosowanie ludzkość poczeka ponad pół tysiąca lat.

Może teraz warto spróbować. Jednak jaki wstrząs czekałby polską historię, mitologię, transcendencję, teologię – gdyby zawaliło się przekonanie o Jagiellonach na tronie polskim?

Wiek Jagiełły daje o sobie znać; król jest coraz bardziej chory. Od lipca 1430 roku towarzyszy mu bezustannie medyk Mikołaj Osiowski. W tym czasie w Krakowie jego żona Sonka przeżywa kolejny dramat: zostaje oskarżona o otrucie pasierbicy Jadwigi, młodszej od macochy o trzy lata, tytułowanej już *heres Coronae Regni Poloniae,* dziedziczką Korony Polskiej.

Na ile wynikało to z rzeczywistych zdarzeń, a na ile z podejrzeń, że na Litwie truli – nie wiemy. „Wielu zaś twierdzi, że królowa Zofia podawała tę truciznę pasierbicy Jadwidze za pośrednictwem kobiet i dostojnych pań, które wiedziały o jej występku, by po usunięciu dziedziczki tronu, która cieszyła się wielką sympatią ludu, przygotować swoim synom, Władysławowi i Kazimierzowi, bardziej pusty i łatwo dostępny tron polski", zauważał Jan Długosz.

Zofia wiedziała o tych podejrzeniach i domysłach, zamek na Wawelu nie był duży. Spytała o radę swego spowiednika, kanonika krakowskiego doktora Jana Elgota. Kaznodzieja sugerował kolejne publiczne oczyszczenie. Królowa Zofia ponownie stanęła zatem przed ołtarzem, by złożyć przysięgę prawości wobec biskupa krakowskiego Zbigniewa Oleśnickiego i innych dostojników.

W gruncie rzeczy akty te były upokarzające. Tak bardzo, że historyczki E. Maleczyńska i G. Małaczyńska zbadały dokładnie łaciński tekst Długosza. Kto właściwie przysięgał przed ołtarzem: królowa, że nie truje, czy królewna Jadwiga, że nie jest truta przez królową Sonkę?

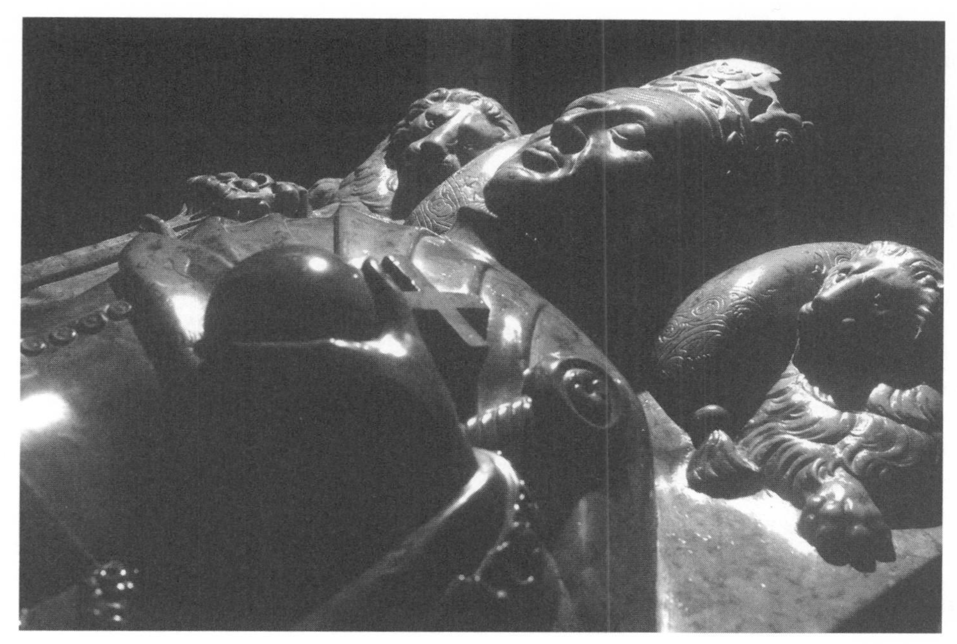

Nagrobek Władysława Jagiełły na Wawelu. Europa uwierzyła, że dynastia została wywyższona synami Jagiełły: potomkowie króla z Litwy będą panować nad wielkimi krajami kontynentu od Bałtyku po Adriatyk i Morze Czarne w ramach imperium Jagiellonów.

Historyczki sądzą, że przysięgę składała... Jadwiga. Dziwna zaiste byłaby to przysięga gasnącej dziewicy Jadwigi przed biskupem Zbigniewem Oleśnickim. Chyba jednak chodziło o Zofię, już niemal przywykłą do składania oczyszczeń.

Pomimo przysiąg Jadwiga, córka Jagiełły, zmarła w grudniu 1431 r. w stanie dziewiczym. W kraju narastała aura podejrzeń, niechęci. Dziwne było wówczas zachowanie Jagiełły. Jan Długosz nie zauważał, by „bolał tak, jak należało się spodziewać, jako że on przeznaczał następstwo na tronie polskim raczej synowi niż zięciowi”[76]. Królowa Sonka nadal wychowywała synów.

Był koniec kwietnia 1434 roku, gdy nagle wróciła fala zimna. „A król Władysław, nie bojąc się bynajmniej ostrego mrozu ani się przed nim nie chroniąc, w sobotę po uroczystości św. Wojciecha, wskutek jakiegoś przyzwyczajenia, którego nabył jeszcze z dawnych obyczajów pogańskich, a przestrzegał zawsze, całe życie, udał się do lasów, by nasycić uszy słodkim, pełnym czaru dźwiękiem, by słuchać śpiewu słowika.

---

[76] Tamże, s. 63, 64.

Spędziwszy większą część nocy na tym słuchaniu, zaziębił się i doznał choroby"[77].

Orszak z przeziębionym Jagiełłą potoczył się z Medyki do Gródka. Tutaj pojawiła się silna gorączka. Opatrzony sakramentami, po sporządzeniu testamentu, król zmarł 1 czerwca 1434 roku o trzeciej w nocy: „Jak najłagodniejszy baranek zasnął na rękach panów duchownych i świeckich". Miał osiemdziesiąt trzy lata, większość życia, bo pięćdziesiąt siedem lat panował, z czego czterdzieści siedem w Polsce! Przez ten szmat czasu nauczył się cierpliwości i dokonał rzeczy wielkich. Pomimo że nie był ani wykształcony, ani błyskotliwy, ani cynicznie amoralny, jak jego „najukochańszy brat" cesarz Zygmunt Luksemburski, usiłujący wykorzystywać słabości „króla z Litwy".

Królowa Sonka ruszyła z Krakowa po raz ostatni naprzeciw mężowi, który zmierzał na Wawel w drewnianej trumnie oblanej smołą. Małych synów, nierozumiejących, co właściwie się stało, Sonka przysuwała do wozu, na którym jechały zwłoki wielkiego władcy. „Lejąc długo łzy obfite" wraz z synami dawała dowód co najmniej przywiązania do męża. Czy w ten sposób usiłowała potwierdzić publicznie, że to są synowie zmarłego króla?

Msza pogrzebowa odbyła się 18 czerwca w katedrze wawelskiej. U trumny okrytej aksamitem i purpurą stanęli dwaj synowie, blisko dziesięcioletni Władysław, który zginie bezpotomnie i sześcioletni Kazimierz, którego prawdziwe pochodzenie znała tylko matka. Opłakiwali śmierć ojca, który wprowadził Litwę do wielkiej Europy, a Polsce pomógł wynieść się na mocarstwowe wyżyny. „Królowa Zofia ... wydawała jęki i bolesne westchnienia, które rozlegały się po całym kościele", pisał kanonik krakowski[78].

Żal królowej wdowy był chyba szczery. Ale miała ona dopiero dwadzieścia dziewięć lat, apetyt na życie i władzę. Chciała korony dla synów. Żył i piastował wysokie urzędy Hińcza z Rogowa; dojdzie do kasztelani sandomierskiej i urzędu podskarbiego koronnego. Charakterystyczne, że podczas konfederacji Spytka z Melsztyna w 1439 roku stanie po stronie konfederatów, po czym zdradzi ich po upływie doby, „przyczyniając się w ten sposób walnie do ich klęski w bitwie pod Grotnikami"[79].

Czy tylko za to zdecydowane opowiedzenie się po stronie dworu i poparcie dla króla Kazimierza Jagiellończyka dostał Hińcza w 1447 roku

---

[77] Tamże, s. 131.

[78] Tamże, s. 135.

[79] J. Senkowski i T. Słowikowski, *Hincza z Rogowa,* PSB.

wysoki urząd podskarbiego państwa? Zapewne tak. Zawsze jednak pozostaje ślad niepewności, nie do rozstrzygnięcia przez historyków. Być może młody kasztelanic znał prawdę o ostatnim potomku Jagiełły ze związku z Sonką, tajemnicę dynastii Jagiellonów, która wyniesie Rzeczpospolitą na wyżyny potęgi.

Właśnie – czy Jagiellonów?

Rozdział 7. Dziwni kandydaci do korony

10 listopada 1444 roku niebo pod Warną pojaśniało po gwałtownej burzy. Ponoć sześćdziesiąt tysięcy tureckich akindżijów, azabów, sipahów ruszyło na szesnaście tysięcy chrześcijan. Na polu tragicznej dla chrześcijan bitwy zdarzyła się tajemnicza katastrofa: młodziutki król Władysław III Jagiellon przepadł bez wieści. Ostatni raz widziano go szarżującego. Podobno koń się potknął i król znikł bezpowrotnie.

Mało kto wierzył w Polsce, a i w całej Europie, w śmierć króla Polski i Węgier, Władysława III Jagiellona pod Warną w 1444 roku. Za młody, za potężny, władający połową Europy Środkowo-Wschodniej. Po zwycięskim długim marszu z Budy pod Sofię i pobiciu Turków w 1443 roku zapowiadał się na drugiego Aleksandra Macedońskiego. W tym duchu pisano o nim wiersze nawet we Włoszech.

Poza tym ciała Władysława III nie odnaleziono na polu bitwy. Nic dziwnego, że pojawili się osobnicy podający się sekretnie za króla Wła-

Śmierć młodziutkiego króla Władysława owiana była tajemnicą, gdyż ciała nie odnaleziono ani nie wydali go Turcy. Inaczej na obrazie malarza.

dysława, ukrywającego się przed ludzkimi oczyma ze wstydu za złamanie umowy z Turkami i za klęskę.

Pierwszy „Warneńczyk" pojawił się w Nadrenii niczym gwiazdka z nieba i stamtąd pojechał do Polski. Ale gdy przybył w Poznańskie, zdemaskowano go w Międzyrzeczu jako znanego, zwariowanego oszusta Jana z Wilczyny koło Ryczywołu. Ów Jan uwielbiał przebierać się za książąt. Nie był groźny, ale raczej zabawny, więc wyśmiano go, a potem uwięziono, gdyż mimo wszystko szargał *sacrum* królewskiego pomazańca.

Wojewoda poznański Łukasz Górka (zachował się nagrobek) rozpoznał domniemanego króla Władysława III jako byłego dworzanina monarchy. Chciał go ukarać od razu, ale rzecz należało dogłębnie wyjaśnić.

Następny domniemany Władysław III pojawił się w Poznaniu w 1459 roku. Ale jakoś dziwnie się zachowywał. To były czasy niewielkich społeczności i twarze łatwo zapamiętywano. Wojewoda Łukasz Górka popatrzył na Władysława III i skojarzył: toż to dawny dworzanin króla Władysława! Górka chciał go ściąć od razu, ale dostojnicy wielkopolscy domagali się konfrontacji z królową matką, Zofią Holszańską. Gdyby niechcący ścięli króla, nie zostałoby im to wybaczone aż do dziesiątego pokolenia.

Doprowadzają rzekomego Władysława III przed oblicze sejmu walnego i królowej do Krakowa. Zofia przygląda się dokładnie i nie rozpoznaje go jako swego syna.

Biorą go zatem na tortury. Gdy mu wykręcono stawy, „Jego Mość król" przyznał, że jest szlachcicem Mikołajem Rychlikiem, którego zresztą wielu znało jako dworzanina. Być może gorzałka doprowadziła go do psychozy albo dostał ataku paranoi, gdyż zdawał się do końca niezbicie wierzyć, że jest cudownie ocalałym królem.

Co ciekawe, Rychlik był żonaty z córką stolnika przemyskiego Gertrudą Mzurowską; miał syna i dwie córki. Czy żona nie zauważyła objawów obłędu u męża? Można domniemywać, że nawet jeśli wiedziała, że ma do czynienia z wariatem, to i tak jej głos niewiele by znaczył. Kobieta w Polsce podobnie jak w całej Europie bywała szanowana nie jako podmiot prawa, tylko głównie jako matrona. Poza tym naonczas było nie do pomyślenia, by żona świadczyła przeciw mężowi. I tak by jej sąd nie uwierzył; wiadomo – płocha białogłowa.

Sąd sejmowy skazuje Rychlika na pręgierz, wkładają mu na głowę papierową koronę i smagają dwa razy na dzień rózgami. Rychlik kończy życie w wieży, dobrze jednak traktowany dla samego imienia króla: „a potem chowali go w więzieniu poczciwie aż do śmierci, aby nikt o nich nie mówił, że króla swego umorzyli", odnotowano w kronikach[80].

Próba osadzenia się na tronie pomyleńca została zduszona w zarodku.

Kolejnym wcieleniom Władysława III jednak nie ma końca. W 1466 roku Polak podróżujący z czeskim magnatem Leonem z Rozmitalu po Hiszpanii napotyka dziwnego pustelnika pokutującego za krzywoprzysięstwo. Polak rozpoznaje króla po sześciu palcach u stóp. Tyle tylko, że wiek pustelnika się nie zgadzał. Widziano też króla w Grecji, ukrytego przed Turkami, nawet w Burgundii, skąd przybył do Polski specjalny wysłannik z wieścią o ocaleniu. Także w Portugalii, o czym zapewniał w 1452 roku wielkiego mistrza zakonu krzyżackiego dominikanin Mikołaj Floris.

Jednak żaden z tych dziwnych „Władysławów III" nie dostał się na polski ani węgierski tron. Sprawa ta była niesłychanej wagi, gdyż dynastia i król to były główne zworniki państwa. W średniowieczu bez osoby pomazańca wieloplemienne i wielonarodowe społeczeństwa rozleciałyby się szybko. Polska zamarła w oczekiwaniu, gdyż czekając na Władysława, jego młodszy brat Kazimierz odmówił objęcia tronu.

Panowie Królestwa poczuli się tym zlekceważeni i gotowi byli wybrać innego. W końcu Kazimierz Jagiellończyk zgodził się na koronację po trzech latach oczekiwania, w 1447 roku, nie doczekawszy się brata.

Dziedziczenie tronu miało swe racjonalne podstawy: bywało hamulcem do pojawiania się dziwacznych pretendentów. Jagiellonowie również dziedziczyli tron za zgodą sejmu i senatu, co powstrzymywało szaleńców przed ujawnieniem się światu jako „prawdziwi" królowie.

Prawdę tę potwierdził zgon ostatniego Jagiellona, Zygmunta Augusta w 1572 roku. Nowi kandydaci pojawili się niedługo po jego śmier-

---

[80] S. Jakubczak, *Rychlik Mikołaj*, Polski Słownik Biograficzny.

ci. Sprzyjał temu system wolnej elekcji, gdyż szlachta postanowiła *viritim*, „mąż w męża", obierać sobie pana króla. To otwierało drogę kolejnym dziwakom, wariatom i kandydatom bez błękitnej krwi w żyłach, czyli niepochodzących z dynastii panującej.

W 1573 roku na polach pod Warszawą wielmoże i szlachta zastanawiali się, czy wybrać obcego księcia, czy rodzimego Piasta? Wyboru wielkiego pośród Piastów nie było, gdyż główna linia wymarła w 1370 roku, a boczne były zgermanizowane, z resztką krwi piastowskiej w żyłach. Szlachta zerkała zatem na wielkich rodzimych magnatów. Na polu elekcyjnym padały różne dostojne nazwiska magnatów znanych i szanowanych w Rzeczypospolitej. Herbowi oswajali się z myślą, że korona zostanie wśród swoich, a nie obcych.

BEZKRÓLEWIA KSIĄG OŚMIORO

CZYLI № 15051

DZIEJE POLSKI

OD ZGONU ZYGMUNTA AUGUSTA

R. 1572 AŻ DO R. 1576.

SKREŚLONE PRZEZ

ŚWIĘTOSŁAWA Z BORZEJOWIC ORZELSKIEGO,

STAROSTY RADZIEJOWSKIEGO.

PRZEŁOŻYŁ Z RĘKOPISMU CESARSKIÉJ PUBLICZNÉJ BIBLIOTEKI, PRZYPISAMI I ŻYCIORYSEM UZUPEŁNIŁ

WŁODZIMIERZ SPASOWICZ.

TOM II.

PETERSBURG I MOHILEW,

NAKŁADEM BOLESŁAWA MAURYCEGO WOLFFA.

1856.

Czasy pierwszych elekcji opisał poseł na sejm Świętosław Orzelski (1549–1598) w cennej kronice *Bezkrólewia ksiąg ośmioro*.

Ale czy ktokolwiek z magnatów mógł znieść, by inny możny panował nad nim? Przecież magnaci nie byli nawet w stanie znieść ślubu i ukoronowania Barbary Radziwiłłówny, bo to zbyt wywyższało litewski ród Radziwiłłów! Zauważył to bystry obserwator dziejów pierwszego bezkrólewia Świętosław Orzelski: wystawianie do tronu krajowych możnych „taką zawiść w pozostałych obudziło, że potem, gdy każden zaczął wymieniać nazwisko, powstało jakoby wielkie wojsko jakie z samych Piastów złożone", pisał z ironiczną swadą[81].

Kandydatów „Piastów" przybywało na polu elekcyjnym ponad wszelką miarę. I wtedy nagle kasztelan sanocki, Piotr Opaliński wysunął kandydaturę kolejnego „Piasta" – Wawrzyńca (Piotra?) Słupeckiego. Znalazł się on liście poważnych kandydatów do korony, choć niemal nikt go nie znał.

[81] Orzelski S., *Bezkrólewia ksiąg ośmioro, czyli dzieje Polski od zgonu Zygmunta Augusta r. 1572 aż do r. 1576*, przekł. W. Spasowicz, t. I–III, Petersburg 1856–1858 , t. I, s. 112.

Bandura – instrument i przezwisko sędziego Słupeckiego wskazuje na „brzdąkanie"; być może oznaczało to nieopanowaną, pozbawioną rozwagi wielomówność sędziego.

Słupecki okazał się skromnym sędzią z Bydgoszczy. Na dodatek znany był powszechnie pod przezwiskiem Bandura. To z kolei nazwa instrumentu muzycznego wywodzącego się z Ukrainy, podobnego do gitary i mandoliny.

Zgłaszając kandydaturę Bandury Słupeckiego, Piotr Opaliński liczył na ośmieszenie idei wyboru króla Piasta, czyli tu przypadkowego jegomościa ze stanu szlacheckiego. Słupecki jednak przedtem musiał się zgodzić na kandydowanie, skoro zapisano go na liście elekcyjnej. Może miał nadzieję na królowanie: w końcu w Polsce istniał wielki mit równości szlacheckiej.

Gdy jednak nazwisko Słupeckiego i familijny przydomek w końcu odczytano, „wszyscy wybuchnęli ogromnym śmiechem i uciszyli się ledwie w godzinę. Tak Piast z Bandurą pomieszany, w największą u wszystkich poszedł poniewierkę", relacjonował Orzelski[82].

Nadal jednak nie wiemy, czy ów Słupecki istniał naprawdę. Niemal wszyscy znani nam Słupeccy z tego okresu to magnaci i szlachta z południa rdzennej Polski, z lubelskiego i sądeckiego: Jan (zm. 1509) był kasztelanem sądeckim; Stanisław z Konar (zm. 1575) – kasztelanem lubelskim, Zbigniew (zm. 1594) – w Lubelskiem posłem i działaczem kalwinistą, Feliks (zm. 1616) – kasztelanem żarnowskim i lubelskim. To byli mimo wszystko senatorzy i na pewno ujęliby się za wyśmiewanym krewnym Bandurą, który sędziował sobie w odległej pogranicznej Bydgoszczy.

A nie ujęli się. Więc może go nie było.

Jeśli nawet Słupecki stał się kandydatem, to Polaków uratowało przed szaleństwem wyboru przypadkowego jegomościa poczucie humoru, z czego od dawna słynęli. Bandura, jak nagle pojawił się w dziejach, tak raptownie znikł ze sceny politycznej. „Byłoby to krzywdą dla obywateli Rzplitej, gdyby równy nad równymi panował", dowodził niebawem

[82] Tamże, s. 121.

marszałek Andrzej Zborowski. W tamtej sytuacji politycznej okazało się to niemożliwe.

Ale pierwszy krok w świadomości zbiorowej szlachty został uczyniony.

Zaskakującym kandydatem na króla polskiego podczas elekcji był też chan tatarski. Przez posła tłumaczył, iż jego wojsko samo się żywi, więc nie będzie obciążeniem dla skarbu Rzeczypospolitej. Nie dodał jednak, że żywność nomadów w baranich kożuchach pochodzi z okrutnego łupiestwa. Kandydatura wywołała więc kolejny atak homeryckiego śmiechu pośród szlachty, gdyż Tatarzy uchodzili za urodzonych grabieżców, wyniszczających polskie ziemie.

Nawet chan tatarski starał się o koronę polską, co przyprawiło szlachtę o atak śmiechu.

W końcu monarchą polskim został wiotki książę francuski Henryk Walezy, który, jak powszechnie wiadomo, okazał się władcą niezbyt fortunnym dla Polski. Uciekł po czterech miesiącach z Wawelu do Paryża, w przebraniu kobiecym, na wieść o śmierci brata króla i o czekającej go francuskiej koronie. Chciał jednak panować jednocześnie nad Rzeczpospolitą, zapowiadał nawet powrót, jak to wynikało z listów pozostawionych przez króla w piecu. Ale magnaci i szlachta już mu nie wierzyli.

Niezwykłym kandydatem stał się też wielki książę moskiewski i car Astrachania Iwan IV Groźny. Przedtem zabiegał o rękę Anny Jagiellonki, która omal nie zemdlała z przerażenia na wieść o staraniach okrutnika. Iwan mordował bowiem własnoręcznie swych poddanych, a potem się za nich modlił z imiennym wykazem w ręku. Litwini jednak parli bardzo do wyboru wschodniego despoty z dość prostej przyczyny: chcieli uniknąć wyniszczających, niemal bezustannych wojen z Moskwą. Gotowi byli nawet wybrać ociężałego umysłowo syna Iwana IV, Fiodora. Ufni, że Polacy w Krakowie i Warszawie okiełznają tyrańskiego okrutnika, tak jak potrafili okiełznać okrutnych, co tu kryć, książąt litewskich na progu unii polsko-litewskiej w 1385 roku.

Dramatyczną sytuację związaną z kandydaturą Iwana Groźnego wyjaśnił turecki sułtan. Zagroził on przez czasza, czyli gońca, wojną po ewentualnym wyborze hosudara moskiewskiego na króla polskiego.

Wylęgarnią kandydatów do korony, niekoniecznie już polskiej, stały się niezmierzone Kresy koronne. Pojawiali się tam kolejni, jeszcze bardziej niezwykli pretendenci do innych tronów. Jesienią 1576 roku stanął w Barze przed starostą potężny człowiek z sumiastym wąsem i podgolonym karkiem – Iwan Podkowa. Podał się za Wołoszyna, brata hospodara (księcia) mołdawskiego. Miał pod sobą gotowych na wszystko Kozaków. Poszedł z mołojcami na Jassy. Stolicę książęcą Mołdawii zdobył, po czym koronował się na hospodara Jana IV Wodę.

Jego posunięcia naruszyły jednak poważnie pokój z supermocarstwem tureckim, co groziło nieobliczalnymi konsekwencjami. Król Stefan Batory kazał mu się stawić do Warszawy. Iwan był niezwykle silny, bitny i dobrotliwy, ale przy tym naiwny i do Warszawy na sejm przyjechał. Bezwzględny Batory kazał go uwięzić i ściąć we Lwowie 16 czerwca 1578 roku na oczach czausza tureckiego. Żałość była powszechna, gdyż Ruś i Ukraina kochały się w rycerskich awanturnikach: Iwana Podkowę „wszyscy niemal ludzie żałowali", pisał arcybiskup Dymitr Solikowski. Samozwańczy, jak się wydaje, i wielce naiwny pretendent do tronu mołdawskiego stracił odważne życie na ołtarzu polityki Batorego: zachowania pokoju z sułtanem.

Dymitr Samozwaniec podawał się za syna cara Iwana Groźnego. Został nie tylko carem; poszlaki wskazują, że myślał też o polskiej koronie.

Niespokojne i skrwawione ziemie polskiej Ukrainy szczególnie łatwo rodziły „władców". W 1581 roku w pogranicznym starostwie ukraińskim pojawiali się bracia podający się za synów chana tatarskiego Mehmeda Gireja. Jednakże i tym razem Batory nie wykorzystał ich do rozprawy z ordą krymską, nawet gdy okazało się, że są rzeczywiście synami cara tatarskiego. Ratowali się ucieczką do Polski w obawie przed rozgrywkami dynastycznymi w Bakczysaraju. Król polski odesłał ich do Stambułu, by nadal utrzymać pokój z Turcją.

Ale największy sukces odniósł Dymitr Samozwaniec. Jako tajemniczy mnich wiosną 1602 roku pojawił się w Ostrogu księcia Konstantego Ostrogskiego. Podawał się za carewicza Dymitra, syna cara Iwana Groźnego, który ocalał cudem z rzezi w Ugliczu 15 maja 1591 roku.

Jednakże książę kazał na wszelki wypadek najpierw zrzucić mnicha ze schodów. Dymitr udał się więc do ośrodka arianizmu w Hoszczy i do Kozaków. Jako carewicz namawiał mołojców do wyprawy na Kreml. Kozacy jednak mu nie wierzyli.

Tajemniczy mnich powędrował więc na dwór księcia Adama Wiśniowieckiego w Brahiniu, podając się tym razem za dworzanina. Podczas kąpieli swego pana zachował się nieuważnie i Wiśniowiecki go za to obił, jak to było w zwyczaju. Dymitr zapłakał wtedy i wyrzekł, że gdyby książę wiedział, kogo bije, zatrzęsłaby się mu ręka. W końcu oznajmił, że jest synem cara.

Spadło to Wiśniowieckiemu jak gwiazdka z nieba. Prowadził on bowiem prywatną wojnę z carem Borysem Godunowem o pograniczne Przyłuki i Śniatyń. A Godunow był podejrzewany o wysłanie siepaczy w 1591 roku, by zamordować w Ugliczu syna Iwana IV. Adam Wiśniowiecki uznał więc Dymitra za carewicza; nie wiemy jednak, czy wierzył w jego opowiadanie, czy jedynie go wykorzystał. Potem uznali go inni, przyjął go król Zygmunt III Waza w Krakowie, a Dymitr na czele ledwie czterech tysięcy Kozaków zawędrował aż na tron moskiewski, radośnie witany w stolicy Wielkiego Księstwa.

Kim był Dymitr? Najbardziej prawdopodobna wersja głosi, że nazywał się Jurij Otriepiew i był synem bojara Bogdana z Galicza. Do odegrania historycznej roli przysposobił bystrego młodzieńca ród Romanowów, konkurujący z Godunowem. Dla zmylenia śladów skierowali Jurija do klasztoru, gdzie przyjął imię Grzegorza. Dlatego to w księdze świętego Bazylego Wielkiego, podarowanej mu przez Ostrogskiego, widniał tajemniczy dopisek obok imienia mnicha: Grzegorzowi, carewiczowi moskiewskiemu...

Dzięki śledztwu historyków odnaleziono wiele śladów Griszki Otriepiewa. Również ten, gdy zagrożony przez siepaczów Godunowa uciekał w mroźnym lutym 1602 roku z klasztoru w Moskwie do polskiego Kijowa i Ostroga. Czy już wówczas wierzył, że jest Dymitrem? Bo jeśli przez tak długi czas odgrywał tylko spreparowaną rolę, to zasługuje na miano genialnego aktora.

Doszedł tak wysoko, że jego plany się zwielokrotniły. Zamyślał także o koronie polskiej. Sprzyjał mu w 1606 roku zamęt w Rzeczypospolitej, zwany rokoszem Zebrzydowskiego; poszlaki wskazują na to, że wojewoda krakowski rozmyślał nad oddaniem korony carowi Dymitrowi Samozwańcowi, akurat żeniącemu się na Kremlu z polską magnatką Maryną Mniszchówną. Taka unia personalna ogromnych państw z pewnością zatrzęsłaby dziejami Europy i Azji i przyśpieszyła rozprawę z supermocarstwem, islamską Turcją.

Ambitny Dymitr skończył jednak marnie, zastrzelony w Granowitej Pałacie w maju 1606 roku. Ponoć został spalony, a prochy wystrzelone z armaty na zachód, skąd przyszedł.

Jego żona, Maryna Mniszchówna z magnackiego rodu, „której się bardzo chciało carować", była jeszcze bardziej bezczelna. Uznała bowiem za męża, w miejsce zabitego niemal na jej oczach, kolejnego kandydata na cara, Dymitra II Samozwańca, zwanego już jawnie szalbierzem, pomimo że ten „do pierwszego niczym (oprócz tego, że człowiek) niepodobny", jak zauważył cierpko cny hetman Stanisław Żółkiewski[83].

Dymitr Samozwaniec II okazał się znacznie głupszy i brutalniejszy niż inteligentny i pomysłowy skądinąd Dymitr I. Został w końcu zasieczony w saniach przez swoich. Carycę Marynę Rosjanie utopili w przerębli lub udusili w Kołomnie, jej czteroletnie dziecko, syna szalbierza, powiesili.

W tym czasie z wyboru bojarów rosyjskich carem został syn króla Zygmunta III Wazy, Władysław Zygmuntowicz; monety z jego wizerunkiem miotano już w moskiewskie tłumy, by się oswajały z nowym hosudarem. Warunkiem panowania Władysława było jednak przejście królewicza na prawosławie. A na to jego ojciec nie chciał się zgodzić, gdyż sam w końcu pretendował do czapki Monomacha. Bojarzy go nie chcieli; w ich opinii był ultrakatolicki, poddany wpływom jezuitów, co Moskwie kojarzyło się z dążeniem do katolicyzacji ich państwa.

W 1667 roku, po podpisaniu układu w Andruszowie, Polska zaczęła tracić przewagę w wielowiekowych bojach z Rosją. Za polskich władców na moskiewskim tronie Rosjanie, wchodząc do Warszawy i dokonując rzezi Pragi, zdołali odpłacić w dwójnasób. Nieproszonymi królami Polski zostali w XIX wieku carowie Aleksander I i Mikołaj I. Oni i ich następcy pochodzili z Romanowów, z tej samej dynastii, która wykreowała Dymitra Samozwańca i panowała z przyzwole-

---

[83] S. Żółkiewski, *Początek i progres wojny moskiewskiej*, oprac. J. Maciszewski, Warszawa 1966, s. 103.

nia polskiego od 1613 roku. Carów panujących jako królowie polscy nikt nie umieszczał w polskich pocztach władców, a przecież oni nimi byli, choć z biegiem lat coraz bardziej znienawidzeni przez Polaków.

Napoleon Józef Bonaparte odznaczał się inteligencją, nieopanowaną gwałtownością i był świetnym mówcą-kabotynem. Może więc nadawał się na tron Polski.

Rozbiorowa Polska marzyła więc o innym królu jako zworniku niepodległej Rzeczypospolitej. Kandydatem stał się kuzyn cesarza Napoleona III, książę Napoleon Józef (1822–1891), mitoman zwany Plon-Plon. „Dobrym określeniem byłoby nieco staromodne świszczypała", pisał o tym kandydacie Andrzej Szwarc[84].

„Najuporczywiej też kręcił się on wokół Polaków, zresztą z wzajemnością". Próbowano go wżenić w ród Czartoryskich, pomimo zszarganej opinii księcia. Sam książę Adam Czartoryski miał w pewnym momencie stwierdzić: „Jeżeli książę Napoleon zamyśla istotnie o koronie, to byłoby niedorzecznością i głupstwem temu się opierać"[85].

W sukurs przyszli tym razem Anglicy, którzy storpedowali skutecznie kandydaturę Francuza, oferując nieistniejącej Polsce na króla swego księcia Cambridge, wnuka zapracowanego króla Jerzego III. Król angielski zdradzał jednak od 1783 roku objawy choroby umysłowej. Co stałoby się z jego wnukiem w Polsce, która nie istniała na mapie?

Ale polscy arystokraci-politycy byli niezrażeni: nawet w Szwecji proponowano koronę wawelską Karolowi XV. Zaskoczony Karol powiedział coś o swym luteranizmie. „Polska warta jest mszy", odrzekł na to z dumą polski emigracyjny dyplomata nieistniejącego nadal państwa.

Plon-Plon nie rezygnował z prób królowania w Rzeczypospolitej: z polskimi emigrantami snuł wielkie plany przewiezienia na Litwę i w rejon Kaukazu broni i ochotników przez Bałtyk i Morze Czarne, co doprowadziłoby do kolejnych wojen z Rosją. Ponieważ jeden z planów przemytu broni się powiódł, więc polscy powstańcy 1863 roku uwie-

---

[84] *Polskie miraże krewniaka wielkiego Napoleona*, maszynopis, s. 2.

[85] Tamże, s. 5.

rzyli w pomoc Francji i w bliskie nadejście nowego króla, potomka Napoleona na polski tron. Pomimo że sam kandydat był daleko, bujając w alkoholowych chmurach, za to blisko kobiet, wina, pełen fanfaronady, jaką może dać imię Napoleona.

W demokratycznej II Rzeczypospolitej po 1918 roku szaleńcy i awanturnicy raczej nie mieli szans na publiczne zaistnienie na scenie politycznej. Wybory prezydenta nie były bowiem bezpośrednie, lecz dokonywane przez Zgromadzenie Narodowe, co blokowało jawnych wariatów i bezczelnych straceńców. Kandydatów zgłaszały partie, które dbały o właściwą selekcję. A mimo to Tadeusz Dołęga-Mostowicz dostrzegł możliwości wyboru cwanego głupka przez skretyniałych od wódki i władzy dygnitarzy, pisząc powieść-ostrzeżenie *Kariera Nikodema Dyzmy*.

Gorzej było z ględzącymi niemiłosiernie, niekiedy przypadkowo wybranymi posłami, których rozwścieczony marszałek Piłsudski nazywał *poslinis fajdanitis*. Ich umiejętności umysłowe oceniał następująco: „Posłowie dochodzą ... do mniemania, że jeżeli brzuch go zaboli i jest z tego powodu w złym humorze, to jest to najważniejszy wypadek dla całego państwa. A gdy się pan taki zafajda, to każdy podziwiać musi jego zafajdaną bieliznę, a jeżeli przy tym zdarzy mu się wypadek, że zabździ, to jest to już prawo dla innych ludzi, a najbardziej dla ministrów, którzy muszą nie pracować dla państwa, ale obsługiwać i fagasować tym zafajdanym istotom".

Jednakże Polska wcale nie była wyjątkiem w pojawianiu się dziwnych kandydatów do władzy. Podobno Ludwik XIV miał brata bliźniaka, co wykorzystał Aleksander Dumas w swej powieści o żelaznej masce nałożonej na twarz „prawdziwego króla". Polsce nie przydarzył się władca chory psychicznie, jak w XIV wieku francuski Karol IV, szwedzki Eryk XIV, angielski Jerzy IV w XVIII wieku (co do tego są wątpliwości, czy nie chorował na porfirię), czy Ludwik Bawarski z Wittelsbachów. Choć wśród polskich dynastów także zdarzały się depresje, manie i epizody paranoi, to w ramach demokracji szlacheckiej i kontrolowania poczynań króla nie mogły się one rozwinąć.

W najnowszych czasach dziwacznych pretendentów do władzy świat zna wielu. W 1872 roku w Stanach Zjednoczonych Victoria Woodhull, prostytutka i brokerka, wystartowała w wyborach prezydenckich. W programie wyborczym domagała się m.in. wolnej miłości i orgazmu dla kobiety[86].

---

[86] Za: L. Paget, *Wielki orgazm*, tł. B. Gutowska-Nowak, Warszawa 2003, s. 29.

Stan Tymiński. Niewiele brakowało, by człowiek znikąd, niewywodzący się z „Solidarności", usiłujący szachować przeciwników politycznych rzekomymi rewelacjami, które nosił w czarnej teczce – został pierwszym prezydentem wolnej Polski w 1990 r.

Nie wygrała, ale otwarła szerzej drogę feminizmowi. Startowały w wyborach gwiazdy porno, jak Ciciolina, czy też, z sukcesem, piękna wnuczka faszystowskiego Duce, Benito Mussoliniego.

We Francji po pierwszej wojnie światowej w 1919 roku prezydentem został Paul Deschanel. Uchodził za normalnego, wykwintnego, przystojnego pana, umiejącego wspaniale przemawiać i pojedynkować się; bił się między innymi ze swym politycznym przeciwnikiem premierem Georgesem Clemenceau. Po wyborze zaczął jednak zdradzać dziwne objawy: w Menton odrzucił tłumom podniesiony z ziemi bukiet kwiatów wraz z całusem, a w maju 1920 roku, wyglądając przez okno w pociągu, wypadł z salonki. Dróżnik napotkał postać w piżamie, która oznajmiła, że jest prezydentem republiki. „A ja jestem Napoleonem Bonaparte", miał odrzec kolejarz, na wszelki wypadek zawiadamiając jednak lekarza. Deschanel doszedł do siebie fizycznie, ale jego skoki na drzewo podczas przechadzki po ogrodzie Pałacu Elizejskiego w towarzystwie dwóch parlamentarzystów i kąpiel w sadzawce o szóstej rano sprawiły, że zmuszono go jednak, by we wrześniu 1921 roku podał się do dymisji[87].

[87] Meysztowicz J., *Upadek Marianny*, Warszawa 1976, s. 36, 37.

W roku 1990 w Polsce odzyskującej dopiero suwerenność o mało nie doszło do wyboru niezwykłego kandydata. Podczas wyborów prezydenckich pojawił się wtedy osobnik z czarną teczką i zamglonym, nieobecnym wzrokiem, mówiący krótko i w mig rozwiązujący wszystkie obecne i przyszłe problemy Polski – Stan Tymiński. Groził politykom polskim ujawnieniem czarnej teczki.

Za nim poszli inni. W wyborach prezydenckich w 1995 roku doszlusował obywatel reklamujący wkładki do butów. Inny kandydat, Leszek Bubel, usiłował utorować sobie drogę do władzy antysemickimi hasłami, na co podatna była znaczna część Polaków.

Okazuje się, że nawet w czasach demokracji nadal trzeba się strzec elektów z „innego wymiaru". Mogą oni uczynić wiele krzywd w polityce i gospodarce, zanim zdesperowany lud się połapie, na kogo głosował.

Rozdział 8.
Król Maciuś na polskim tronie

Gdy król Maciuś I zasiadł na tronie, zaczął reformować swe państwo. Usiłował wprowadzić parlament dziecięcy i uczynić kraj sprawiedliwym. Na audiencjach wręczał dzieciakom prezenty, zorganizował im gigantyczny ogród zoologiczny, zapewniał sprawiedliwe sądy.

Okazało się jednak, że nie ma szans w starciu ze światem cynicznych dorosłych. Pozostał samotny i bezsilny. Walkę przegrał: jego marzenia skończyły się w więzieniu. Metaforyczna baśń Janusza Korczaka jest przepojona wiarą w szlachetność i dobroć dzieci, choć również oddaje ich naiwność w zderzeniu ze światem dorosłych.

Na ile jednak ta wizja była uzasadniona w zderzeniu z prawdziwą historią Polski?

Dzieci od wieków uchodziły za istotki niewinne, naiwne, ale też kapryśne i egocentryczne. Traktowano je niemal jak uprzykrzone, acz zabawne zwierzaczki. Lubiano je jednak także w krajach chrześcijańskich, idąc za słowami Jezusa. Zbawiciel, gdy uczniowie odpędzali od niego maleństwa, powiedział: „Dopuśćcie dzieci i nie przeszkadzajcie im przyjść do Mnie; do takich bowiem należy królestwo niebieskie" (Mt 19,14).

Być może na porywczą osobowość i okrucieństwo Bolesława Chrobrego wpłynęły traumy z dzieciństwa: odcięcie od rodziców i wydanie siedmiolatka jako zakładnika na obcy dwór. Była to powszechna praktyka w średniowieczu, ale później, w dorosłym życiu, dzieci te odreagowywały dramat rozłąki.

Niestety, z pewnością nie należały do dzieci królestwa ziemskie, choć niektórzy stawali się królami w wieku dziecięcym. Przez wieki pełnoletni w dynastii czy rodzie stawał się dwunasto-, trzynastolatek, gdy tylko zauważono ejakulację. W średniowieczu trzynastolatkę i szesnastolatka uważano za zupełnie dojrzałych: żeniono i wydawano za mąż w imię racji stanu, czyli dynastii i państwa – i oddawano władzę.

Dziś, w świetle badań psychologicznych, trudno sobie nawet wyobrazić, jakie czyniło to spustoszenie w psychice tych dzieci, wyrostków i podlotków. Przyjrzyjmy się kilku polskim przypadkom.

W 973 roku siedmioletni Bolesław, syn Mieszka I, został wydany na dwór cesarza w roli zakładnika i gwaranta pokoju. Kilkulatka oderwano od matki Dobrawy i ojca na niepewny los. To chyba właśnie wtedy na dworze cesarskim zauważono jego złość jako reakcję na porzucenie przez matkę. Bo bywa, że dziecko tak właśnie odczuwa rozstanie z rodzicielką.

Od wieków próg siedmiu lat dla chłopca oznaczał rozstanie się z opieką matki, światem kobiet i wejście w świat twardych, często brutalnych mężczyzn-rycerzy. Różne wywoływało to skutki u tych nadal przecież dzieci; można zaryzykować tezę, że kreowało zachowania agresywne albo lękowe, depresyjne. Dodatkową stymulacją tych procesów psychicznych była walka o władzę, okrutna i dość powszechna wśród Piastów, a także śmierć rodziców.

Bolesław Krzywousty bywał porywczym okrutnikiem. Czy tylko dlatego, że takie wówczas były czasy, a Piastowie byli dalecy od łagodności? Czy raczej był to wynik braku matki i umiejętności współodczuwania?

Dziś wiemy, że agresja i złość bywa po prostu sposobem wyrażania lęku. Chrobry najadł się w dzieciństwie wiele strachu, przedtem zaznawszy bez wątpienia ciepła i opieki matki Dobrawy, potem usunięty w cień przez synów Ody, drugiej żony Mieszka I. Nie występował na przykład w dokumencie *Dagome iudex,* w którym Mieszko oddawał państwo gnieźnieńskie pod opiekę świętego Piotra w Rzymie, pomimo że był pierworodny, z prawem do objęcia tronu. Takie dzieciństwo wytworzyło swoisty deficyt emocjonalny u Bolesława, poczucie krzywdy i zapewne było jednym z motorów bezwzględnych działań i podboju znacznych połaci Europy przez króla uznanego w historiografii polskiej za wielkiego.

Kolejny wielki Bolesław, zwany potem *Curvus,* czyli Krzywousty, został sierotą w 1086 roku, gdy miał kilka miesięcy. Brak matki wpłynął zapewne na charakter księcia: był gwałtowny, bezwzględny, nie odziedziczył charakteru czy raczej temperamentu po niepewnym siebie, flegmatycznym ojcu Władysławie Hermanie. Inne usposobienie miał też konkurent Bolesława, przyrodni brat Zbigniew: wykształcony w klasztorach był delikatniejszy.

Mały Bolesław, zwany przez Galla Anonima „marsowym dziecięciem" albo „wilczym szczenięciem", od dziecka garnął się do miecza, co jakby wyznaczało jego drogę. Przeżył jednak w związku z tym traumę, która musiała wywrzeć wpływ na ukształtowanie się charakteru chłopca. Podczas polowania rzucił się z oszczepem na dzika, gdy znienacka jakiś rycerz wyrwał broń z ręki chłopca. Woj ów „potem zapytany, dlaczego to uczynił, wyznał, że sam nie wiedział, co robi", pisał Gall Anonim[88].

Jeśli kronikarz nie przeinacza (z jakichś przyczyn nie podał nazwiska rycerza), by ufundować swemu dobroczyńcy księciu legendę, to dziecko przeżyło groźną próbę zamachu.

Bolesław odreagował to później. W 1097 roku jego ojciec Władysław podzielił kraj na dwie dzielnice: jedenastoletni Krzywousty otrzymał Małopolskę, Śląsk i ziemię lubuską; Zbigniew – Wielkopolskę z Gnieznem, Kujawy i ekspektatywę na Mazowsze. I niemal od razu książę jeszcze jako wyrostek wpadł w odmęt walki z wszechwładnym palatynem Sieciechem, własnym ojcem Władysławem Hermanem i bratem Zbigniewem.

Bolesław III miał szesnaście lat, gdy jego ojciec 4 czerwca 1102 roku pożegnał się z tym światem. Nawet w opisach w kronikach daje się zauważyć, iż był skrajnie pobudliwy i agresywny. Może wtedy pojawiło się sardoniczne skrzywienie ust księcia, kto wie? Zajął znów Kraków, Sandomierz, ziemię łęczycką i sieradzką, podczas gdy Zbigniew, namawiany i popierany przez żądnych władzy i nadań możnowładców, włączał do swej schedy Mazowsze i Kujawy. Końcowym akordem tej walki młodych braci o władzę po ojcu było wyłupienie oczu Zbigniewowi na rozkaz Bolesława.

Pisał o tym czeski kronikarz Kosmas; Gall Anonim chyba się wstydził albo zabroniono mu o tym pisać. Oślepienie było nie tylko straszną karą, ale także drastycznym naruszeniem zwyczajów i praw, jako księciu krwi groziło bowiem Zbigniewowi co najwyżej wygnanie, a nie wyłupienie oczu. Umiał jednak młody książę Bolesław pojąć ohydę swego czynu, pokutował potem i przeprosił brata, zapewne uzyskując przebaczenie.

---

[88] Gall Anonim, *Kronika polska*, przekł. R. Grodecki, Wrocław 1975, s. 82.

Święta Jadwiga (1178–1243), księżna śląska przyczyniła się zapewne swym ascetycznym zachowaniem, pouczeniami i praktykami do młodzieńczego buntu swego wnuka Bolka. Świętość trudno przekazać innym; reakcja bywa odwrotna.

Po okresie ogromnej nadaktywności i sukcesów militarnych ogarnęło jednak Bolesława narastające zniechęcenie. Długosz podaje, że po powrocie z wyprawy wojennej żył w apatii, ponoć wskutek klęski w bitwie z Rusinami pod Haliczem. Sądzę jednak, że ten proces zaczął się wcześniej: opisy apatii Bolesława III przypominają narastające ataki depresji. Czy w ten sposób po latach Krzywousty płacił cenę za brak matki i trudne, traumatyczne dzieciństwo?

Dobrym przyczynkiem do zastanowienia się nad wpływem dzieciństwa na poczynania zwariowanych władców jest historia trzynastowiecznego księcia Bolesława Rogatki. Szaleńcze wyczyny „księcia Śląska i Polski", jak się określał – zapewne również miały swój początek w dzieciństwie. „Biada, biada tobie, Bolesławie, jak wielkie nieszczęście przyniesiesz ty ziemi swojej!", prorokowała mu babka, święta Jadwiga.

Święta księżna nie domyślała się jednak, że mimowolnie wpłynęła na wykształcenie się dziwacznej osobowości malutkiego księcia. Babka małego Bolesława na przykład przemywała chłopcu twarz wodą pozostałą z mycia nóg mniszkom i być może wywołała trwałą traumę u malucha. Asceza, skrajne ograniczenia naturalnej żywości chłopca, bezustanne pouczenia, widok babki księżnej uważanej za świętą (i wyniesioną na ołtarze) w łachmanach, z ranami i owrzodzeniami na twarzy, wywołał u Bolka reakcję odrzucenia.

Zdaje się, że nie zaznał miłości matki, zajętej ascezą. Śmierć ojca w bitwie pod Legnicą w 1241 roku zastała go, gdy miał zapewne piętnaście lat (data jego urodzenia jest sporna, między rokiem 1220 a 1225). Współrządził chyba z matką Anną jako regentką, ale z pewnością nie kierował się najogólniej nawet pojętym dobrem ludu.

Wtedy zaczął odreagowywać spętane dzieciństwo; już jako wyrostek we Wrocławiu, na Nowym Targu, kazał odebrać przekupkom całe mleko i zlać z cebrzyków do jednej beczki. Gdy zrozpaczonym zezwolił znów przelewać mleko do dzbanków, zanosił się ze śmiechu, patrząc, jak się biją o biały płyn, tłukąc dzbanki. Po czym za wszystko zapłacił.

Bolesław II Pobożny, ojciec Bolesława Rogatki, zginął pod Legnicą w 1241 r. z rąk tatarskich. Bolesław Rogatka nie był już wówczas dzieckiem.

Postępowania nie zmienił jako dojrzały władca. Stał się niezwykłym awanturnikiem, hulaką, utracjuszem, nieobliczalnym gwałtownikiem, a jego życie mogłoby stanowić kanwę powieści awanturniczej. Jak wskazują historycy, udało mu się doprowadzić do rozpadu monarchii śląskiej.

Ale może to kolejny mit o błędnym rycerzu na tronie? Chyba nie: badania kancelarii i pism wykazują, że Rogatka rządził tak, jak żył i kochał: chaotycznie. Przez całe życie nadał tylko dziesięć immunitetów, niemal wszystkie wymuszone dramatycznymi okolicznościami, co stanowiło jedenaście procent wszystkich znanych nam dokumentów Rogatki. „Analiza listy świadków dokumentów księcia Bolesława II Rogatki nie wykazuje żadnych stałych reguł kolejności świadczących o zhierarchizowanym zapisie świadków. Przeciwnie – występuje brak takiego zhierarchizowania, a urzędnicy są na ogół przemieszani bez jakiegokolwiek porządku i układu", zauważył badacz kancelarii niebezpiecznego księcia, Andrzej Wałkówski[89].

Niewiele było świętości w życiu Bolesława Rogatki. Tak jakby rozprawiał się niemal do końca swych dni ze swym dzieciństwem spętanym klasztorną ciszą, pobożnością i ze świętą babkę przemywającą mu twarz brudną wodą z mycia nóg mniszek.

Jadwiga, córka króla Węgier i Polski, Ludwika Wielkiego, została koronowana na króla Polski w niedzielę 16 października 1384 roku w Krakowie. Miała wówczas dziewięć może dziesięć lat, gdyż data jej

[89] Andrzej Wałkówski, *Dokumenty i kancelaria księcia Bolesława II Rogatki*, Zielona Góra 1991, s. 43, 44.

Nawet badania naukowe wskazują na skrajną niefrasobliwość księcia Bolesława Rogatki, np. w prowadzeniu kancelarii i spraw księstwa. Czy wynikało to także z hulaszczego trybu życia?

urodzin nie jest pewna. Urodziła się w 1373 albo 1374 roku.

Jako dziecko przeżyła wiele, chyba zbyt wiele. Gdy miała rok lub dwa, książę domu austriackiego Leopold III Habsburg zaproponował Ludwikowi Węgierskiemu związek jego córki Jadwigi ze swoim czteroletnim synem Wilhelmem Habsburgiem. Po zastanowieniu się Ludwik Wielki udał się z żoną i maleńką Jadwigą do pogranicznego Hainburga. Tamże w kościele parafialnym 15 czerwca 1378 roku arcybiskup ostrzyhomski Dymitr udzielił dzieciom ślubu i pobłogosławił ich związek. Odbyły się rytualne pokładziny: Jadwiga miała około czterech lat, jej mąż osiem.

Po czym kochani rodzice wydali Jadwisię na dwór umiłowanego chłopczyka, do Wiednia, „by zawczasu przygotować się do swej przyszłej roli”[90].

Z kolei Wilhelm pojechał do Budy, gdzie miał zapoznać się z kulturą najświetniejszego wówczas dworu Andegawenów.

Ówczesne pomysły wychowawcze i rytualne zachowania w świetle współczesnych teorii wychowania wołają o pomstę do nieba: małe dzieci wędrowały na obce dwory, wykorzeniane przedwcześnie, pozbawione matek, ich ciepła i poczucia bezpieczeństwa. Nic dziwnego, że albo szybko umierały, wątłe, anorektyczne i przerażone, albo wyrastały na hetery czy tyranów pokrywających pychą koszmarny lęk, o którym pisał Jean Delumeau[91].

Jadwiga, powołana na tron polski w dramatycznych okolicznościach, wjechała do Polski w 1384 roku. „Otrzymała też z niebiańskiego daru bardzo wielką i rzucającą się w oczy urodę, jakiej nigdy dotąd nie widziano. Cechowała ją wstydliwość, jedyna chluba i ozdoba kobiet. Mówiono o niej, że wszystkie zalety wyssała z mlekiem matki. Wyszedłszy

[90] J. Dąbrowski, *Ostatnie lata Ludwika Wielkiego*, Kraków 1918, s. 362.

[91] J. Delumeau, *Strach w kulturze Zachodu XIV–XVIII w.*, przeł. A. Szymanowski, Warszawa 1986, *passim.*

z lat dziecinnych zaczęła tak dojrzale i tak poważnie rozumować, że cokolwiek mówiła i czyniła, zdawało się wypływać z powagi, która zwykła cechować sędziwy wiek", opisywał królową Jan Długosz[92].

Wielki kronikarz nie widział jednak na oczy przyszłej świętej. Jeśli więc jego przekaz jest wiarygodny, to Jadwiga była przedwcześnie dojrzała i być może już wtedy, bardzo wcześnie, osiągnęła swe słynne około stu osiemdziesięciu centymetrów wzrostu. Badania profesora Jana Olbrychta i doktora Mariana Kusiaka z 1968 roku ukazują nam królową Jadwigę jako niewiastę rzeczywiście bardzo wysoką, jak na ówczesne czasy. Wedle pomiarów miała od stu siedemdziesięciu dwóch do stu osiemdziesięciu dwóch centymetrów wzrostu, chłopięcą budowę ciała, co widać z „niezbyt szeroko rozstawionych i nie odgiętych na zewnątrz talerzy biodrowych miednicy"[93].

W dwa dni po koronacji dziewczynka już podpisywała dokumenty potwierdzające zwolnienie mieszczan nowosądeckich z niektórych opłat, nadające przywileje jej zwolennikowi Jaśkowi z Tarnowa czy też fundujące ołtarz Wniebowzięcia w katedrze krakowskiej. Prawdopodobnie czytała to, co podpisywała, co można uznać za rewelację; znała pięć języków, w tym oczywiście łacinę. Można też zaryzykować tezę, że jako dziecko na tronie była jednym z najbardziej odpowiedzialnych królów Polski, ale zbyt wcześnie musiała podejmować dorosłe decyzje. Nie na miarę swych dziecięcych lat.

Tezy o przedwczesnym dojrzewaniu mogą też bronić dzieje jej słynnej miłości do Wilhelma Habsburga. Panowie polscy mieli jednak inne kandydatury: najpierw o rękę Jadwigi starał się jej groźny konkurent do korony książę Siemowit IV z Mazowsza. Potem ktoś podsunął kandydaturę wielkiego księcia Litwy Jogajłły i w Krakowie zjawiło się poważne poselstwo z Litwy.

Bezpośredni wyścig piętnastoletni książę habsburski Wilhelm rozpoczął 15 sierpnia 1385 roku: „niespodziewanie przybył do Krakowa ze wszystkimi swymi klejnotami, skarbami i wszystkimi swymi rzeczami", pisał Jan Długosz[94].

Jadwiga była chyba zakochana na pół dziecięcą miłością. Jan Długosz podaje, że „raz po raz schodziła z zamku w orszaku rycerzy i swoich dziewcząt do klasztoru świętego Franciszka w Krakowie i w refektarzu

---

[92] J. Długosz, *Roczniki, czyli kroniki sławnego Królestwa Polskiego,* t. X, Warszawa 1981, s. 187.

[93] J. Wyrozumski, *Królowa Jadwiga między epoką piastowską a jagiellońską*, Kraków 1997, s. 151.

[94] J. Długosz, *op. cit*, s. 197.

Na znanym obrazie Jana Matejki Dymitr z Goraja usiłuje powstrzymać Jadwigę od wyrąbania drzwi toporem, by spotkać się z ukochanym Wilhelmem Habsburgiem. Nie wiemy, czy doszło do skonsumowania związku ślubnego zawartego w 1378 r.; w 1385 r., podczas spotkań w Wilhelmem w Krakowie Jadwiga miała 12 lat.

tegoż klasztoru pocieszała się tańcami ze wspomnianym księciem austriackim, nader jednak skromnie i z największym umiarem"[95].

Część badaczy kościelnych, jak ksiądz Bolesław Przybyszewski w biografii *Święta Jadwiga królowa zdobna w cnoty* uznaje tę scenę za niewiarygodną[96].

Doszło do dramatycznych scen: Wilhelm musiał uciekać przed panami Królestwa spuszczony w koszu z murów Wawelu, a Jadwiga wołała o topór, by wyłamać furtę w drodze do ukochanego. Czy doszło do zbliżenia młodziutkiej dziewczyny z austriackim chłopakiem? Niebawem apologeta zakonu krzyżackiego dominikanin Jan Falkenberg czy też oficjalnie Jan von Possilge oskarżą Władysława Jagiełłę, że pojął za żonę Jadwigę skonsumowaną przez jej prawowitego męża Wilhelma.

Jadwiga ugięła się wobec racji religijnych i polskich i wyparła chyba do podświadomości miłość do Habsburga. Zgodziła się na ślub z litewskim wielkim księciem Jagiełłą, którego się szczerze obawiała. Gdy porzucała swe szczęście osobiste, stając przed ślubnym ołtarzem z Litwinem, miała trzynaście lub czternaście lat. Nadal roznosiły się wieści o jej tajnych spotkaniach z Wilhelmem w Krakowie, więc młodziutka Jadwiga musiała publicznie unieważnić dawny związek. Anonimowy kronikarz *Kalendarza katedralnego krakowskiego* donosi tak: śluby z Wilhelmem „jeśli jakie były", mówiła Jadwiga, *irritavit et revocavit,* „unieważniła i odwołała"[97].

Nie była już odtąd szczęśliwa z Jagiełłą. Nosiła czarną zasłonę na twarzy, nie chciała ponoć zbliżeń z mężem. Oddała się innym pasjom,

---

[95] Tamże, s. 198.

[96] B. Przybyszewski, *Święta Jadwiga królowa zdobna w cnoty*, Kraków 1997; *Dzieło Jadwigi i Jagiełły*, oprac. W. Biliński, Wyd. Archiecezji Warszawskiej 1989, s. 108.

[97] *Monumenta Poloniae Historica*, VI, s. 659; B. Przybyszewski, *op. cit.*, s. 45.

w tym religijnym i państwowym przy chrystianizacji Litwy i włączeniu Rusi Czerwonej do Polski. Była niezwykłym dzieckiem i dziewczyną w koronie: Litwa, Ruś Czerwona, Mołdawia zostały pozyskane dla Polski i chrześcijaństwa bez krwi, która dotąd lała się niemal bezustannie pod piastowskimi, krzyżackimi, ruskimi, węgierskimi mieczami.

Zdaje się, że dopiero po dwunastu latach od ślubu Jadwiga wyzbyła się ogromnych traum z dzieciństwa oraz okresu dziewczęcego i zdecydowała się na próbę bliskości z Jagiełłą. Zaczęła sypiać z mężem – zapewne w imię racji stanu. Wiemy to, gdyż w czerwcu 1389 roku urodziła dziewczynkę Elżbietę Bonifację. Ale na wieść o zgonie maleństwa sama zmarła w trzy dni po śmierci córeczki, 17 lipca 1399 roku. Umierała w opinii świętości, wyzbyta wszelkich kosztowności, które oddała na Akademię Krakowską i inne cele, „wzór wszelkich cnót, pokorna i łaskawa matka sierot, której podobnego człowieka nie widziano na całym obszarze świata", pisał kronikarz w *Kalendarzu kapituły krakowskiej*[98].

---

[98] Za: B. Przybyszewski, *op. cit.*, s. 106.

Rozdział 9.
Jagiellońskie dzieci w koronie

Po śmierci króla Władysława II Jagiełły jego syn, Władysław III, został wybrany i ukoronowany 25 lipca 1434 roku w katedrze na Wawelu. Obrzędy koronacyjne trwały od około południa do wieczora, a młodziutki król uroczyście zaprzysiągł zachowanie praw, statutów, wolności i przywilejów Królestwa Polskiego.

Miał wówczas dziewięć lat i osiem miesięcy. Był dzieckiem bez wątpienia kochanym, pierworodnym Jagiełły. Jego narodzenie z 30 na 31 października 1424 roku na Wawelu stało się wielkim świętem. Wiemy już, że nawet noworodek odczuwa przyjazną aurę wokół. Być może Władysław zaznał dużo miłości w niemowlęctwie, ale i jego dosięgły sprzeczne przeżycia. Niebawem po urodzeniu się pierworodnego syna Jagiełło wyjechał i mały Władysław nie miał odtąd z nim wielu kontaktów. To też zapewne zaważyło na jego oczekiwaniach i głodzie ojcowskiej miłości. Nosił potem w sobie Władysław III tę potrzebę zyskiwania podziwu i miłości innych – aż po kres swych dni w bezsensownej szarży pod Warną w listopadzie 1444 roku.

Władysław Warneńczyk miał swoją tajemnicę związaną zapewne z brakiem ojca i szukaniem męskiego autorytetu: skłonność do „greckiej miłości". Tak wówczas nazywano postawę geja.

Czas kobiet wychowujących Władysława skończył się, gdy miał on sześć lat; rolę opiekuna przejął wikariusz Wincenty Kot z Dębna, duchowny pochodzenia szlacheckiego, absolwent Akademii Krakowskiej, ponoć jeden z najlepiej wykształconych ludzi w kraju. Wybitna wiedza wikariusza Wincentego Kota, który nauczył królewicza łaciny i pobożności, odcisnęła się mocno na osobowości Władysława. Jak zauważają niektórzy badacze, w jego życiu pojawił się autorytet zastępujący wiecznie nieobecnego ojca.

Drugą potężną osobowością w otoczeniu królewicza był biskup Zbigniew Oleśnicki, który zachodził do komnat królewicza. Człowiek, który usiłował trząść Królestwem i środkowo-wschodnią częścią Europy, jak się wydaje, nie dał szans na zbudowanie wewnętrznej emocjonalnej siły uległemu i łagodnemu z natury chłopcu – Władysławowi Jagiellończykowi. To był drugi ważny autorytet w życiu króla. Potem pojawią się kolejni. I pomimo że w wieku czternastu lat 16 grudnia 1438 roku na zjeździe szlachty w Piotrkowie Władysław został uznany za pełnoletniego, to pozostał chłopcem powołanym na trony dwóch państw. W niecałe dwa lata później, 17 lipca 1440 roku również Węgrzy w Székesfehérvárze ukoronowali na swego króla szesnastolatka Władysława.

Jakim był władcą, patrząc od strony emocjonalnej? Historycy zwracają uwagę, że Władysław w dzieciństwie został zbyt podporządkowany, stając się marionetką w rękach manipulatorów. Nie dana mu była szansa, by odciąć pępowinę autorytetów, żył zbyt krótko. Zbuntował się w inny sposób, walcząc jak błędny rycerz, modląc jak pobożniś i kochając inaczej. Wady wychowania i fizyczny brak ojca, tego wzorca tożsamości dla małych chłopców, być może obcość wobec matki oskarżanej o zdrady małżeńskie spowodowały, że Władysław wyrósł na wrażliwego, zagubionego młodziana, za którego decydowano.

Na dodatek wysławiana niebawem wielkość jego ojca, Jagiełły, który ochrzcił Litwę i pobił śmiertelnie zakon krzyżacki, skazywała Władysława na swoisty wyścig, by nie być gorszym od rodzica. Okazji do udowodnienia, że nie jest gorszy, dała ekspansja turecka na Bałkanach: młodziutki Władysław mógł odtąd występować w roli wielkiego krzyżowca. Miękko wychowywane

Humanista włoski Francesco Filelfo (1398–1481) przewidywał, że Władysław Jagiellończyk stanie się nowym Aleksandrem Macedońskim, odepchnie turecki islam za morza, a może i aż za azjatycki Ganges.

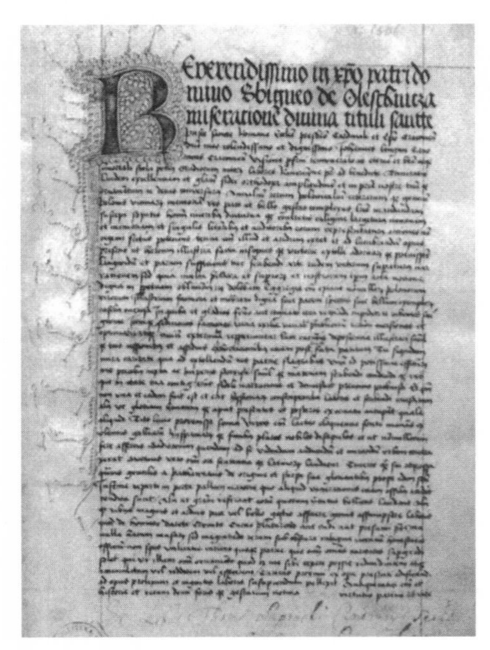

Jan Długosz w swych wiekopomnych acz pełnych nieścisłości *Rocznikach Królestwa Polskiego*, pomimo powściągliwości w poruszaniu spraw seksualnych wspomniał dosadnie o śmierci Warneńczyka. Miała być to kara za „grzech sodomski".

dziecko chciało udowodnić przed Polską i światem, że jest żelaznym rycerzem. To, skrótowo ujmując, zapewne napędzało go do działania i zaprowadziło pod Warnę w pamiętnym 1444 roku.

Nastolatek nieoczekiwanie zaczął odnosić wielkie sukcesy w wojnie z Turkami. Przepowiadano mu karierę wielkiego wodza, intelektualista Francesco Filelfo nazwał Władysława III po udanym długim marszu na Sofię i pobiciu Turków „zesłańcem Niebios" i porównywał młodego króla do Aleksandra Wielkiego, który dojdzie „z wieczystą sławą swoją do Gangesu"[99].

Peany wygłaszano do czasu, gdy Władysław III zerwał zaprzysiężony uroczyście pokój i uderzył na sułtana pod Warną. Tam zapewne, w straceńczej szarży, spotkała go śmierć. Miał zaledwie dwadzieścia lat.

Nie zaskarbił sobie jednak dobrej opinii u kronikarzy, a klęskę pod Warną społeczeństwa uznały nie tylko jako karę za krzywoprzysięstwo króla na dwóch tronach. Jan Długosz widział to tak: Władysław III „skłonny do rozkoszy męskich, ani w czasie pierwszej wyprawy przeciw Turkom, ani w czasie tej drugiej, którą wtedy prowadził, gdy szalała wojna, gdy naokoło panował strach i było mnóstwo wrogów przy garstce jego wojska, kiedy należało przebłagać miłosierdzie Boże i pozyskać je sobie, on, nie zważając zupełnie na własne niebezpieczeństwo i na zagrożenie całego wojska, nie porzucał swych, przeciwnych czystości, wstrętnych rozkoszy"[100].

Homoseksualizm króla był chyba tajemnicą poliszynela pośród żołnierzy. Zapewne w ten sposób wyrównywał deficyt emocjonalny spowodowany brakiem nieobecnego wciąż ojca, od którego najpierw zaznał wiele miłości. Szukał go u innych. Kolejny autorytet, który pojawił się

[99] K. Olejnik, *Władysław III Warneńczyk*, Szczecin 1996.

[100] J. Długosz, *Roczniki, czyli kroniki sławnego Królestwa Polskiego*, t. XI, Warszawa 1981, s. 360.

Na obrazie *Hołd pruski* Jana Matejki niemal w centrum widzimy królową Bonę. To ona decydowała nie tylko o wychowaniu małego Zygmunta Augusta, ale w znaczącej mierze o polityce króla i męża Zygmunta Starego.

u boku króla, wielki pensjonariusz papieski, Julian Cesarini z łatwością wytłumaczył Władysławowi, że pokój z Turcją należy zerwać i nie popełni się grzechu, bo to muzułmanie, a nie chrześcijanie. Zgodnie z zaleceniem Cesariniego w 1444 roku pomaszerował więc pod Warnę, by tam znaleźć śmiertelne ukojenie. Zwłok jednak nie znaleziono albo też Turcy nigdy ich nie wydali.

Ostatni Jagiellon, Zygmunt August, urodzony 1 sierpnia 1520 roku, w wieku dziewięciu lat został wyniesiony na tron wielkoksiążęcy litewski w Wilnie, a 20 lutego 1530 roku koronowano go na króla Polski. Stało się tak, pomimo że jego ojciec, dobrotliwy Zygmunt Stary, miał się znakomicie.

Romantyczna miłość Zygmunta Augusta do Barbary Radziwiłłówny miała cechy uzależnienia, miłości kompulsywnej, odreagowującej nadopiekuńczość i zniewolenie przez matkę.

Po śmierci Barbary król Zygmunt August nie odzyskał równowagi emocjonalnej, coraz bardziej szukając ukojenia w miłostkach. Umierał w Knyszynie w 1572 r., a jego dwór stał się siedliskiem szarlatanów.

Koronacja małego Augusta była zasługą Włoszki na polskim tronie, Bony Sforzy. Apodyktyczna, poważnie zaburzona emocjonalnie, a może i psychicznie, skrajnie podejrzliwa, władcza, wrzeszcząca i drapiąca się po twarzy w napadach szału, pomiatająca otoczeniem – emocjonalnie mocno wpłynęła na małego Augusta. Bona chciała ukochanemu synowi „ustawić" życie i koronę tak bardzo i tak nachalnie, że Zygmunt August przestraszył się jej i znienawidził. Bał się matki śmiertelnie, drżał w jej obecności, przychodził w rękawiczkach w obawie przed otruciem.

Ostatni z dynastii królewicz był przy tym celowo rozpieszczany na zlecenie Bony, która w wyniku dziwnie pojmowanej miłości do syna chciała uczynić z niego kolejny instrument w swych władczych rękach. Na jej zalecenie mały król nadal przebywał głównie we fraucymerze złożonym z trzynastu pięknych Włoszek. W wieku siedemnastu lat Zygmunt August przeżył dłuższy romans z Dianą di Cordona, ładną i wykształconą kobietą, starszą o dwadzieścia jeden lat, podesłaną zapewne przez Bonę, a przynajmniej za jej aprobatą. Szlachta wiedziała o tym, biadała nad wychowaniem małego Augusta i miała rację. Jak na szesnastowieczne polskie zwyczaje z Zygmunta Augusta wyrósł nie tylko depresyjny „król dojutrek", mający problemy z podejmowaniem decyzji. Wyrósł też miłośnik kobiecych wdzięków, spragniony prawdziwej miłości, której nie dostał w dzieciństwie od matki.

Odtąd nie ustawał w podbojach, co królom szczególnie łatwo wszak idzie. Erotomania króla wywoływała polityczne i społeczne zaburzenia, ale Zygmunt August nie potrafił się jednak powstrzymać. Szedł, jak się wydaje, według matrycy wybitej w dzieciństwie – kompensowania braku prawdziwej miłości matki w ramionach innych kobiet.

Ale też szukanie przezeń miłości wskutek traumatyzujących zdarzeń i niedostępnej emocjonalnie matki dało nieoczekiwany skutek. Zygmuntowi Augustowi dane było przeżyć wielką i trudną miłość do Barbary Radziwiłłówny, jedną z najbardziej romantycznych miłości w dziejach polskich. Po śmierci Barbary król nadal jej szukał, kompulsywnie, w ramionach wielu kobiet, nie ustając aż do śmiertelnego końca ledwie w wieku pięćdziesięciu dwóch lat. Król, noszony do kochanek na stołku, szukał tego, czego zapewne nigdy nie otrzymał od matki.

Dzieciństwo jest stanowczo niedocenianą determinantą losów królów i państw. Ta uwaga odnosi się także do dzieciństwa „władców" współczesnych, w tym polskich.

Część II

KTO NAS STRZEŻE

Rozdział 1.
Jak Maryja przychodziła do Polski

Bogurodzica Dziewica
Bogiem sławiena Maryja
U Twego Syna Gospodzina
Matko zwolena, Maryja
Zyszczy nam, spuści nam
Kyrieleison.

Jan Długosz podaje, że tę pieśń jako *carmen patrium,* „pieśń ojców", śpiewało wojsko pod Grunwaldem i w 1444 roku pod Warną. Stała się hymnem dynastii Jagiellonów i zrosła niezwykle mocno z polską tradycją, podobnie jak kult maryjny.

Sam tekst *Bogurodzicy* zawiera wiele tajemnic. Najstarszy odpis rękopiśmienny tego pomnika kultury duchowej, tak zwany zapis kcyński znajdujący się w Bibliotece Jagiellońskiej, pochodzi prawdopodobnie z 1407 roku. Po raz pierwszy wydrukowany był w *Statutach Łaskiego* w 1506 roku.

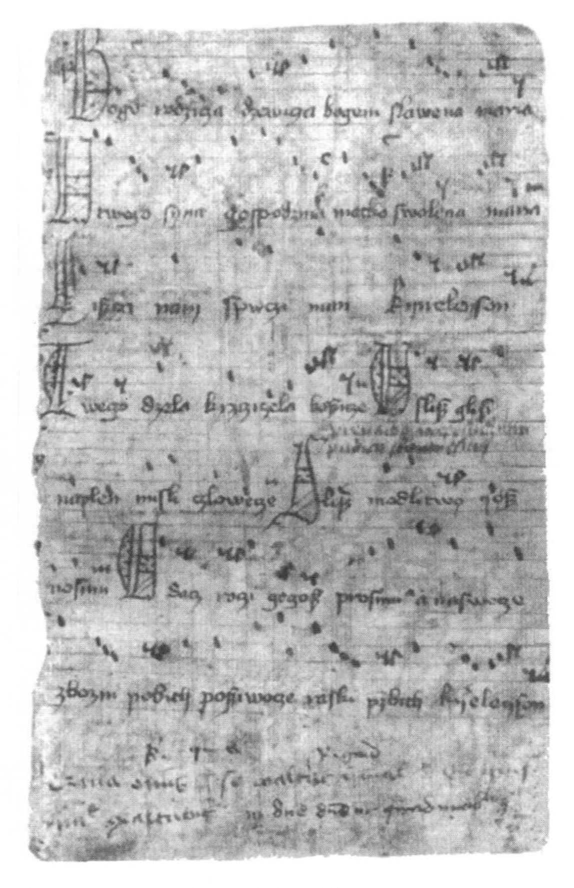

Zapis nutowy *Bogurodzicy*. W średniowieczu oznaczano interwały, ale nie określano rytmu. Zapewne dzięki temu pieśń brzmiała rozwlekle i dostojnie.

Kto napisał *Bogurodzicę*? Tekst jednego z najstarszych hymnów polskich wywołuje spory wśród znawców. Niektórzy badacze, jak Tadeusz Lehr-Spławiński, datują ją na XI–XII wiek, z kolei Julian Krzyżanowski odnosi ją aż do XIV wieku. Józef Birkenmajer twierdził, że autorem tekstu i melodii mógł być święty Wojciech w X wieku, ale też podawał zadziwiającą hipotezę, że Maryja „spuszcza", czyli daje nam Jezusa (Gospodzina), podobnie jak dzieje się to podczas mszy na ołtarzu. Zatem Maryja ma nad Synem władzę[1].

Była to odważna hipoteza. Domysły prostowali inni teolodzy, dowodząc, że *Bogurodzica* jest pieśnią o wstawiennictwie u Syna, by obdarzył ludzi łaską; Maryja „nie rozkazuje Panu, lecz może Go prosić i dawać światu, jak we wcieleniu"[2].

Teolodzy dowodzą, że hymn wskazuje też na wykształcone wcześnie cechy polskiego wielkiego kultu maryjnego: wiarę w dziewictwo, pośrednictwo na ziemi i orędowanie w niebie.

Ale rola Maryi w chrześcijaństwie kształtującym się w pierwszych wiekach po śmierci Jezusa nie była od razu tak oczywista jak dzisiaj. Matka Jezusa początkowo nie była czczona przez wiernych. Wokół jej osoby raczej panowało milczenie, wynikłe zapewne z niewielu informacji o niej w ewangeliach i wypowiedziach Jezusa, które można było dwuznacznie interpretować.

---

[1] J. Birkenmajer, *Bogurodzica Dziewica. Analiza tekstu, treści i formy*, Lwów 1937, s. 47.

[2] R. Mazurkiewicz, S.C. Napiórkowski, W. Hryniewicz, *O teologię „Bogurodzicy"*, „Biuletyn Informacyjny" 1988 nr 17, s. 31–34; Jerzy Misiurek, *Historia i teologia polskiej duchowości katolickiej*, Lublin 1994, t. 1, s. 20.

Rycerstwo polskie śpiewające *Bogurodzicę* na obrazie Józefa Brandta. W czasach zwycięstwa kontrreformacji w Polsce ołtarze polowe z wizerunkiem Maryi jako orędowniczki polskich zwycięstw, a potem obrony gasnącej Rzeczypospolitej przewożone były w wojskach królewskich.

„Prawie całe życie Bogurodzicy przeminęło w ukryciu", zauważa prawosławny duchowny Henryk Paprocki[3].

„Gdyby spojrzeć na Jej postać z perspektywy czysto historycznej – okazałoby się, że dane są niezwykle ubogie i nie spełniają wymogów stawianych źródłom historiograficznym", dodają Zbigniew Bauer i Adam Leszkiewicz[4].

Dopiero w III wieku Ojcowie Kościoła odkryli na nowo Matkę Bożą i zaczęli pisać o niej z uwielbieniem. Zwracano uwagę, że w Marii „dokonała się tajemnica wcielenia Boga". W tymże III wieku do Marii zaczął coraz żarliwiej modlić się lud, początkowo zapewne bez uczonej interwencji natchnionych teologów. Mówi o tym modlitwa odnaleziona na papirusie pochodzenia egipskiego z III wieku:

„Pod ochronę Twojego miłosierdzia uciekamy się, o Boża Rodzicielko (*Theotókos*); nie racz gardzić w potrzebach naszych prośbami naszymi, ale wybaw nas z niebezpieczeństwa, Ty jedna (czysta), jedna błogosławiona"[5].

---

[3] *Mariologia – wspólne źródło prawosławia i katolicyzmu*, w: *Kult Maryjny w Kościele rzymskokatolickim w Polsce i rosyjskim Kościele prawosławnym*, Warszawa–Moskwa 1989, s. 15.

[4] Z. Bauer, A. Leszkiewicz, *Wielka Księga Świętych*, Kraków 2003, t. 3, s. 33.

[5] W. Niżyński, *Teologia kultu maryjnego w katolicyzmie*, w: *Kult Maryjny w Kościele rzymskokatolickim w Polsce i rosyjskim Kościele prawosławnym*, Warszawa–Moskwa 1989, s. 20.

Kościół uznał też, że stała się „Panną Życia", stawiając jej postać w opozycji do biblijnej Ewy.

„Dwie panny
ma ludzkość.
Jedna była przyczyną życia,
Druga śmierci.
Przez Ewę śmierć przyszła,
przez Maryję życie".

– pisał w IV wieku doktor Kościoła Efrem Syryjczyk. Święty ten był jednym z pierwszych krzewicieli świętości Maryi.

Po prawej Efrem Syryjczyk (ok. 300–373), syn pogańskiego kapłana, nawrócił się na chrześcijaństwo. Krzewił kult maryjny.

Wielki kult Najświętszej Marii Panny rósł z wiekami: widziano w niej orędowniczkę, wypraszającą u syna łaski i zdrowie. Kult wymusił na Kościele jako instytucji konieczność uregulowania kwestii teologicznych związanych z Matką Bożą. Na synodzie laterańskim w 649 roku za papieża Marcina I ogłoszono dogmat o poczęciu Jezusa w łonie Maryi bez udziału mężczyzny.

Jednak chociaż rola Maryi w życiu duchowym wiernych rosła, Kościół zwlekał przez ponad tysiąc lat z ogłoszeniem kolejnego dogmatu – o niepokalanym poczęciu. Uczynił to dopiero w 1854 roku Pius IX. Po objawieniach fatimskich w 1917 roku i drugiej wojnie światowej kolejny akt papieski wysławiał Najświętszą Maryję Pannę: w 1945 roku papież ustanowił święto Maryi Królowej Świata. Nieco później, bo w 1950 roku Pius XII ogłosił dogmat o wniebowzięciu Najświętszej Marii Panny.

Samych świąt związanych z Marią również przybywało: od 1 stycznia (*Theotókou mnéme*, czyli wspomnienie Bogurodzicy) do 8 grudnia, kiedy to świętowano niepokalane poczęcie Maryi. W tej chwili katolicy obchodzą w roku osiemnaście świąt i uroczystości ku czci Najświętszej

Maryi Panny, a z dwunastu wielkich świąt Kościoła prawosławnego cztery są poświęcone Bogurodzicy.

Wielki kult Niepokalanej Dziewicy został jednak całkowicie odrzucony przez protestantów w XVI wieku, pomimo widocznych wahań w tej kwestii samego Marcina Lutra. O zdecydowanym zaniechaniu kultu Maryi przez wyznania reformowane zadecydował głównie, jak twierdzą teologowie protestanccy, brak szerszych informacji o Marii w ewangeliach. Najwięcej bowiem miejsca poświęca Maryi święty Łukasz, który zapewne napisał swoją ewangelię najpóźniej, co najmniej po wniebowstąpieniu Jezusa.

W *Ewangeliach* stosunkowo mało jest wzmianek o matce Jezusa. Najwięcej pojawia się u św. Łukasza, któremu tradycja przypisuje dobrą znajomość i namalowanie wizerunku Maryi.

Istnieją domysły, że święty Łukasz poznał Maryję po ukrzyżowaniu Jezusa, a ona opowiedziała mu wiele ze swego życia i z życia Jezusa. Stąd jej znacząca obecność na kartach tej ewangelii. Uwielbienie Łukasza dla Bożej Rodzicielki jest widoczne w jego „Dobrej Nowinie". Tak duże, że mnich bizantyjski Teodor Lektor przypisał świętemu Łukaszowi namalowanie pierwszego portretu Matki Bożej. Teodor powtarzał przy tym utrwaloną tradycję.

Ikony Maryi odegrały również wielką rolę w krzewieniu jej kultu, także w Polsce. Która była pierwsza, czyli najlepiej oddająca postać Matki Bożej? Skomplikowana to sprawa, gdyż badania wykazały, że prawo pierwszeństwa portretu Bożej Rodzicielki rości sobie aż sześćset podobizn Madonn![6]

Jak sądzą niemieccy, włoscy i francuscy ikonografowie, wiele wskazuje jednak, że pierwszym obrazem z II wieku, być może namalowanym przez Łukasza, ucznia świętego Piotra i Pawła, jest postać Najświętszej

[6] J. Wojnowski, *Rozwój czci Matki Bożej w Polsce*, w: *„Homo Dei"* 1957, XXVI, nr 6, s. 856.

Dziewicy zachowana w kościele Świętych Sykstusa i Dominika na Zatybrzu w Rzymie[7].

Wokół tych obrazów zaczął koncentrować się kult Najświętszej Panienki, tak w Bizancjum, gdzie wykształciły się szkoły malowania jej portretów, jak i w Rzymie.

W średniowieczu w wielu krajach europejskich kult maryjny rozkwitł w pełni. Szczególnie mocno zaznaczył się w państwie Polan, co jest swoistą tajemnicą z pogranicza wiary i rozumu. Być może, jak sądzi Zbigniew Podgórzec, na początek i rozwój kultu wpłynęła obecność pierwszych misjonarzy w Polsce: benedyktynów i cystersów, „żarliwych czcicieli Matki Bożej"[8].

Ale przecież podobnie było w innych rodzących się państwach średniowiecznej Europy.

Trudno zatem orzec z pewnością, czy benedyktyni i cystersi wpłynęli na rozwój niezwykłego kultu Matki Bożej w Polsce. I na to, że jednym z pierwszych hymnów Polaków stała się Bogurodzica. Do miana tego pretenduje przecież także *Gaude Mater Poloniae* napisana w XIII wieku przez dominikanina Wincentego z Kielc na cześć świętego Stanisława, biskupa i męczennika. Jednak, jak się wydaje, to Bogurodzica wyznaczyła drogę polskiego katolicyzmu.

Czy Polska z jej wielkim kultem Maryi mieściła się zatem w ogromnym nurcie maryjnym ogarniającym średniowieczną Europę? A może była szczególnym przypadkiem na mapie chrześcijańskiego świata? W drugiej połowie XX wieku francuski teolog ks. E. Delaruelle wysunął tezę o podziale kultu maryjnego na „epoki-tajemnice". W XIII wieku miałby dominować okres „tajemnic radosnych", w XIV – „bolesnych" (wojna stuletnia i epidemia dżumy), w XV – „tajemnic chwalebnych", chroniących soborową jedność Kościoła[9].

Polski kult nieco odbiega od tych ustaleń; może dlatego, że w XIV wieku dżuma aż tak nie przetrzebiła Królestwa, pomagając Kazimierzowi Wielkiemu zbudować „murowaną Polskę". To dlatego „Piękne Madonny o radosnym uśmiechu występują w Polsce jeszcze w końcu XIV wieku", pisze Karol Górski, podczas gdy na Zachodzie przeważają wizerunki „Matki Bolesnej"[10].

---

[7] Tamże.

[8] Z. Podgórzec, *Kult obrazów Maryi w Polsce*, w: *Kult Maryjny w Kościele rzymskokatolickim w Polsce i rosyjskim Kościele prawosławnym*, Warszawa–Moskwa 1989, s. 25.

[9] K. Górski, *Studia i materiały z dziejów duchowości*, Warszawa 1980, s. 262.

[10] Tamże, s. 263.

I nic dziwnego: jest to we Francji czas strasznej wojny stuletniej, niezwykłej posłanniczki Joanny d'Arc, a jednocześnie zaprzyjaźnionego najpierw z Dziewicą Orleańską, a potem straszliwego, perwersyjnego mordercy dzieci i pedofila, Gillesa de Raisa.

Ołtarz Wita Stwosza w kościele Mariackim w Krakowie ukazuje scenę Zaśnięcia Maryi i Jej sześć Radości. Rzeźbienie przez 12 lat wspaniałej nastawy ołtarzowej nie uchroniło mistrza Stwosza przed długami, fałszerstwami i dalszym burzliwym życiem.

Niemal każdy z zakonów wchodzących do Polski czy zakładanych w Polsce wnosił coś istotnego do kultu Maryi w naszym kraju. Benedyktyni wnieśli niezwykłą cześć okazywaną Matce Bożej Wniebowziętej, zwanej u nas Zielną. Jej wyrazem stał się ołtarz Wita Stwosza w kościele Mariackim w Krakowie. Franciszkanie przynieśli na ziemie polskie Matkę Bożą Radosną, dodając do obrzędowości żłóbki, jasełka i kolędy. Ale jednocześnie dołączyli do tego kult Matki Bolesnej i różaniec. Bernardyni z kolei sławili ją jako Niepokalaną, ukoronowaną dwunastoma gwiazdami i z księżycem pod stopami, depcącą węże. Swoje cykle maryjne dodawali też karmelici, dominikanie, jezuici.

Jak zauważają teolodzy, w kulcie i ikonografii dominował element królewskości Maryi. Wraz z pogłębiającym się rozłamem na Kościół wschodni i zachodni zmieniało się też pojmowanie kultu Maryi. W Kościele zwanym prawosławnym szczególną rolę zaczęły odgrywać ikony: święty obraz stwarzał „możliwość uczestniczenia w Boskiej tajemnicy", pisał ksiądz Mieczysław Maliński[11].

Natomiast na Zachodzie w średniowieczu obrazy nie pełniły takiej funkcji; kontaktu z Bogiem szukano raczej przez relikwie niż ikony. Polska stojąca na styku kultur, a nawet cywilizacji, przyswoiła sobie kult

---

[11] M. Maliński, *Polska ikona. Historia świętego obrazu w historii narodu polskiego*, Łódź 1994, s. 25.

Jasna Góra – wielkie maryjne sanktuarium Polaków.

i relikwii, i obrazów, w tym maryjnych. Choć, jak na graniczny kraj przystało, nie w takim stopniu jak prawosławie.

W czasach, gdy nie oglądano filmów, a słowo pisane czytane było przez elity, obrazy najbardziej pobudzały wyobraźnię wiernych. Ale działało też żywe słowo. Jeden z największych teologów polskiego średniowiecza Stanisław ze Skarbimierza (zmarł w 1431 roku) w kazaniach *Super Gloria* z około 1390 roku napisał, że „Jezus Chrystus i Jego Matka są jakby drogą i bramą niebios, stąd też człowiek najlepiej wielbi Boga czcząc jego Syna przez Matkę Najświętszą”[12].

W Polsce rosło przekonanie o szczególnej opiece ze strony Matki Bożej i dzięki jej wstawiennictwu. „Królowa Polski ... właściwie wypełniała Ona całą naszą historię”, oceniać będzie Jan Paweł II w 1993 roku.

Nic dziwnego, że w XIV–XV wieku pojawiła się wielka świątynia maryjna, która zawładnęła sercami i zbiorową religijną wyobraźnią Polaków. „Od XIV–XV wieku przejmuje już swoje sanktuarium jasnogórskie, ażeby stamtąd dawać nam znaki, Boże znaki – *magnalia Dei*”, pisze arcybiskup Stanisław Nowak[13].

---

[12] J. Misiurek, *Historia i teologia polskiej duchowości katolickiej*, t. 1, Lublin 1994, s. 35.

[13] *Signum Magnum – duchowość maryjna*, red. ks. Marek Chmielewski, KUL 2003, s. 324.

Mowa o klasztorze jasnogórskim i słynnym obrazie Matki Bożej Częstochowskiej, wokół którego zaczął się koncentrować wielki kult Polaków.

Ikona Matki Bożej Częstochowskiej z Dzieciątkiem kryje wiele tajemnic dotyczących jej pochodzenia. Czy rzeczywiście namalował ją na deskach stołowych z nazaretańskiego domu Jezusa sam św. Łukasz Ewangelista?

Obraz jasnogórski zwany Czarną Madonną najprawdopodobniej pochodził gdzieś z Bizancjum, zapewne z Konstantynopola. Trafił do Częstochowy przez Ruś podczas erygowania klasztoru braci eremitów świętego Pawła.

Pierwsze wzmianki o Jasnej Górze, klasztorze i obrazie pochodzą od Jana Długosza. Pod datą 9 sierpnia 1382 roku kronikarz pisze o ufundowaniu klasztoru paulinów w Starej Częstochowie przez księcia Władysława Opolczyka[14].

Książę pozostawił u paulinów ikonę Matki Bożej z Dzieciątkiem.

Skąd się wziął ów niezwykły obraz w rękach księcia opolskiego? Władysław sprowadził go ze swych posiadłości w księstwie halickim obejmującym między innymi gród Bełz. Chyba nie wiedział, czyjego autorstwa jest owa ikona, która zasłynie cudami. Dopiero późniejsza legenda, spisana w 1523 roku i wydana przez Risinusa Petrusa w *Historia pulchra*, mówiła, że namalował ją Łukasz Ewangelista! Na deskach ze stołu w domu Jezusa w Nazarecie. To by tłumaczyło, dlaczego deski lipowe, na których portret jest namalowany, od tyłu są nieobrobione.

Z Nazaretu ikona Czarnej Madonny poszła w świat; miała trafić w ręce cesarzowej Heleny. Potem przeszła w ręce rzymskiego cesarza Konstantyna Wielkiego, dalej trafiła do Karola Wielkiego i wreszcie do księcia ruskiego Lwa Daniłowicza panującego w Bełzie[15].

---

[14] J. Długosz, *Roczniki czyli kroniki sławnego Królestwa Polskiego*, t. X, Warszawa 1981, s. 143 i n.

[15] M. Maliński, *Czarna Madonna*, Poznań–Warszawa 1985, s. 21.

Czy tak było naprawdę? – trudno jednak potwierdzić tę niezwykłą wędrówkę. W rzeczywistości jest bardziej prawdopodobne, że ikonę Czarnej Madonny przywiózł na Ruś któryś z cesarzy Bizancjum jako święty prezent, zapewne Andronik Komnen około 1166 roku albo Aleksy Anioł na przełomie XII i XIII wieku. Obraz Matki Bożej podobny jest bowiem w typie do *Hodegetrii* (Przewodniczki), uznawanej za *palladium*, czyli znak opiekuńczy cesarstwa bizantyjskiego. W ten sposób obraz znalazł się w Bełzie.

Książę Władysław chciał ikonę z Bełza przewieźć do Opola. Ale, jak dowodzi legenda, konie zatrzymały się koło Częstochowy i nie chciały ruszyć dalej, co książę uznał za znak. Erygował tu klasztor i oddał mu obraz.

Ikona od początku słynęła z cudów. „Z całej Polski i krajów sąsiednich, a mianowicie Śląska, Moraw, Prus i Węgier na uroczystość Maryi świętej, której rzadki i nabożny obraz w tym miejscu się znajduje, zbiegał się lud pobożny dla zdumiewających cudów, jakie za przyczyną naszej Pani i Orędowniczki tu się dokonały", pisał Jan Długosz.

Katolicki kult słynnego obrazu wywołał jednak wściekłość innowierców niewierzących w święte ikony. Doszło do celowej profanacji ikony: w 1430 roku obraz został zbezczeszczony przez „szlachciców polskich", którzy „dobrawszy sobie rabusiów z Czech, Moraw i Śląska w uroczystość Wielkiejnocy ... napadają na tenże klasztor ... przebijają w poprzek mieczem twarz obrazu i łamią ramy ... żeby na podstawie tak okrutnych i niegodziwych czynów wzięto ich nie za Polaków, ale za Czechów"[16].

Sprawców profanacji złapano i ukarano. Jan Długosz wymienia ich nazwiska: pierwszy, Jakub Nadobny z Rogowa z domu Działosza, był husytą, a wódz grupy rozbójniczej, kniaź ruski Fryderyk Ostrogski, również przyjął husytyzm. Ksiądz Mieczysław Maliński, opisując to zdarzenie, podał, że „podejrzenie pada na czeskich husytów" jako inicjatorów niecnej akcji szargania świętości. Nie godzili się oni bowiem na tak rozległy kult Matki Bożej. Wspierali ich polscy magnaci, sympatyzujący z husytami. Niszcząc słynącą z cudów ikonę, chcieli poruszyć masy i doprowadzić do buntu antyjagiellońskiego w kraju.

Pobożny król Władysław Jagiełło, wracając z Prus, kazał sprowadzonym artystom ruskim obraz odtworzyć. Nie było to proste, farby wodne raz i drugi spływały po starej fakturze nałożonej metodą enkaustyczną, na gorąco. Dopiero włoscy i czescy artyści odnowili w Krakowie obraz,

---

[16] J. Długosz, *op. cit.*, s. 298 i n.

ozdabiając go liliami andegaweńskimi i nadając mu „włoską miękkość, słowiańskie ciepło"[17].

Ruskim zwyczajem Jagiełło kazał dodać jeszcze ikonie srebrną ryzę i wywieźć w uroczystej procesji z Krakowa na Jasną Górę.

Być może już wtedy nastąpiła pierwsza koronacja Maryi na Królową Polski[18].

Jan Długosz, opisując te wypadki, nazywa bowiem Matkę Bożą Jasnogórską *Domine ac Reginae Mundi* – Pani i Królowa Świata, *Nostra Maria* – Nasza Maryja albo Nasza Pani lub Najjaśniejsza Nasza Pani[19].

Historia dlatego jest nauką żywą, gdyż bezustannie bada i odkrywa coraz to nowe rzeczy. Wiemy, że obraz jasnogórski z Matką Bożą ma niejedną warstwę; jak wspomnieliśmy, został namalowany na trzech deskach lipowych, na rewersie grubo i niestarannie ciosanych. Ikona odnowiona została około 1434 roku. Badający ją w 1926 roku profesor Jan Rutkowski zdjął z niej farby nałożone w 1682 roku i doszedł do „warstwy jagiellońskiej" nałożonej właśnie po 1430 roku. Historyk sztuki nie odważył się jednak odkrywać dalej: „gdyby zdjęto farby jagiellońskie, doszlibyśmy prawdopodobnie do najstarszego obrazu, lecz nie wiadomo jakie okazałoby się jego zniszczenie", pisał J. Wojnowski. „Więc lepiej posiadać to co mamy z roku 1430"[20].

Sławny obraz czeka więc na zbadanie pierwszej warstwy. Ale kto się na to odważy, ryzykując zniszczenie wizerunku uznawanego powszechnie za cudowny i święty? Czy badanie przybliżyłoby nas do odpowiedzi, że rzeczywiście namalował go święty Łukasz Ewangelista, jak głosiła tradycja?

Wokół tego obrazu zaczął się coraz bardziej skupiać polski kult Maryi jako Królowej Polski. Już w szesnastowiecznych źródłach napotykamy od czasu do czasu takie określenia. W 1514 roku po pogromie Moskwian pod Orszą król Zygmunt I kazał odprawić mszę dziękczynną z podziękowaniem dla Matki Bożej Wniebowziętej jako „Królowej Zwycięskiej Polaków". Rektor Akademii Krakowskiej Schoneus-Skonecki prosił Maryję, by „dobrą była Sarmatów Patronką", a w czasach króla Władysława IV planującego gigantyczną rozprawę z islamem tureckim i tatarskim około 1630 roku modlono się tak:

„Daj Panno, za Twym męstwem, dostać Carogrodu" tatarskiego[21].

---

[17] Tak sądzi ks. M. Maliński, *Polska ikona...*, s. 19 i n.

[18] O. J. Wojnowski, *op. cit.*, s. 859.

[19] J. Długosz, *op. cit.*, s. 298–299.

[20] J. Wojnowski, *op. cit.*, s. 857.

[21] Tamże, s. 860.

Obrona Częstochowy stała się dla katolików w Polsce dowodem szczególnej opieki Matki Bożej. Teoretycznie klasztor nie miał szans na dłuższą obronę; stało się inaczej.

W czasach kontrreformacji, po soborze trydenckim zakończonym w 1563 roku kult Maryi stał się środkiem do przezwyciężania protestantyzmu i idei Kościoła narodowego. W tych czasach, za Zygmunta Augusta, Polska była bliska wyodrębnienia się Kościoła niezależnego od Rzymu.

Niezwykłym przełomem w dziejach kultu Maryi i przywiązania Polaków do cudownego obrazu częstochowskiego stała się jednak w 1655 roku obrona Jasnej Góry przed luterskimi Szwedami i wspierającymi ich Polakami. Ikony już tam nie było: po wahaniach przeora Kordeckiego prowincjał zakonu ojciec T. Bronowski zawiózł ją do braci w Mochowie na Śląsku, niedaleko schronił się też polski król Jan II Kazimierz Waza. Do oblężenia Jasnej Góry szwedzki król Karol X Gustaw wysłał generał-lejtnanta Burcharda Müllera z czterystu pięćdziesięcioma żołnierzami szwedzkimi i siedmiuset Polakami. Potem doszły oddziały generała J. Wrzesowicza, pułkownika W. Sadowskiego i inne; w sumie generał w służbie szwedzkiej miał ponad półtora tysiąca ludzi i osiem lekkich dział. Natomiast Jasnej Góry broniła ledwie stupięćdziesięcioosobowa załoga.

Klasztor był przez króla Władysława IV nowocześnie umocniony na wzór holenderski, a obrona garstki żołnierzy, szlachty i zakonników bohaterska i skuteczna. Jednakże po sprowadzeniu dwóch potężnych dwudziestoczterofuntowych półkartaun i czterech moździerzy oraz górników z Olkusza, czyniących podkopy, sytuacja oblężonych się pogorszyła. Szwedzi, odtąd bombardując Jasną Górę bezustannie, 11 grudnia wybili wyłom w murach. Sanktuarium groził szturm wielokrotnie silniejszych wojsk szwedzkich.

Śluby lwowskie złożył król Jan Kazimierz w katedrze lwowskiej w obecności nuncjusza papieskiego podczas „potopu" szwedzkiego. Powierzył wtedy Rzeczpospolitą opiece Maryi. Niebawem Polacy wyrzucili Szwedów „za morze". Ale później Rzeczpospolita wpadała w coraz gorsze opresje. Aby wreszcie w 1918 r. odzyskać niepodległość.

Dlaczego go zatem nie zdobyli? Zwolennicy dialektycznego (procesowego) ujmowania historii dowodzą, że „kurnik" częstochowski, jak go zwał generał Burchard Müller, nie został zdobyty, gdyż 11 grudnia król szwedzki wydał rozkaz zwinięcia oblężenia Jasnej Góry. Coraz częściej do Karola Gustawa dochodziły wieści, że w podbitej Polsce narasta wielki ruch buntowniczych Polaków przeciw obcym grabieżcom zza morza.

Ale czy tylko to było powodem? Polski teoretyk wojskowości pułkownik Ryszard Bochenek zanalizował na przykład obronę fortu świętego Rocha w twierdzy na Jasnej Górze podczas pamiętnego „potopu" w 1655 roku. Zastosowana przez uczonego metoda kliometryczna, analiza archeologiczna i symulacja komputerowa wykazały, że szwedzcy puszkarze nie musieli się bardzo trudzić, by ochronna ściana pękła. Już trzy celne strzały oddane z półkartaun w to samo miejsce wybijały w murze osłonowo-oporowym z wapienia łamanego spojonego zaprawą wapienną metrowy wyłom![22]

Dlaczego więc doświadczony w wojnie trzydziestoletniej generał szwedzki B. Müller Jasnej Góry nie zdobył?

To jest już właśnie pytanie z pogranicza wiary i rozumu.

---

[22] „Fortyfikacja", VII 1999.

Wojny strasznych czasów „potopu" z innowierczymi Szwedami, Kozakami, Moskwianami, Węgrami, Brandenburczykami czy Radziwiłłami (kalwinistami z Litwy) nabrały charakteru wojny narodowej w obronie katolicyzmu. Krzepł więc obraz katolika Polaka, stojącego po stronie katolickiego króla Jana II Kazimierza Wazy. Kult Maryi nabierał niezwykłego blasku, a jego uwieńczeniem stały się słynne śluby lwowskie, podczas których 1 kwietnia 1656 roku Jan Kazimierz powiedział: „Do przenajświętszych stóp Twoich przypadłszy, Ciebie za Patronkę moją i za Królową państw moich obieram. Tak samego siebie, jak i moje Królestwo i wszystek lud mój Twojej osobliwej opiece i obronie polecam"[23].

Ślubowanie to powtórzył sejm Rzeczpospolitej. Król obiecywał też „lud w ... królestwie od wszelkich obciążeń i niesprawiedliwego ucisku uchronić"[24].

Niemal każdy król Polski odwiedzał obraz Matki Bożej Jasnogórskiej i modlił się przed nim. Wraz z nimi szlachta, żołnierze, mieszczanie, chłopi. Wierzono, że Maryja w najcięższych momentach dziejowych ochrania Polskę i daje jej chwałę i zwycięstwa. Gdy Jan III Sobieski w 1683 roku szedł na Wiedeń i modlił się po drodze przed jasnogórskim obrazem, paulini dali mu szablę jego pradziada, Stanisława Żółkiewskiego, który zginął pod Cecorą w walce z islamem. Wierzono powszechnie, że wstawiennictwo Maryi pomogło, bo Sobieski jako wódz odniósł pod Wiedniem jedno z najważniejszych zwycięstw w dziejach, zatrzymujące wojujący islam przed wtargnięciem do zachodniej Europy. Ikony Maryi towarzyszyły także żołnierzom w licznych polskich ołtarzach polowych; do nich modlili się królowie polscy pod Beresteczkiem 1651 roku, Chocimiem w 1621 i 1673 roku i niemal przed każdą bitwą.

Kult przyciągał też rzesze wiernych. Gdy ikonę Maryi Częstochowskiej, jako jedną z pierwszych w świecie, w 1717 roku koronowano na polecenie papieża Klemensa XI, na błoniach jasnogórskich stanęło dwieście tysięcy ludzi. Było ich więcej niż Rzeczpospolita mogła wystawić wojska na obronę upadającej ojczyzny.

Szlachta wierzyła, że Maryja osłoni pierwszy powszechny zryw szlachty w 1768 roku. Patrioci stanęli wtedy do walki w obronie wartości narodowych kojarzonych odtąd nieodmiennie z katolicyzmem. Zawiązali konfederację barską. Obwieszeni szkaplerzami, cudownymi obrazkami, ryngrafami, różańcami konfederaci powierzyli się Maryi. Ich wiara była tak wielka, że za punkty obrony obierali sobie klasztory

---

[23] Za: M. Maliński, *Polska ikona...*, s. 34.

[24] Z. Wójcik, *Jan Kazimierz Waza*, Wrocław 1997, s. 118.

i krwi własnej" i wzywając Kozaków do opamiętania, jak zeznawali świadkowie. Wreszcie drgające w konwulsjach ciało spuścili Kozacy na polepę i dwukrotne cięcie szablą po gardle przerwało nieopisane cierpienia jezuity.

Po kaźni Boboli rozeszła się wieść o nadciąganiu wojsk litewskich regimentarza Aleksandra (?) Naruszewicza. Kozacy szybko uszli z Janowa. „Ciało Boboli leżało na stole, widziałem rany okrywające je od szyi aż po biodra, twarz była spuchnięta od uderzeń, tak iż ani oczu, ani nosa, ani uszu rozpoznać nie było można", zeznał chirurg janowski Dominik Wolff Abrahamowicz[27].

Wojny domowe i religijne bywają najbardziej przerażające. Bunt wszczęty przez Bohdana Chmielnickiego w 1648 roku stał się najokrutniejszą z wojen polskich. Nienawiść Kozaków i czerni na Ukrainie do Lachów pozostaje tajemnicą z pogranicza fenomenologii wojen i złych uczuć. Kozacy „riezali" swoich: głównie potomków ruskiej szlachty. Znienawidzeni Lachy, polscy panowie byli najczęściej ziomkami Kozaków, ruską, choć spolonizowaną szlachtą, oczywiście byli też liczni dzierżawcy wywodzący się z Korony. Unia brzeska z 1596 roku, uznająca papieża, zachowująca jednak całą obrzędowość prawosławia, została przeprowadzona rękoma duchownych prawosławnych: metropolity kijowskiego, arcybiskupa połockiego, biskupów włodzimierskiego i łuckiego. Twórca „państwa Zadnieprzańskiego", a potem okrutny pogromca Kozaków, książę Jeremi Wiśniowiecki to syn prawosławnego magnata. Przywódcy ukraińskich „powstań ludowych" – Kosiński, Chmielnicki, Krzeczowski – to ruska szlachta z polskim indygenatem. Chociaż co do szlachectwa Chmielnickiego sprawa nie jest do końca wyjaśniona: być może jego ojciec był infamisem, a więc pozbawionym klejnotu[28].

To chyba dlatego syna Bohdana, Jurko Chmielnickiego, nobilitowano „z powrotem".

Kozacy i czerń nie rozumieli, a raczej nie chcieli rozumieć subtelności narodowościowych, chociaż mieli poczucie odrębności, podobnie jak szlachta ruska na Ukrainie[29].

Swą nienawiść zniewolonych, a przy tym niesłychanie bitnych, zahartowanych w walkach z okrutnymi Tatarami, przerzucali na szlach-

---

[27] *Opis męczeństwa i źrodła ich opisu podane* w: J. Poplatek., *Błogosławiony Andrzej Bobola,* T.J., Kraków 1936, s. 128 i n., a także w: *Będę jej głównym patronem. O świętym Andrzeju Boboli*, red. M. Paciuszkiewicz i in., Kraków 1995.

[28] Por. J. Kaczmarczyk, *Bohdan Chmielnicki*, Wrocław 1988.

[29] T. Chynczewska-Hennel, *Świadomość narodowa szlachty ukraińskiej i kozaczyzny od schyłku 16 do połowy 17 w.*, Warszawa 1985.

Bohdan Chmielnicki, walcząc o wyzwolenie ziem ukrainnych od Polaków, rozpętał piekło okrutnej wojny domowej o ogromnych konsekwencjach dla Rzeczypospolitej, Ukrainy, Rosji.

tę i Żydów, u których w karczmach pili zbyt drogą gorzałkę i którzy, jak arendarze młynów, myt, ceł, ściągali kolejny haracz dla siebie.

Męczeństwo Andrzeja Boboli w tych strasznych czasach było niewyobrażalne, ale nie jedyne. Świadek wojny Chmielnickiego Żyd Natan Hannower prowadził dziennik obejmujący lata 1648–1652. „Kobietom ciężarnym rozpruwano brzuchy, a wydobyty płód zabijano w ich obliczu. Innym rozpruwano brzuchy i wsadzano żywego kota i tak zostawiano przy życiu, zaszywając brzuchy. Następnie obcinano im ręce, by nie mogły wyjąć tego kota"[30].

Opisów Hannowera jeszcze okropniejszych jest wiele; pozostaje mieć nadzieję, że przesadził z brukowaniem ulic głowami pomordowanych Lachów i ich rodzin oraz Żydów, pleceniem warkoczy ze skór pomordowanych dziewczyn i mocowaniem do czapek i siodeł kozackich. Przynajmniej tak sądzi część badaczy.

Skąd ta niewyobrażalna nienawiść? Czy tylko wskutek dzikiego wyzysku czerni, czyli chłopstwa ukraińskiego przez polskich panów? Zapewne też: znamienna i jakże symboliczna jest scena, gdy w Tulczynie Kozacy dopadli kniazia Janusza Czetwertyńskiego. „Zhańbili w jego oczach żonę jego i dwie córki, a on był człowiekiem tak otyłym, że nie mógł powstać. I przystąpił doń parobek ... następnie wypomniał mu, jak uciskał swe sługi, jak je bił i jak zamęczał je ciężką pracą. W końcu rzekł doń: wstań z krzesła, a ja siądę zamiast ciebie i będę nad tobą panował! Lecz pan nie mógł wstać, wówczas ściągnął go sługa z krzesła (rzucił go na próg) i w straszny sposób odciął mu głowę piłą na progu"[31].

Czetwertyńscy byli prawosławnym ruskim rodem książęcym wywodzącym się od udzielnego panującego księcia kijowskiego Światopełka.

---

[30] *Natan Hannower, Jawein Mecula, tj. bagno głębokie. Kronika zdarzeń z lat 1648–1652,* Lwów 1912, s. 23.

[31] Tamże, s. 34.

A jednak nie poszli do „Chmiela”, jak nazywali swego hetmana kozaccy Krzywonosowie, Pietruszeńkowie i inni. Czetwertyńscy, Zbarascy mogli wręcz stać się założycielami dynastii ukraińskiej. Odmawiali, jak Jarema Wiśniowiecki, i wybierali walkę. A niekiedy straszną śmierć, gdy wpadali w ręce czerni.

Do nienawiści społecznej wolnych Kozaków i czerni do panów polskich, Lachów, dołączyła nienawiść wyznaniowa. Szczególną wściekłość kierowali Kozacy do jezuitów, uznawanych za głównych sprawców unii brzeskiej z 1596 roku i prób rekatolicyzacji Ukrainy. Andrzej Bobola, z wielkimi sukcesami nawracający chłopów poleskich na katolicyzm, był szczególnie znienawidzony przez prawosławnych mołojców. Za pasję nawracania zapłacił okrutną cenę.

Andrzej Bobola wywodził się z pradawnego, znanego w Rzeczpospolitej rodu. Początkowo za relacją jezuity Sebastiana Rybałtowskiego z 1734 roku sądzono, że przyszły męczennik urodził się w Pińsku lub koło Pułtuska. Zachował się jednak dokument przyszłego świętego z czasów, gdy wstępował do zakonu. Własną ręką napisał w nim: „Ja, Andrzej Bobola, Małopolanin”.

Za dwudziestowiecznym biografem Boboli, księdzem Janem Poplatkiem, przyjmuje się więc, że urodził się w 1591 roku w ziemi sanockiej, w Strachocinie, pośród pięknych wzgórz. Dotąd ludność nazywa wzniesienie koło kościoła parafialnego Bobolówką, sądząc, że tam stał dworek Bobolów.

Ale szlachecki ród Bobolów wywodził się ze Śląska. Około 1315 roku przeniósł się do Małopolski, tworząc liczną rozgałęzioną familię z majątkami rozsianymi od Krosna po Sandomierz. Do godności senatorskich jednak nie doszli, ale byli powszechnie znani, niekiedy niezbyt z dobrej strony. Szczególnie osławionym na całą Rzeczpospolitą i znienawidzonym przez szlachtę stał się podkomorzy królewski w czasach Zygmunta III Wazy, Andrzej Bobola, którego uważano za szarą eminencję na dworze.

Przyszły święty także nie zapowiadał się na świętego, gdyż był porywczy, niecierpliwy, gwałtowny. Prepozyt Nowacki (imienia brak) w 1628 roku uznał nawet brata Andrzeja „za niezdatnego do nauczania w szkołach i piastowania urzędu przełożonego”[32].

Miał jednak silną wolę służyć Jezusowi i ludziom w zakonie Towarzystwa Jezusowego, co 2 czerwca 1630 roku doprowadziło go do złożenia czterech ślubów w kościele Świętego Kazimierza w Wilnie.

---

[32] *Będę jej głównym patronem...*, s. 18.

Kamień w Janowie Podlaskim z wyrytą datą śmierci Andrzeja Boboli. Być może dokładnie w tym miejscu zamęczono przyszłego świętego.

Okazał się niezwykłym, natchnionym kaznodzieją i odważnym kapłanem, niewahającym się nieść pomoc podczas groźnych fal epidemii w Wilnie w latach 1625–1629 ludziom oszalałym ze strachu. Prace misyjne prowadził też w bagnistych okolicach Pińska pozbawionych niemal dróg. Do największych osiągnięć przyszłego świętego należało nawrócenie na katolicyzm osiemdziesięciu dymów (chałup) dwóch wsi: Balandycze i Udrożyny. Wychudły „apostoł Pińszczyzny" odżywiał się najczęściej chlebem i wodą; lata pracy z ludźmi i nad sobą sprawiły, że stał się bardzo pokorny, cierpliwy i wytrzymały.

Nadszedł tragiczny dla Rzeczypospolitej rok 1655. Podczas najazdu moskiewskiego i kozackiego na Wilno z trzydziestu dwóch kościołów rzymskokatolickich ocalały ponoć tylko cztery. Wywieziono też wielkie dzwony kościelne. Po rabunku żołdacy chyba celowo podpalili miasto, gdyż przez siedemnaście dni nikt pożaru nie gasił. Piękny „Rzym północy" obrócił się w popielisko. Bobola ratował się ucieczką z Wilna do Pińska wraz z innymi jezuitami. Pomimo docierających tu watah kozackich mordujących katolików Bobola z niezwykłym poświęceniem prowadził nadal pracę duszpasterską pośród prawosławnych. Podczas tych misji dopadła go męczeńska śmierć. Andrzej Bobola obok brata Antoniego Maffona był czterdziestą dziewiątą ofiarą zakonu podczas najazdu szwedzkiego i kozackiego w 1655 roku.

Kozacy uciekli przed rotą Naruszewicza. Ocalały z rzezi proboszcz Janowa Poleskiego ksiądz Jan Zaleski złożył skrwawione ciało Boboli w kościele parafialnym, w prostej drewnianej trumnie. Był to początek miejscowego kultu, który jednak szybko zanikł, gdyż ciało przewieziono do Pińska. Na czterdzieści lat zapomniano o nim, gdyż wokół nadal wrzało. Kult zamęczonego jezuity wygasał. Wprawdzie generał zakonu Nikel Goswin 17 listopada 1657 roku kazał przesłać sobie opis męczeństwa Maffona i Boboli, ale pierwszy życiorys męczennika nie zapowiadał pojawienia się przyszłego świętego. Wokół działy się równie straszne zbrodnie, było za kogo się modlić i po kim rozpaczać.

A jednak Boboli nie był pisany los równie okrutnie zamęczonego przez Kozaków, a zapomnianego jezuity Szymona Maffona. Powrót kultu Andrzeja Boboli nastąpił na początku XVIII wieku w niecodziennych okolicznościach. W niedzielę 16 kwietnia 1702 roku rektor jezuickiego kolegium pińskiego Marcin Godebski kończył modlitwy wieczorne o to, by Bóg zachował zagrożoną przez Moskali szkołę i kościół. Wtedy, wedle relacji rektora, ukazał mu się jezuita, przedstawił się jako Andrzej Bobola. Powiedział, że otoczy kolegium opieką i nakazał odszukać swe ciało.

Wstrząśnięty rektor zarządził poszukiwania, trumnę odnaleziono w środę 19 kwietnia, po czym ją otworzono. Bobola leżał w niej, tak jakby był pochowany wczoraj, a nie przed czterdziestu pięciu laty, bez oznak rozkładu. Wieść poszybowała po okolicy i do trumny zaczęli pielgrzymować mieszkańcy Pińska i Janowa. Kult Andrzeja Boboli umacniały niezwykłe zdarzenia: męczennik rzeczywiście zdawał się czuwać nad kolegium, gdyż rosyjscy dowódcy pułków zajmujących Polesie na przekór śmiertelnym obawom Polaków nieoczekiwanie wydawali glejty chroniące katolickie kolegium.

Do umocnienia chwały męczennika przyczyniła się też potworna epidemia dziesiątkująca od połowy 1709 roku Litwę: ominęła ona jednak Pińszczyznę, co przypisywano opiece Boboli. Do tego dochodziły inne zdarzenia z pogranicza wiary: niebawem po całej Rzeczypospolitej rozniosła się wieść, że żona księcia Michała Serwacego Wiśniowieckiego wyprosiła 13 grudnia 1710 roku u trumny Boboli wyzwolenie jej męża z niewoli, składając między innymi wotum na ręce księdza Mikołaja Czarzastego. I tego dnia jej pilnie strzeżony mąż, Michał Wiśniowiecki, rzeczywiście uciekł z zamku w Głuchowie.

Pojawiały się też inne niezwykłe relacje o życiu męczennika i łaskach wyproszonych przez modlących się do niego. Zdarzały się także cudowne uzdrowienia, a 1 listopada 1723 roku na miejscu jego kaźni w Janowie w obecności wielu świadków miał zaświecić się krzyż – co wierni zrozumieli jako Boży akt przypomnienia o męczeństwie Boboli. Jezuici zaczęli starania o zaliczenie swego brata w poczet świętych.

Dziewiątego lutego 1755 roku papież Benedykt XIV zaliczył najpierw Bobolę do grona męczenników. Ale rychła śmierć papieża, kasata zakonu jezuitów, pierwszy rozbiór Polski w 1772 roku, przeniesienie ciała do kościoła i kolegium jezuickiego, a potem dominikańskiego w Połocku odwlekały proces beatyfikacji, pomimo że wizji i znaków, widocznych w składanych świadectwach, przybywało. Nie były to cuda, ale nadzwyczajne wydarzenia. Poza tym, jak podaje wybitny znawca średniowiecza, Jacques Le Goff, już od czasów świętego Franciszka z Asyżu, czyli od XII wieku, świętość polegać będzie raczej na apostolacie niż na aktach *mirabiliae* – czynieniu cudów. A przecież Andrzej Bobola był bez wątpienia apostołem Pińszczyzny.

Najbardziej niezwykłą wizję związaną z Andrzejem Bobolą przeżył dominikanin Alojzy Korzeniewski. Nie spisał jej, ale opowiedział współbraciom, że w pewną noc 1819 roku postać Andrzeja Boboli pojawiła się w Wilnie obok jego zakonnego łoża. Jezuita kazał mu otworzyć okno i dominikanin ujrzał na równinie zmagające się zaciekle zbrojne rzesze Rosjan, Turków, Francuzów, Anglików, Austriaków, Prusaków. Bobola zapowiadał wielką wojnę, „której obraz masz przed sobą; zakończy się pokojem, Polska zostanie odbudowana i ja zostanę znany jej głównym patronem", przepowiadała postać[33].

Dominikanie tych wizji nawet nie zanotowali, obawiając się ośmieszenia w przypadku jej niespełnienia. Zastanawiające było jednak to, że ojciec Korzeniewski nie wydawał się podatny na cuda, raczej przejawiał racjonalistyczne skłonności: przetłumaczył między innymi z holenderskiego podręcznik fizyki służący w szkołach w początkach XIX wieku! Jednakże fama o jego wizji szła i proroctwo odnotował jezuita włoski, a 4 października 1854 roku wydrukowała je gazeta w Bensaçon „Union Franc-Comtoise". Stąd przedostała się do „Przeglądu Poznańskiego", po czym rozeszła się na ziemiach polskich.

W czasach pojawienia się tej wizji męczennik z Janowa Poleskiego nie był jeszcze beatyfikowany. Nastąpiło to 30 października 1853 roku podczas wielkich uroczystości w Bazylice Świętego Piotra w Rzymie, kiedy to Andrzeja Bobolę uznano za błogosławionego. W oficjalnych żywotach nadal jednak nie wspominano o proroctwie dominikanina. Dopiero w 1918 roku przypomniano sobie o tym w Polsce: „to, co się stało w listopadzie 1918 roku, autorzy setek artykułów uznali za cudowne spełnienie proroctwa", pisał biograf Andrzeja Boboli, ksiądz Mirosław Paciuszkiewicz. Rozpoczęła się akcja na rzecz kanonizacji błogosławionego, który przewidział odzyskanie niepodległości[34].

Podczas gdy ciało Boboli znajdowało się w Połocku, władze rosyjskie były bardzo niezadowolone. Kult Andrzeja w tym granicznym wielkim mieście, gdzie rozwinęło się kolegium jezuickie, odzyskanym dla Polski przez Stefana Batorego w 1579 roku, kwitł również wśród prawosław-

---

[33] Tamże s. 29; M. Paciuszkiewicz, *Andrzej Bobola*, Kraków 2002, s. 97 i n.

[34] *Będę jej głównym patronem...*, s. 30.

nych. Ze strony władz carskich doszło więc do próby deprecjonowania kultu Boboli. Przyjechała komisja rządowa z Petersburga z zadaniem demistyfikacji. Ale szybko się wyniosła, gdyż w 1866 roku na głowę jednego z jej członków spadła w kościele cegła. Komisja uznała to za ostrzeżenie ze strony świętego i szybko opuściła Połock.

W porównaniu z tym, co miało nastąpić, carat był jednak wielce łaskaw dla katolickiego błogosławionego. W październiku 1917 roku wybuchła rewolucja, która doprowadziła do przejęcia władzy w imperium przez bolszewików. Wprowadzając doktrynę marksistowską, zwolennicy Włodzimierza Lenina byli przekonani, że religia to opium dla ludu, niebezpieczny konkurent do pozyskania serc i umysłów mas pracujących i walczących. Po umocnieniu władzy zwalczali więc wszelkie przejawy kultu religijnego, pomimo że Lenin sugerował, by walkę z religią oprzeć na podstawach naukowych, bez uciekania się do jawnego obrażania uczuć wiernych i środków administracyjnych, na ile to możliwe.

A na ile to możliwe, czerwonoarmiści pokazali już w 1919 roku, zamierzając wystawić trumnę ze szczątkami na pośmiewisko. Akcji w ostatniej chwili przeszkodził pilny telegram Katolickiego Komitetu Centralnego i arcybiskupa Jana Cieplaka do Lenina. Bezczeszczenie zwłok wstrzymano.

Józef Piłsudski, sam daleki od fanatyzmu religijnego (był konwertytą), wedle świadectwa papieża Piusa XI planował gwałtowny wypad oddziałów na Połock. Chciał odzyskać sławne relikwie, tak ważne dla Polski, urastające do roli symbolu jej męczeństwa. Nie zdołał jednak tego przeprowadzić.

Dla Sowietów kult w Połocku był szczególnie niebezpieczny, gdyż nadal gromadził rzesze wiernych. Władze bolszewickie chciały więc „obywatelom katolickim udowodnić, że duchowieństwo ich jeszcze chytrzejsze niż prawosławne, o wiele silniej utrzymuje ich pod władzą religijnego oszukaństwa". Po stosownych tajnych i jawnych ustaleniach 23 czerwca 1922 roku o wpół do drugiej po południu władze Gubispołkomu (Gubernialny Komitet Wykonawczy) komisyjnie otworzyły trumnę. Bolszewicy zdarli ornat z ciała błogosławionego, postawili postać pionowo i mocno uderzyli nią o posadzkę. Ale trup się nie rozpadł; nadal był w dobrym stanie.

Jednakże komisja umiała to wytłumaczyć, orzekła bowiem że uległ mumifikacji. Wyczyny profanacyjne komisji na czele z „uczonym archeologiem" Tkaczowem, jak się podpisał w protokole, nie tylko nie unicestwiły kultu błogosławionego Andrzeja, ale go wzmocniły. Władze bolszewickie przyśpieszyły działania. Dwudziestego lipca 1922 roku uzbrojeni agenci wdarli się do kościoła, bijąc stawiających opór parafian.

Ciało błogosławionego wywleczono, wywieziono i złożono w rupieciarni gmachu Higienicznej Wystawy Ludowej Komisariatu Zdrowia w Moskwie. Miało ono dokumentować darwinistyczną ewolucję człowieka, aksjomat, że „Boga niet", i tezę, że dobrze zachowane po dwustu sześćdziesięciu pięciu latach ciało Boboli jest jedynie kuriozalnym potwierdzeniem niezwykłości natury i niczym więcej. Nie pomogły interwencje ani rządu polskiego, ani księdza Piotra Zielińskiego usiłującego przenieść szczątki do kościoła w Moskwie.

Relikwie uratowała klęska głodu szalejąca w Rosji sowieckiej. Za pomoc papieską w zbożu dla głodującej Rosji bolszewicy zgodzili się wydać Rzymowi ciało męczennika. „Rządowi rosyjskiemu zależy oczywiście na utrzymaniu dobrych stosunków z Watykanem", zwierzał się bolszewicki komisarz spraw zagranicznych Gieorgij Cziczerin. Jak opisuje Hansjacob Stehle na podstawie źródeł i opracowań rosyjskich i zachodnich, sam Lenin po drugim wylewie „skłaniał się do spokojniejszego traktowania spraw" religii; wódz rewolucji sam czuł na karku oddech nieprzeniknionej wieczności[35].

Zgodził się więc na wywóz relikwi Andrzeja Boboli do Rzymu jako prezent dla papieża, z zastrzeżeniem, by nigdy nie wracały do Polski; przyjął też na Kremlu dawnego znajomego, a teraz katolickiego księdza doktora Wiktora Bedę. Pomimo świadomości nadciągającej śmierci przekonywał, że „ludzkość wkracza na sowiecką drogę; za sto lat nie będzie innej formy rządów". Nieoczekiwanie dodał, że katolicyzm jednak przetrwa jako... jedyna religia[36].

Skrzynia z ciałem Andrzeja Boboli pojechała w zaplombowanym wagonie do Odessy. Napis na skrzyni głosił: „Cenna statua! Dar dla Muzeum Watykańskiego!". Zdaje się, że towarzyszyli jej amerykańscy jezuici Gallagher i Edmund Walsh[37].

Z Odessy statkiem „Cziczerin" relikwie popłynęły do Konstantynopola. Do Rzymu trumna z ciałem Andrzeja Boboli wjechała 1 listopada 1923 roku.

Relikwie wstawiono do kościoła Świętej Matyldy na Watykanie, po czym sprawdzono tożsamość. Badanie wykazało, że są to szczątki Andrzeja Boboli. Ciało przeniesiono do jezuickiego kościoła Il Gesú,

---

[35] H. Stehle, *Tajna dyplomacja Watykanu*, przeł. R. Drecki i M. Struczyński, Warszawa 1993, s. 50, 52.

[36] Tamże, s. 53.

[37] Istnieją tu rozbieżności w relacjach M. Paciuszkiewicza i H. Stehlego.

gdzie spoczęło w oszklonej trumnie. Wzmógł się znów kult wielkiego dawcy łask, pojawiającego się nadal w niezwykłych wizjach oraz uzdrawiającego chorych. Wreszcie 17 kwietnia 1938 roku podczas wielkich i podniosłych uroczystości Andrzej Bobola został wyniesiony na ołtarze przez papieża Piusa XI.

Powrót świętego do rodzinnego kraju przez Lublanę, Budapeszt, Bratysławę, a szczególnie od granicy w Zebrzydowicach – był triumfalnym pochodem rejestrowanym przez ówczesne media. W Warszawie 17 czerwca 1938 roku witali ciało najwyżsi dostojnicy państwowi. Hansjacob Stehle opisujący tajną dyplomację Watykanu zauważa dziwne sprzężenie: po przywitaniu świętego w Polsce w lipcu i sierpniu 1938 roku w rejonie Chełma spalono sto trzydzieści osiem cerkwi prawosławnych. Czy obecność Andrzeja Boboli w ojczyźnie wyzwoliła w Rzeczypospolitej aż tak straszne akty odwetu po wiekach? Czy była to forma odreagowania, czy też zamierzona akcja, którą sam metropolita unijny Szeptycki nazwał aktami wandalizmu i terroryzmu[38].

Po uroczystościach ciało świętego złożono wreszcie w kościele Jezuitów przy ulicy Rakowieckiej. Andrzej Bobola zdawał się być kolejnym symbolem nie tylko zmartwychwstania Polski, ale i jej wzrostu w siłę. Pisał o tym, przekonany o wielkiej pozycji Rzeczypospolitej w Europie, ambasador Julian Łukasiewicz w książeczce *Polska jest mocarstwem*. Wydał ją w 1939 roku.

Ale święty Andrzej, tak jak za życia, tak i po doczesnej śmierci, zdawał się nie lubić świętego spokoju; niemal zawsze wokół niego coś wrzało. Niebawem wybuchła druga wojna światowa i w kaplicę z ciałem świętego trafiły pociski. Aby je ratować od bomb, 27 września 1939 roku ojciec Alojzy Chrobak z żołnierzami ruszył na Stare Miasto. Na placu Teatralnym zaskoczyły ich jednak samoloty Luftwaffe; żołnierze umknęli do schronów, ciało pozostawiono pod bombami. Mimo to ocalało nienaruszone. Podczas męczeńskiego powstania warszawskiego świętego przeniesiono z katedry Świętego Jana do bocznej nawy, a potem do podziemnej krypty dominikańskiego kościoła Świętego Jacka przy ulicy Freta.

To niezwykłe, że relikwie ocalały pośród straszliwych zniszczeń Starówki warszawskiej i powróciły na Mokotów; że przetrwały stalinowską politykę w PRL zwalczającą wszelkie przejawy kultu religijnego. W 1957 roku z okazji trzechsetlecia męczeńskiej śmierci Pius XII przypomniał duchowieństwu i Polsce jej rolę przedmurza chrześcijaństwa, to, że ma przeciwstawiać się przeciwnikom Boga w słowie i piś-

[38] H. Stehle, *op. cit.*, s. 157.

Kościół św. Andrzeja Boboli przy ulicy Rakowieckiej w Warszawie. Tu spoczęły szczątki świętego.

mie oraz przez dobry przykład, co miało zapewne związek z nieprzyjazną religii obecnością ZSRR[39].

Obecnie relikwie Andrzeja Boboli spoczywają w sanktuarium jezuickim przy ulicy Rakowieckiej, wybudowanym w latach 1980–1988. Jak dotąd spokojnie.

Ale wielkiego męczennika miało czekać jeszcze jedno wyniesienie, zapowiedziane przez niego w wizjach. Czasy potopu szwedzkiego 1655 roku i walki z obcymi wyznaniowo luteranami, prawosławnymi, kalwinistami umocniły katolicyzm Polaków. Uwierzyli oni jeszcze mocniej, że święci patroni strzegą Rzeczypospolitej. Wymieniano czterech, z Matką Bożą Królową Polski na czele. 31 sierpnia 1962 roku na prośbę polskiego episkopatu papież Jan XXIII potwierdził i ustanowił czterech świętych patronów Polski: Maryję Królową Polski, świętych biskupów Wojciecha i Stanisława oraz świętego Stanisława Kostkę jako drugorzędnego patrona Polski (*patronus secondarius*). Patronem Litwy złączonej z Koroną w jedną Rzeczpospolitą był królewicz, święty Kazimierz Jagiellończyk.

Szesnastego maja 2002 roku dołączył do nich święty Andrzej Bobola, ogłoszony formalnie patronem Polski. Znalazł się w gronie wielkich postaci z pogranicza wiary, sacrum i ziemskich symboli.

Dawniejsi patroni Polski w świadomości narodu może transcendentalnie mieli pełnić rozmaite funkcje. Święty Wojciech, potomek czeskiego rodu Sławnikowiczów, biskup, misjonarz i męczennik polski, uznawany jest za „symbol jedności duchowej narodów Europy Środkowej", jak sądzą duchowni czescy, słowaccy i polscy. Ponadto „należy do ojców i promotorów idei, że Europa jest jedna i chrześcijańska", dowodzi Julita Wór[40].

---

[39] Tamże, s. 244.

[40] *Postać św. Wojciecha jako symbol duchowej jedności Słowian*, w: *Święci i świętość u korzeni tworzenia się kultury narodów słowiańskich*, t. I–II, red. W. Stępniak-Minczewa, Z.J. Kijas, OFM Conv, Kraków 2000, s. 81, 82.

Relikwie świętego Andrzeja przed ołtarzem w kościele pod jego wezwaniem w Warszawie. Podobno dopóki patron śpi spokojnie, dopóty Polska jest bezpieczna.

Święty Stanisław ze Szczepanowa, rozsiekany w kościele na Skałce pod Wawelem w 1079 roku to symbol pokawałkowanej, a odradzającej się jak ciało biskupa, Polski. Jednocześnie jego postać i losy mogą być traktowane jako zapowiedź przyszłych konfliktów władzy świeckiej z duchowną.

Święty Stanisław Kostka (1550–1568), niezwykły syn magnata, kasztelana zakroczymskiego, o „anielskiej naturze", żył krótko jako nowicjusz jezuicki, lecz pomimo to pośród współbraci zmarł w opinii świętości. Wierzono, że po śmierci opiekował się młodym rycerstwem polskim, pomagając wygrywać bitwy – Janowi Karolowi Chodkiewiczowi pod Chocimiem w 1621 roku, Janowi II Kazimierzowi pod Beresteczkiem w 1651 roku, Janowi Sobieskiemu także pod Chocimiem w 1673 roku i w wielu innych bitwach. Miał i ma być wzorcem do naśladowania dla młodzieży, dlatego drugi sobór watykański wspomnienie o świętym Stanisławie Kostce w kalendarzu liturgicznym przeniósł z 13 listopada na 18 września, by dziatwa szkolna u progu roku szkolnego inspirowała się dojrzałą religijnością świętego, traktując go jako właściwy wzór do naśladowania. Czy jednak odniosło to skutek – pyta retorycznie współczesny jezuita Andrzej Paweł Bieś[41].

[41] *Św. Stanisław Kostka, Poloniae patronus minus principalis*, w: *Święci i świętość...*, s. 195.

Jakim patronem dla Polski jest święty Andrzej Bobola? Zbigniew Mikołejko określa go mianem partyzanta duchowego, szermierza unii brzeskiej[42].

Zamęczyli go Kozacy, a jego pośmiertnym losom towarzyszyły niezwykłe, wstrząsające wydarzenia. Zapewne więc nie pilnuje tylko spraw pojednania, ale raczej ostrzega przed polskimi katastrofami. Wedle księdza Paciuszkiewicza postać zamęczonego na Polesiu świętego wskazuje też na „nasze posłannictwo religijne i kulturalne na kresach wschodnich"[43].

Ojcowie jezuici wskazują, że Andrzej Bobola, będąc patronem zmartwychwstania Polski, odpowiada również za sprawy trudne. Pojawia się w widzeniach albo też coś niepokojącego dzieje się z jego relikwiami, gdy nad Rzecząpospolitą, a może i nad świat nadciągają ciężkie chwile. Tak jak przed pierwszą i drugą wojną światową oraz podczas powstania warszawskiego.

Ksiądz Mirosław Paciuszkiewicz w książeczce *Znów o sobie przypomniał,* przytacza współczesne relacje księdza Józefa Niżnika. Kapłan podaje, że Andrzej Bobola wielokrotnie pojawiał się w rodzinnym Strachocinie. W opinii księdza Niżnika święty domaga się kultu w tej miejscowości. Podczas wakacji w 1994 roku widziała Andrzeja Bobolę w Strachocinie także polonistka i katechetka: „to taki delikatny, zwiewny Święty, przepalony cierpieniem", powiedziała[44].

Pozostaje mieć nadzieję, że tym razem chodzi patronowi Polski jedynie o swój kult w rodzinnej miejscowości i że nad Rzecząpospolitą nie nadchodzą chmury trudnych czasów, zapowiadane zwykle pojawianiem się postaci świętego Andrzeja Boboli, zamęczonego 16 maja 1657 roku w Janowie Poleskim.

---

[42] Z. Mikołejko, *Żywoty świętych poprawione*, Warszawa 2000, s. 254.

[43] *Będę jej głównym patronem...*, s. 55.

[44] Mirosław Paciuszkiewicz, *Znów o sobie przypomniał. Św. Andrzej w Strachocinie*, Warszawa 1996, s. 20.

Rozdział 3.
Naród wybrany, czyli mesjanizm sarmacki

Polska zewsząd doskonała jest tak, iż jej nic przydać ani ująć nikt nie może – pisał w 1564 roku wybitny publicysta szlachecki Stanisław Orzechowski w Policyi. – Rzeczypospolita to Sancta Sanctorum, to jest święte miejsce z ludem wybranym[45].

Publicysta był też przekonany, że ludy „sławiańskie" są sławne z powodu niezwykłej bitności, czego dowód dali „słowiańscy" Macedończycy: „lud ten za najbitniejszy za innych miano, ile że ci pod Filipem i Aleksandrem wodzami świat cały podbili byli: przeto sami siebie Sławianami, to to jest sławą słynącymi i zaszczytu pełnymi, ojczystym nazwali językiem". I konkluduje dalej: „Grecja Sławian i od nich idących Polaków jest ojczyzną, nie tatarska, nie niemiecka ziemia". Słowiańska „Polacchia" powstała po śmierci Aleksandra, z mocy jego wydanego przedtem przywileju, gdy jego wodzowie bracia Lech, Czech i Rus puścili się na północ, zakładając „najcelniejsze w europejskiej Sarmacyi trzymali kraje. (...) Ci wodzowie ... nie tylko sobie krainę ale i nazwisko Sarmatów przywłaszczyli ... po zawojowanym od sibie tatarskim narodzie".

Maciej z Miechowa (1457–1523), nazywał się w rzeczywistości Maciej Karpiga i pochodził z rodziny kmieci. Paradoksalnie to dzieło syna chłopskiego Miechowity zrodziło przekonanie szlachty polskiej o pochodzeniu od walecznych Sarmatów.

Nawoływał więc Orzechowski, by Polska dziedziczyła cnoty swych „przodków": mądrość Ateńczyków, bitność Spartan i „Sławian" Alek-

[45] S. Orzechowski, *Quincunx, to jest wzór Korony Polskiej na cynku wystawiony*, w: J. Łoś, *Polskie dialogi polityczne*, Kraków 1919, s. 214–217.

sandra[46]. I choć jednocześnie nasz żonaty kanonik przemyski uderzał w tony dramatyczne, przestrzegając przed upadkiem Polski, z jej skłonnościami do rozpasanej wolności, to szlachta wierzyła coraz bardziej, że Rzeczpospolita z jej wolnościami i demokracją jest „krajem wybranym", przedłużeniem wielkości helleńskiej, sarmackiej, a nade wszystko rzymskiej.

Gdybyż ksiądz publicysta i szlachta wiedziała tyle, co teraz wiemy o pochodzeniu tak Słowian, jak i samych Polaków, o rozwiązłości, okrucieństwie tak gloryfikowanego Aleksandra Macedońskiego, jak obyczajowości i zaniku cnoty *arete* (męstwa) u Greków – zapewne gdzie indziej szukaliby wzorców dla „wielkości polskiej"...

Kronikarze od początku podejmowali próby wyjaśnienia, skąd wyrosła „przesławna Polska", „Najjaśniejsza Rzeczypospolita" i jej wolni obywatele szlacheccy. Za Maciejem z Miechowa i innymi historykami polskimi szlachta wierzyła też, że wywodzi się od starożytnych Sarmatów. Maciej Stryjkowski w swej *Kronice Polskiej,* wydanej w Królewcu w 1582 roku rozszerzył nazwę Sarmatów na wszystkie narody słowiańskie, pisząc rozdział „O wywodzie sławnego narodu Ruskiego, Słowańskiego, Sarmackiego". Jeszcze dalej poszedł Stanisław Sarnicki w swych *Annales* z 1587 roku, sięgając po Biblię i wywodząc Sarmatów od Assarmotha (zbieżność lingwistyczna nazw), potomka patriarchy Noego.

To Sarmaci, wedle Sarnickiego, ustanawiali wielkość i potęgę antycznej Asyrii, Egiptu, a potem trzęśli Azją i Europą. Potem Sarmacja miała się podzielić na azjatycką i europejską, ta ostatnia od Odry po Wołgę i od Morza Czarnego po Morze Białe.

Nie tylko cała Polska, ale Wielkie Księstwo Moskiewskie oraz Mołdawia z Wołoszczyną należą geograficznie do Sarmacji, dowodził geograf Aleksander Gwagnin w 1581 roku. Polska stanowi centrum Sarmacji. Przekonanie to było tak silne, że na nagrobku Zygmunta Augusta zmarłego w 1572 roku umieszczono napis: *Poloniarum Regi et Magno Lituaniae ac relique Sarmatiae Duci et Domine*, Król Polski i Wielki Książę Litewski, a także Książę i Pan pozostałej Sarmacji[47].

Skąd się wzięło dziwaczne z pozoru przekonanie o starożytnym pochodzeniu Polski i jej roszczenia do panowania nad Europą Środkową i Wschodnią? Grunt przygotowały średniowieczne kroniki Galla Anonima, a głównie mistrza Wincentego Kadłubka. Wydaje się jednak, że fundamentem przekonania o niezwykłym pochodzeniu Polaków i ich prawa do rządzenia Słowiańszczyzną, a potem innymi częściami świa-

[46] S. Orzechowski, *Kronika*, tł. M.Z.A Włyński, Sanok 1856, s. 9–11.
[47] T. Mańkowski, *Genealogia sarmatyzmu*, Warszawa 1946, s. 22.

ta był niezwykły, wolnościowy system rządzenia w Polsce, premiujący warstwę szlachecką, dający jej niezwykłe swobody i poczucie znaczenia. Niespotykane wolności w ówczesnym świecie dla warstwy szlacheckiej, czyli dziesięciu procent społeczeństwa, nie mogły być, wedle mniemania herbowych, dziełem przypadku i dziejowego procesu, tym bardziej że niewiele wówczas wiedziano o takich procesach, a jedynie o łasce Bożej.

Zapewne tak wyglądali antyczni wojowniczy Sarmaci. Czy byli protoplastami polskiego stanu herbowego?

Nauka akademicka raczej zdecydowanie neguje pochodzenie Polaków od Sarmatów, ale co jakiś czas pojawiają się nowe teorie, jak Tadeusza Sulimirskiego, dowodzącego, że Sarmaci „odcisnęli przy tym mniej lub bardziej wyraźne piętno na kulturze duchowej tych narodów", głównie polskiego. Sarmaci byli koczowniczym ludem pochodzenia irańskiego i ich wpływy językowe w językach słowiańskich zachowały się do dziś. Nie jest więc wykluczone, że Sarmaci zostali zasymilowani i wchłonięci przez polskich Słowian, sądzi T. Sulimirski[48].

Sarmaci byli znakomitymi wojownikami, spokrewnionymi między innymi ze Scytami i Persami. Jedno z plemion, Roksolanie, stosowało szarże ciężkiej kawalerii – katafraktów – przypominające późniejsze ataki husarii. Ważną rolę odgrywały tam wojownicze kobiety. W Rzeczypospolitej panie raczej nie walczyły, za to cieszyły się dużym szacunkiem. Poza tym w dość niepojęty sposób szlachta polska, mimo łacińskich wzorców, nie przyjmowała modnych kusych strojów zachodnich, ale szaty orientalne. Świadomie nawiązywano do wzorów wschodnich, kojarzonych potem jako narodowe, sarmackie. „Nie można sarmackich strojów traktować jako maskarady", pisała Maria Janion. W końcu chorągwie polskie czasem przypominały tak bardzo tureckie, że pod Wiedniem hełmy ozdabiano słomą, by nie zaatakowały ich roty niemieckie[49].

---

[48] T. Sulimirski, *Sarmaci*, przeł. A. i T. Baranowscy, Warszawa 1979, s. 188 i n.; M. Janion, *Niesamowita Słowiańszczyzna*, Kraków 2007, s. 176 i n.

[49] M. Janion, *op.cit.*, s. 178.

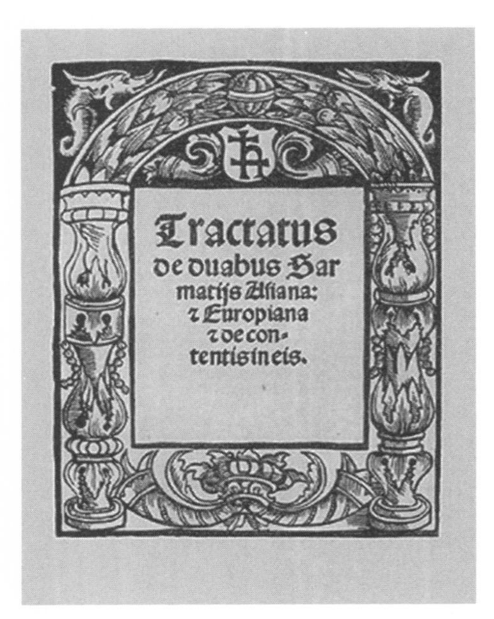
Tractatus
de duabus Sar
matijs Asiana:
⁊ Europiana
⁊ de con-
tentis in eis.

Dzieło Macieja Miechowity o dwóch Sarmacjach z 1517 r. było też próbą polemiki z obowiązującymi poglądami geograficznymi Ptolemeusza.

Tożsamość polska zrodziła się w identyfikacji z dawnymi Sarmatami, orientalną modą, sposobem walki i stanową wolnością.

Było w istocie co podziwiać: demokracja szlachecka była porównywalna tylko do ustroju republiki weneckiej i przewyższała inne autorytarne czy despotyczne monarchie. W zestawieniu z chaotyczną, podzieloną na państwa i państewka Rzeszą Niemiecką, tyranią władców Moskwy, bezwzględną władzą cesarzy habsburskich nad poddanymi, azjatyckim despotyzmem tureckim, perskim i innym; w porównaniu z krwawymi wojnami religijnymi i plagą pojedynków we Francji oraz w innych krajach Europy Zachodniej – Rzeczpospolita jawiła się szlachcie jak oaza wolności i spokoju. W tym sensie Polska była w XVI wieku krajem wielkiej demokracji skrojonym na ówczesne feudalne stosunki, choć tak publicyści, jak i postronni obserwatorzy dostrzegali groźne niebezpieczeństwa owej demokratycznej wolności dla losów państwa. Niemal w każdej poważniejszej mowie pojawiały się tony przestrogi, wieszczące nadciągający upadek Polski. Ta swoista nerwica polska brała się z poczucia nadmiaru wolności i wielkości Rzeczypospolitej, a z drugiej strony niemożności rezygnacji ze złotej wolności na rzecz na przykład władzy króla. Świadczą o tym niezliczone mowy sejmowe, sejmikowe, rokoszowe, powitalne, biesiadne, publicystyka polityczna, kazania itd.[50]

Ale najbardziej przekonania o wyjątkowości Polski utrwaliły zapewne zwycięstwa żołnierzy i dowódców polskich. To działało na zbiorową wyobraźnię rycerskiej szlachty. Pogrom zakonu krzyżackiego pod Grunwaldem w 1410 roku przez armię polsko-litewską otworzył niezwykłą epokę wiktorii oręża polskiego. Po słynnym zwycięstwie wojsk

[50] J. Nowak-Dłużewski, *Okolicznościowa poezja polityczna w Polsce. Dwaj królowie rodacy*, Warszawa 1980; J. Nowak-Dłużewski, *Okolicznościowa poezja polityczna w Polsce. Dwaj młodsi Wazowie*, Warszawa 1972; J. Nowak-Dłużewski, *Okolicznościowa poezja polityczna w Polsce. Zygmunt III Waza*, Warszawa 1971.

polsko-litewskich hetmana litewskiego Konstantego Ostrogskiego koło Orszy w 1514 roku nad znacznie silniejszą armią moskiewską koniuszego Iwana Czeladnina militarne sukcesy polskie osiągną apogeum w XVI i XVII wieku. Staną się sławne na całą Europę, przyczyniając się do powstania opinii i mesjanistycznego mitu *antemurale christianitatis* – Polski jako przedmurza chrześcijaństwa chroniącego Europę przed zalewem islamu. Ziemie i wojska Rzeczypospolitej od zarania zaczęły bowiem stanowić osłonę przed napierającym islamem tureckim; jednak podobnie ziemie węgierskie i austriackie stawały się murem chrześcijaństwa. Na co dzień jednak na południowo-wschodnich kresach Polski toczyły się zaciekłe walki z Tatarami, co sprawiało wrażenie, że Rzeczpospolita broni wrót Europy przed nawałą islamską. Przekonanie o wyjątkowości sarmackiej Rzeczypospolitej mogło jedynie narastać.

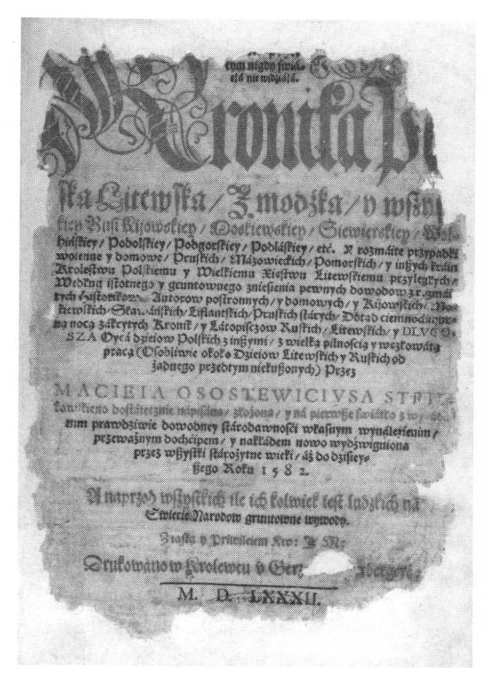
tym nigdy świát nie widźiáł.
Kronika Pol-
ska Litewska / Żmodzka / y wszy-
tkiey Rusi Kijowskiey / Moskiewskiey / Siewierskiey / Wo-
hińskiey / Podolskiey / Podgorskiey / Podláskiey / etc. Y rozmáite przypadki
woienne y domowe / Pruskich / Mázowieckich / Pomorskich / y inszych krain
Krolestwu Polskiemu y Wielkiemu Xiestwu Litewskiemu przyległych /
Wedlug istotnego y gruntownego zniesienia pewnych dowodow z rozmái-
tych Historikow Autorow postronnych / y domowych / y Kijowskich / Moskiewskich / Słowáńskich / Liflantskich / Pruskich stárych / Dotąd ciemnodusz-
ną nocą zákrytych Kronik / y Látopisczow Ruskich / Litewskich / y DLVGO-
SZA Oycá dźiejow Polskich z inszymi / z wielką pilnością y wczkowátą
pracą (Osobliwie około Dźiejow Litewskich y Ruskich od
żadnego przedtym niekuszonych) Przez
MACIEIA OSOSTEWICIVSA STRY-
kowskiego dostátecznie nápisána / złożona / y ná pierwsze świádło z
nim prawdziwie dowodney stárodawności wkłasnym wynáleźieniem /
przeważnym dowćipem / y nákładem nowo wydźwigniona
przez wszystki stárożytne wieki / áż do dźisiey-
szego Roku 1582.
A naprzod wszystkich ile ich kolwiek iest ludzkich ná
Swiecie Narodow gruntowne wywody.
Z łaską y Priwileiem Kro: J. M.
Drukowáno w Krolewcu u Gerz bergerá.
M. D. LXXXII.

Wywody Miechowity o Sarmatach-Polakach podtrzymywał Maciej Stryjkowski w swej skompilowanej z Jana Długosza i innych *Kronice polskiej, litewskiej, żmudzkiej i wszystkiej Rusi...*

Słowo Sarmata najpierw oznaczało walecznego, honorowego, niedbającego o wygody rycerza, gotowego walczyć za wiarę i ojczyznę. Potem ów rycerz coraz bardziej zmieniał się w pobożnego, rubasznego ziemianina, zajętego gospodarką na folwarku, sejmowaniem, politykowaniem, a coraz mniej obroną ojczyzny. Coraz silniej nawiązywano do wzorców rzymskich: Rzeczpospolita w oczach szlachty stawała się swoistym spadkobiercą *Imperium Romanum*. „Cnota starorzymska i staropolska miały być ze sobą identyczne”, zauważa badacz tych spraw Tadeusz Mańkowski[51].

W ten sposób okrzepło poczucie wspólnoty intelektualnej i emocjonalnej warstwy szlacheckiej, zwane sarmatyzmem.

Rosnąca siła państwa polskiego, a nade wszystko wielkość jej obszaru osiągającego prawie milion kilometrów kwadratowych, wielość kultur i siła oręża powodowały, że szlachta uważała się także za

[51] T. Mańkowski, *op. cit.*, s. 66.

militarnych i kulturowych kontynuatorów imperium rzymskiego. Bodaj nigdzie tak biegle nie władano łaciną, jak w Rzeczypospolitej i nie znano tylu języków, jak nad Wisłą. Wynikało to z wielonarodowości i otwartości na inne kultury. Na przykład wybrany na króla Polski w 1573 roku francuski książę Henryk de Valois w porównaniu na przykład z młodym sekretarzem królewskim Janem Zamoyskim bardzo marnie znał język łaciński, *lingua franca* feudalnej Europy. Znajomość języka francuskiego, którym władała znaczna część delegacji polskiej jadącej do Paryża, zaskoczyła Luwr, pozbawiając dwór francuski na chwilę tonu absurdalnej wyższości nad „barbarzyńcami ze Wschodu": „rzekłbyś, że się raczej nad brzegami Sekwany niż nad Wisłą i Dnieprem rodzili", orzekli zdumieni dworacy, słuchając dumnych panów polskich[52].

Zapewne ta niezwykła znajomość języków pośród wykształconej części warstwy szlacheckiej, łatwość uczenia się ich i posługiwania wynikała także z poczucia wolności i niewywyższania się wśród wielu narodów jednego ogromnego państwa. I oczywiście była skutkiem wyjazdów młodych magnatów na nauki i peregrynacje po krajach Europy Zachodniej.

Odkrycia geograficzne Krzysztofa Kolumba i jego następców nie zachwiały poczuciem wyjątkowości Rzeczypospolitej jako wysuniętej placówki, obarczonej obowiązkiem misyjnym. Publicyści nad Wisłą mieli jednak co przeciwstawiać sukcesom Hiszpanów, Portugalczyków, Anglików i innych w podboju Ameryk – „Nowych Indii".

„Żaden naród na świecie i indyjskie włości,
Nie pochlubią się też z takich jak Polska wolności.
Żaden kraj i nacyja ni ziemia zamorska
Nie może temu zdołać, co szlachetna Polska".

Tak podnosił na duchu Sarmatów w 1608 roku Wawrzyniec Chlebowski[53].

Polacy nie musieli podbijać zamorskich krain, choć mieli świadomość siły i potęgi. Brak sukcesów w podboju zamorskiego świata Sarmaci kompensowali sobie całkiem blisko: w akcjach misyjnych wobec Rusi i Żmudzi. „Nie trzeba nam Indii wschodnich i zachodnich, jest bowiem Indią Litwa Północna", pisał jezuita Piotr Skarga 17 lipca 1573 roku do prowincjała zakonu Wawrzyńca Maggio. „Są tu w pobliżu Indie i Japony w narodzie ruskim połockim, mieście nieświadomym

[52] *Dyplomaci w dawnych czasach. Relacje staropolskie z XVI–XVII stulecia*, oprac. A. Przyboś, R. Żelewski, Kraków 1959, s. 106.

[53] Za: J. Tazbir, *Sarmaci i świat*, Kraków 2001, s. 22.

boskich rzeczy", wtórował mu król z Węgier Stefan Batory.

Polscy lisowczycy, których zrodziła okrutna wojna moskiewska w 1615 r., docierali aż do Renu, szerząc postrach. Byli niezwykle szybcy i bezwzględni w zabijaniu, przyczyniając się na zachodzie Europy do wytworzenia obrazu polskiej jazdy i jej dzikości.

Ale katalizatorem polskiego poczucia misji wobec Europy, a potem „świata" stała się wojna Rzeczypospolitej z Moskwą, rozpoczęta od wsparcia Dymitra zwanego Samozwańcem w 1604 roku przez polskich magnatów. Wraz z Dymitrem Sarmaci dotarli do moskiewskiego Kremla, do Granowitej Pałaty.

Wielkie Księstwo Moskiewskie rządzone despotycznie i okrutnie przez wielkich książąt, a potem carów, stanowiło od lat krzywe zwierciadło, w którym mogły się przeglądać sławne wolności polskie. Gdy Polacy się przeglądali w tym zwierciadle okrucieństw i samowoli carów, widzieli się jako państwo wyjątkowe, naród wybrany na tle przerażającego wschodnie-go despotyzmu: państwo potężne, a przecież wolnych obywateli; ogromne, a przecież rządzone demokratycznie, bez tyranii, której nad Wisłą chorobliwie się obawiano. O chłopach i mieszczanach w takich chwilach zapominano, bo ktoś przecież musiał pracować, ktoś się modlić, a ktoś bronić ojczyzny i politykować.

I na dodatek Polska na przełomie XVI i XVII wieku przeżywała wyż demograficzny młodzi szlacheckiej. To ich, ówczesnych bezrobotnych rycerzy, namawiał Paweł Palczowski do podboju Wschodu w broszurze napisanej z inspiracji dworu królewskiego: „tam do Moskwy jedź, nabędziesz tam majętności i inszych bogactw wiele ... a rozrodziliśmy się, tamże jedźmy, będziemy tam mieli kędy rozprzestrzeniać się, a jeszcze na gruntach dziwnie urodzajnych". Ziemie moskiewskie rysowały się w Rzeczypospolitej niczym dziewicze obszary Indii Zachodnich, jak nazywała szlachta Amerykę kolonizowaną przez Hiszpanów i Portugalczyków. „A nam jak najsnadniej do państwa moskiewskiego przyjść aniż inszym do tamtych Indów, każdy to baczyć może. A dostawszy tego, moglibyśmy też potężnością i bogactwy i każdym narodom, i królestwom w chrześcijaństwie porównać", pisał Palczowski w 1609 roku w *Kolendzie moskiewskiej*.

Polskie plany sięgnięcia po koronę carów, czyli czapkę Monomacha, ubierano więc w kostium kolonializmu, wzorowany zapewne na podbojach Corteza czy Pizarra. To pobudzało społeczną wyobraźnię. Ale do tego potrzebna była też ideologia.

Polacy mieli ją pod ręką od dawna: sarmatyzm. Teorie Miechowity pasowały jak ulał do wydarzeń i ekspansji.

Marcin Paszkowski dowodził zatem, że Polacy są dziedzicami obszarów od Oki przez Wołgę i Don, gdyż tam sięgała Sarmacja. Rusowie są jedynie pasierbami Sarmatów, władającymi bezprawnie tymi ziemiami[54].

Wojna polsko-moskiewska, która wybuchła w 1609 roku, po zawarciu przez Moskwę sojuszu ze Szwecją, miała więc mieć cechy wojny sprawiedliwej: odebrania dawnej własności Sarmatów – protopolastów Polaków.

I tak Polacy wyszli poza granice ogromnego państwa, co raczej było wypadkiem niż regułą, gdyż tylko sejm mógł na to zezwolić. Transgresja ta wymagała wielkiego ideologicznego uzasadnienia.

Ogromna pewność siebie Sarmatów po zajęciu Moskwy rosła odtąd wprost proporcjonalnie do sukcesów militarnych. Królewicz Władysław Waza został uznany za cara Rosji, polskie zagony zapędzały się pod Morze Białe, a poselstwa królewskie Zygmunta III pertraktowały z szachem Persji o dalszych losach tragicznie spustoszonych i wyniszczonych ziem moskiewskich. Zagony lisowczyków, wychowanych na bezlitosnej wojnie moskiewskiej, zapędzały się od źródeł Wołgi przez Śląsk, Czechy i Niemcy aż nad Ren. Decydowały o losach bitew i wojen, na przykład pod Humiennem, gdzie wyrżnęli Węgrów, czy Białą Górą w 1620 roku, kiedy to wolność na blisko trzy wieki utraciły Czechy. Lisowczycy stanowili też forpocztę katolicyzmu, tępiąc okrutnie heretyków po całej Europie.

Widział to na własne oczy niezwykły kapelan lisowczyków, prowincjał franciszkanów Wojciech Dembołęcki, który przemierzył z „elearami" Niemcy aż po Ren. Dembołęcki pod wpływem sukcesów lisowczyków nie miał już wątpliwości, że Polacy są narodem wybranym. W Rzymie zaczął pisać dzieło z założeniem, że „Polacy, czyli Scytowie są narodem wybranym, pierwszym wśród wszystkich narodów świata, do którego ongiś należało panowanie nad światem i do którego niezadługo powróci, a język słowiański (tj. polski) – pierwotnym językiem świata"[55].

[54] Za: J. Besala, *Stanisław Żółkiewski*, Warszawa 1988, s. 209–210.

[55] H. Barycz, *Dembołęcki (Dębołęcki) Wojciech*, Polski Słownik Biograficzny.

Przekonania Sarmatów o wywyższeniu Polaków podtrzymywały niezwykłe hołdy: rodziny cara Wasyla Szujskiego przed królem Zygmuntem III w Warszawie w 1611 r. Tutaj widzimy hołd rosyjskiego wodza Michała Szeina przed królem Władysławem IV Wazą w 1634 r. po przegranej batalii o Smoleńsk. Szein został m.in. za to stracony na rozkaz cara.

Twierdzenia o pierwotności i wyższości języka słowiańskiego wobec innych języków, a szczególnie rozpowszechnionej łaciny, nie pojawiły się między Wartą a Dnieprem po raz pierwszy. W drugiej połowie XVI wieku Piotr Skarga w dziele *O jedności Kościoła Bożego* wymawiał Rusinom, że nie znają języka słowiańskiego (czyli starosłowiańskiego traktowanego czasem wymiennie z językiem ruskim, który uznawano jednak za zepsuty i gorszy) i muszą szukać polskich tłumaczeń, by zrozumieć jakąś księgę. W odpowiedzi prawosławny Jan (Iwan) Wiszeński w *Posłaniu do kniazia Ostrogskiego* oznajmiał: „Drukujcie wszystkie księgi cerkiewne i ustawy językiem słowiańskim; wyjawiam wam wielką tajemnicę, że diabeł zawistny jest wobec języka słowiańskiego, że ledwo żyw jest od gniewu, rad by go do szczętu zniszczyć ... dlatego diabeł wypowiedział walkę językowi słowiańskiemu, jest on lepszy od wszystkich innych języków i szczególnie ukochany przez Boga”[56].

Opinie o pierwotności i wyższości języka słowiańskiego Dembołęcki zasłyszał zapewne także podczas podboju Moskwy. Jednakże oprócz

[56] Za: T. Chynczewska-Hennel, *Świadomość narodowa szlachty ukraińskiej i kozaczyzny od schyłku 16 do połowy 17 w.*, Warszawa 1985, s. 63.

Wielu bystrych obserwatorów życia politycznego w Rzeczypospolitej dostrzegało niebezpieczeństwa polskiej megalomanii. Przestrzegał ks. Piotr Skarga, uwieczniony przez Jana Matejkę w profetycznym uniesieniu. Jednakże kaznodzieja swych kazań pełnych przestróg prawdopodobnie nigdy nie wygłosił przed królem i senatorami. Pozostały one na piśmie.

sukcesów „elearów" znaczny wpływ na przekonania kapelana miała, jak się wydaje, pita w nadmiarze gorzałka i niezwykły temperament.

Franciszkanin, skłócony potężnie ze swym zakonem i władzami kościelnymi, wywodził swe pomysły z dziwacznych zestawień etymologicznych. Ewa pochodzi z polskiego dziewa, udowadniał autor; Abraham z obran, Absalom z obrzezan. W raju mówiono po słowiańsku, a słowa Ezechiela wskazują na prawo Rzeczpospolitej do panowania „na wszystką Azję, Afrykę i Europę".

Fantastyczne tezy znalazły się w dziele aprobowanym przez króla Władysława IV, szykującego się do rozprawy z Turcją. Rękopis zatytułowany był bombastycznie: *Wywód jedynowłasnego państwa świata, że najstarodawniejsze w Europie Królestwo Polskie lubo scytyjskie samo tylko na świecie ma prawdziwe sukcesory...* Dzieło zyskało przychylność pewnej części szlachty, gdyż łechtało mile próżność sarmacką i było wyrazem jej przekonań albo oczekiwań.

Ale druku się nie doczekało, do czego hulaszczy tryb życia autora mocno się przyczynił.

Wyczyn pisarski księdza Dembołęckiego, pomimo jego nieupowszechnienia, wskazuje jednak na pojawienie się swoistego mesjanizmu wśród części Polaków i poczucia wyższości nad innymi jako narodu jeśli nie pierwszego, to z pewnością wybranego. Niektórzy badacze sądzą jednak, że nie miał on wiele wspólnego z tonami posłannictwa, czyli mesjanizmu, a już szczególnie późniejszego, romantycznego, dziewiętnastowiecznego[57].

Nieopublikowanie rękopisu Dembołęckiego zdaje się o tym świadczyć, ale z równym powodzeniem można stwierdzić, że powodem była nierównowaga emocjonalna autora *Wywodu,* o czym plotkująca zawzięcie szlachta z pewnością wiedziała.

Sam Dembołęcki po okresie skandali, sporów i walk z hierarchią kościelną uspokoił się nieco. Chyba przestał pić i zadawać się z dziewkami, o co go dotąd oskarżano. Pod koniec życia, w 1643 roku pogodził się ze swym zakonem. Nie doczekał wybuchu wojny z Kozakami Chmielnickiego, potopu w 1655 roku i czasów zwanych przez szlachtę od inicjałów króla Jana Kazimierza *Initium Calamitas Regni* (początek nieszczęść Królestwa).

Polski naród wybrany odtąd przestał mieć pretensje do panowania „na wszystką Azję i Afrykę". Przekonanie o prawie do panowania upadło wraz z pojawieniem się trudności z utrzymaniem ogromnego terytorium Rzeczypospolitej. Zaczęły się sprawdzać przepowiednie z drugiego bieguna polskiej wyjątkowości: przestróg księdza Piotra Skargi i innych publicystów o nieuchronnym upadku ojczyzny, porażanej przez prywatę, działania magnatów i szlachty w ramach nieokieł-znanej wolności i zranionych ambicji. Rosła rzesza egzulów, szlachty kresowej wygnanej ze swej czernihowskiej czy siewierskiej ojcowizny.

Ale mit narodu czy też państwa wybranego nie wygasł całkiem nawet po potopie. Raczej zmienił postać. Niebawem rozwinęła się w jeszcze pełniejszej krasie ideologia Rzeczypospolitej jako ostatniej deski ratunku, czyli ostatniego już przedmurza chrześcijaństwa – *antemurale christianitatis*. Był to czas, gdy Węgry utraciły niepodległość, a Austria uginała się pod ciężarem osmańskich ataków. Przekonanie o tureckim islamie dążącym do władzy nad światem przenikało polskie myślenie od dawna. Turek bowiem, jak pisał panegirysta Jan Jurkowski w początkach XVII wieku:

„Jedną nogą – Azyją, drugą zaś Afrykę
Depce; zaś lewą ręką chce zgnieść Amerykę"[58].

---

[57] Por. T. Ulewicz, *Sarmacja. Studium z problematyki słowiańskiej XV i XVI w.*, Kraków 1950; K. Koehler, *Słuchaj mnie, Sauromatha. Antologia poezji sarmackiej*, Kraków 2002, s. 31.

[58] J. Jurkowski, *Utwory panegiryczne i satyryczne*, oprac. Cz. Hernas i M. Karplukówna, Wrocław 1968, s. 252; J. Tazbir, *op. cit.*, s. 308.

Szara eminencja kardynała Richelieu, kapucyn Francois de Tremblay, wiedział, co mówi, określając Polskę wałem ochronnym Europy. To on tworzył siatkę szpiegów francuskich na kontynencie.

Znaczna część Europy była już od XV wieku w rękach tureckich, więc siłą rzeczy Polska, walcząca od dawna z Tatarami, wyznaczona została niejako przez chrześcijańską Europę do obrony wiary. Historycy sądzili, że w rolę tę wepchnęli Polskę nuncjusze apostolscy. Jednak, jak udowadnia Janusz Tazbir, „to nie przedstawiciele papieskiej dyplomacji, lecz sami Polacy pierwsi nazwali swą ojczyznę przedmurzem chrześcijaństwa”[59].

Czy to służyło polskiej racji stanu? Zapewne tak, Rzeczpospolita umacniała najpierw własną potęgę, a potem broniła niezawisłości, więc działała raczej we własnym interesie, który rodził się jednak w wyniku silnych konfliktów wewnętrznych.

Obraz Rzeczypospolitej jako *antemurale christianitatis* upowszechnił się w świecie. Szara eminencja dworu francuskiego, Józef de Tremblay (1577–1638), nazywał Polskę wałem ochronnym chrześcijaństwa. Polska szlachta w tym czasie była jednak mądrzejsza. Wolała wieczny pokój za owym wałem, zawierając w 1530 roku na sto lat traktat pokojowy z Turcją niż przyjmowanie na siebie ciosów w ramach ochrony całej Europy.

Ale jak każdy wieczny pokój, ten również nie przetrwał. W 1620 roku na polu bitwy nad Prutem, w wielkim starciu z Turkami i Tatarami śmierć poniósł bohaterski do końca hetman Stanisław Żółkiewski. W rok później pod Chocimiem wojska Rzeczypospolitej pod hetmanem Janem Karolem Chodkiewiczem obroniły się bohatersko, zmuszając do odwrotu armię samego sułtana. Wróciło i ugruntowało się w świecie przekonanie o Polsce jako *antemurale christianitatis.* Rzeczpospolitą coraz częściej określano jako „mur wiary prawdziwej” czy też „wał potężny od krajów pogańskich”.

Rzesze polskich magnatów i szlachty były wychowywane odtąd w tej tradycji. Przyszły król Jan III Sobieski, prawnuk Żółkiewskiego,

[59] J. Tazbir, *Polska przedmurzem chrześcijaństwa*, Warszawa 2004, s. 205.

w młodzieńczej mowie również nazwał Polskę przedmurzem i puklerzem chrześcijaństwa[60].

To nie był czczy slogan. Przekonanie to zasiedliło się w zbiorowej wyobraźni szlachty, jak i na dworach europejskich w XVII wieku, osłanianych przez Polskę i Austrię przed wojowniczym islamem. Przez wieki odżywać będzie sprawa Świętej Ligii – krucjaty europejskiej na czele z Polską przeciw imperium tureckiemu. Nadawało to Rzeczypospolitej znów stygmat kraju wybranego: „jako Nowy Izrael broni wiary chrześcijańskiej przed mahometańskim zagrożeniem", pisano w „poetykach" w drugiej połowie XVII wieku. Innym motywem narodu wybranego była obrona katolicyzmu przez Polaków jako wiary prawdziwej. Przekonanie to pokrzepiła zwycięska obrona katolicyzmu podczas potopu szwedzkich luteran, najazdów prawosławnych Kozaków i Moskwian. Pojawiło się niezłomne przekonanie, że Polska ma bronić Europy nie tylko przed islamem, ale także wyznania katolickiego przed protestantami.

Wybór pogromcy Tatarów i Turków, hetmana koronnego Jana Sobieskiego, na króla Polski wzmocnił wiarę w posłannictwo Polski. Wierzono, że Polacy i chrześcijanie pobiją pod wodzą króla nienawistnych bisurmanów i zajdą bardzo daleko. Aż do Ziemi Świętej.

„I zdarzy się jeszcze Jedyny Syn Boży", który wyrżnie chimerę, czyli Turków, pisał S.H. Lubomirski, po czym dodawał:

„Jeszcze Betlejem i Jerozolima
Może mieć, Panie, Mieszkańca z Pielgrzyma".

Lubomirski wskazywał w ten sposób na zwycięskiego wówczas hetmana, a potem króla Jana Sobieskiego.

Po sławnej wiktorii pod Wiedniem w 1683 roku, pomimo wielkiej zawiści elit polskich, brać szlachecka początkowo nie wątpiła w szczególne posłannictwo Jana III i narodu polskiego. Został on uznany przez poetę Wespazjana Kochowskiego, że „jest człowiekiem od Boga posłanym: aby nademgloną dźwigał Sarmacyją"[61].

To wtedy, jak się wydaje, zatriumfuje wiara szlachty w powołanie Polaków i ich króla Jana III przez samego Boga do wypełnienia wielkiej misji dziejowej – obrony chrześcijaństwa. Krzysztof Obremski nazwał te czasy „apogeum sarmackiego mesjanizmu": wiary szlachty w wyznaczenie Polski przez Boga do obrony przed zalewem islamu i obrony wartości „prawdziwej wiary katolickiej".

---

[60] J. Tazbir, *Szlaki kultury polskiej*, Warszawa 1986, s. 210 i n.

[61] K. Obremski, *Od Wiednia do Jerozolimy (apogeum sarmackiego mesjanizmu)* w: *Między barokiem a oświeceniem. Apogeum sarmatyzmu. Kultura polska 2. połowy XVII w.*, red. K. Stasiewicz i St. Achremczyk, Olsztyn 1997, s. 100 i n.

Andrzej Towiański (1799–1878) był mistykiem oddziałującym silnie na polskich wieszczów doby romantyzmu. Nawoływał do wprowadzenia stosunków ewangelicznych między rządami, narodami i ludźmi i interweniował w tej sprawie bezskutecznie u papieży. Był przekonany, że Polacy, Francuzi i Żydzi pełnią szczególne posłannictwo w drodze ludzkości do doskonałości. Przyczynił się do przekonania, że rozebrana, cierpiąca Polska stała się „Chrystusem narodów", co przetrwało do dzisiaj w potocznej świadomości narzekających Polaków.

Sam Jan III urósł pod piórami nie tylko panegirystów, ale i poetów czy wierszokletów, do niezwykłych ról. Określano go mianem nowego Gotfryda z Bouillon, zdobywcy Jerozolimy podczas pierwszej krucjaty w latach 1096–1099. Króla Jana III wysławiano w niezwykłych wierszach i pieśniach ludów bałkańskich, jęczących po tureckim panowaniem, gdzie narastała legenda o polskim królu wybawicielu.

Rzecz ciekawa, że mesjanistyczna wiara Sarmatów nie przekładała się na spokój polityczny w państwie i na wzmocnienie Rzeczypospolitej. Legenda rosła, podczas gdy w Polsce niemal wszystko się powoli degenerowało. W czasach saskich sarmatyzm nie był już patriotyczną, rycerską postawą, ale kojarzył się głównie z biesiadowaniem, panegiryzmem retorycznym, ceremonialną religijnością, sentymentalizmem i pijaństwem. Wyrazem tego stało się powiedzenie: „Za króla Sasa jedz, pij i popuszczaj pasa". Sejmy rozchodziły się z niczym, narastała anarchia i chaos. To nie tylko mit, ale i smutna rzeczywistość zrywanych sejmów, także z inspiracji ościennych mocarstw.

Dlaczego? Może i dlatego, że mając wiarę w szczególną opiekę Bożą oraz w mesjanistyczne posłannictwo wobec Europy i świata, polska szlachta poddawała się temu przekonaniu, podcinając mimowolnie korzenie państwowości. Mesjanizm sarmacki konserwował myślenie szlachty o sobie jako narodzie wybranym i o szczególnej opiece Maryi. Zgodnie z tego typu myśleniem o nic więcej nie trzeba było się starać: Jezus i wstawiająca się u Niego Matka Boża i tak pomoże, zdawała się wierzyć szlachta. Swoisty kwietyzm szlachty doby upadku państwa polskiego, czyli poddanie się woli Bożej, która, jak wierzono, i tak uchroni państwo, działało niestety na niekorzyść Polski.

Kwietyzm szlachecki okazał się bowiem kompletnym anachronizmem wobec oświeceniowego cynizmu i armat rosyjskiej Katarzyny II, czy też pruskiego Fryderyka II. Sarmacki mesjanizm odżył znakomicie w czasach saskich, by wreszcie upaść jako ideologia wraz z rozbiorami Rzeczypospolitej. Nie pomogła apoteoza sarmatyzmu w XIX wieku, dokonana przez Henryka Rzewuskiego, który w przedmowie do romansu *Listopad* nazwał sarmatyzm „odrębną cywilizacją z wyobrażeń chrześcijańskich rozwiniętą", którą „wywłaszczyły wyobrażenia francuskie", libertynizmu i „rewolucyjnego Rozumu" po 1789 roku[62].

Sporo w tym racji. Sarmatyzm polski z jego wiecznym karnawałem, długimi strojami szlacheckich kontuszy, z panegirycznym gadulstwem, pobożnością, ceremonialnością i pysznymi pozami jest polskim wkładem w niezwykłe dzieje cywilizacji europejskiej. Trochę archaicznym, podejrzanie dumnym czy nawet pysznym, ale przez to ciekawym, bardzo oryginalnym, polskim, niepowtarzalnym na tle rozwiązłej Europy „czasów Rozumu"[63].

Jednak w oczach przyszłych pokoleń sarmatyzm bardziej kojarzył się z upadkiem Polski niż radością życia i wzorem do naśladowania. A jeśli już bawiono się gdzieniegdzie po zaściankach i dworach na wzór sarmacki, to za tę radość przyszło szlachcie drogo zapłacić.

Ale scheda po sarmatyzmie nie była i nie jest do końca fatalna. Pozostał po nim dumny mit narodu wybranego. Mesjanizm sarmacki miał swoje niezwykłe przedłużenie w czasach romantyzmu, mimo prób naukowego podważania tego poglądu[64].

Trudno nie zauważyć, że mesjanizm zniewolonych Polaków przekształcił się w figurę „Chrystusa narodów": skatowanego przez cynicznych, wrednych ościennych siepaczy i rozebranego „Odkupiciela świata". Wykreuje ten mesjanizm myśl romantyczna, w znacznej mierze Adam Mickiewicz, poddany wpływom mistyka Andrzeja Towiańskiego.

Znów Polacy mogli poczuć się w stroju narodu wybranego.

Czy coś zostało z reliktów sarmackiego mesjanizmu, narodu wybranego? Myślę, że relikty mesjanistyczne pozostały długo w świadomości, a zapewne i podświadomości zbiorowej Polaków. Bez wiary w posłannictwo Polski jako Chrystusa narodów, Odkupiciela, nie byłoby krwa-

---

[62] H. Rzewuski, *Listopad, romans historyczny*, Wilno 1840, s. 7.

[63] Por. T. Mańkowski, *op. cit.*, s. 165.

[64] Por. T. Ulewicz, *Sarmacja. Studium z problematyki słowiańskiej XV i XVI w.*, Kraków 1950; K. Koehler, *op. cit.*, s. 31.

wych zrywów i powstań, daniny krwi niemal każdego pokolenia Polaków, uporczywego dążenia do niepodległości i suwerenności. Być może nie byłoby także „Solidarności" z jej ideologią *non-violence*, niesiłowego dążenia do wyzwolenia się spod nieludzkiego systemu.

Na taką drogę dziejową jak Polska, przepełnioną walką o wolność i niezwykłym hartem ducha, może sobie tylko pozwolić naród, który nosi w sobie dumne przekonanie o wyjątkowości. Więc może sarmacki mesjanizm nie był do końca anachronizmem, niósł jednak pozytywne wartości i ważne dla dziejów polskich przesłanie.

Część III

WĄTKI MAGICZNE I TRAGICZNE

Rozdział 1. Niech ci kat świeci

Byś miał i burmistrza brata
Ruszysz li tu, osrasz kata

Przestrzegał Mikołaj Rej w *Apoftegmatach krótszych* złodziei sklepowych i targowych. Kradzież w wiekach średnich i później była niesłychanie ryzykownym przedsięwzięciem, gdyż szesnastowieczne prawo polskie było znacznie surowsze niż obecne. Za kradzież karano co najmniej obcięciem ręki lub rąk, a najczęściej powieszeniem poza miastem.

Autor *Księgi złoczyńców*, pisarz miejski w Kazimierzu, opisał w 1595 roku dosadnie, jaki bywał los złodzieja. W poniedziałek po świętym Marcinie złapano na kradzieży Kaspra z Nowego Miasta. Został doprowadzony przez trzech mieszczan do ratusza kazimierskiego. Najpierw potwierdzono tożsamość: „Kasper, syn Bartosza woźnego i Katarzyny małżonków", po czym nieszczęsny złodziejaszek został przesłuchany zgodnie z regułami ówczesnej sztuki prawniczej.

Wedle wielowiekowych przekonań ścięcie mieczem było humanitarną karą zarezerwowaną dla wysoko urodzonych. Być może widoczny na obrazie św. Jan Chrzciciel zostałby ukrzyżowany, gdyby pasierbica Heroda, za poduszczeniem matki, nie zażądała jego głowy na misie.

Jak zbadała Hanna Zaremska, kolejność była następująca: najpierw zachęcano przestępcę do zeznań dobrowolnych, w których wyznawał swe winy i wskazywał towarzyszy. Ociągał się jednak ze wskazaniem paserów. Kasper okazał się recydywistą notorycznym, działającym zapewne w tajnym cechu złodziei. Wiedziała o tym żona jakiegoś cieśli, która miała tak namawiać podejrzanego: „Kasperku, gdy będziesz miał czo, przynieś też do mnie". W drugim etapie zeznań – „gdy był ciongniony" w specjalnym urządzeniu tortur – wydał głównego pasera Dziguntę. W trzecim – „gdy był palony srożej żarny" – opowiedział szczegóły współpracy z Dziguntą. Ostatni etap pisarz zapisał krótko w owym *Confessio*, czyli zeznaniu: „obieszon"[1].

Wszystkie czynności opresyjne wykonywał kat. Przykład ten przywołujemy tu, gdyż przekazuje pośrednio czynności i funkcje, jakie pełnił kat w przebiegu śledztwa, procesu i egzekucji w dawnym prawie polskim. Była to postać od najdawniejszych czasów budząca trwogę, przerażenie i odbicie tego znajdujemy w literaturze i dokumentach. Kat w opinii społecznej zawsze był infamisem, obarczonym ekskluzją, czyli wyłączeniem poza nawias wspólnoty, człowiekiem niehonorowym, zniesławionym. Nie mógł przebywać pośród czcigodnych mieszczan.

Mieszkał więc poza miastem lub w jednej ze skrajnych baszt. Człowiek, który odbiera drugiemu życie i okrutnie go torturuje, nawet w majestacie prawa, był kimś przejmująco obcym, także w średniowiecznym mieście. Miarą strachu i wstrętu społecznego do kata był wielowiekowy zakaz dotykania go. Infamia, niesława, przechodziła na dotykającego.

---

[1] H. Zaremska, *Niegodne rzemiosło. Kat w społeczeństwie Polski XIV–XVI w.*, Warszawa 1986, s. 26, 27.

Kata, jak i zniesławionych ludzi, z trudnością dopuszczano nawet do spowiedzi; wiele zależało od tolerancji i wyrozumiałości duchownego. W drugiej połowie XVI wieku w Toruniu zezwolono oprawcom na jedną spowiedź w roku z pewnymi zastrzeżeniami. Spowiednicy, ojcowie dominikanie, mieli tak przytrzymywać w konfesjonale swe habity, by, broń Boże, kat ich nie dotknął.

Skutkiem tych tradycji i praw niektórzy szanowani mieszczanie zaplątywali się w tragiczne i niewiarygodne z pozoru przygody. Około roku 1475 pojawił się w Płocku, zapewne w interesach, czcigodny Hans Rintfleich z Wrocławia. Cieszył się nienaganną opinią, przyzwyczajony był przy tym do prawnych porządków niemieckich we Wrocławiu. Gdy stwierdził, że został okradziony przez karczmarza płockiego, zgłosił to do sądu grodzkiego.

Sędziowie i ławnicy po rozpatrzeniu sprawy orzekli wobec karczmarza karę śmierci przez powieszenie. Osobliwość polegała na tym, że karę tę miał wykonać sam czcigodny Rintfleich, w przeciwnym bowiem razie sąd orzekł odwrócenie ról: karczmarz miał powiesić mieszczanina.

Było to zgodne ze starodawnym prawem polskim, a zaskakująco niezgodne z niemieckim. Ale być może karę tę płocczanie zasądzili, gdyż Płock, jak wiele polskich miast, nie miał stałego kata. Rajcowie pisali o tym w wyjaśnieniu: „Nie było bowiem w tym czasie u nas kata (*tortor*) i nikogo, kto by karę wykonał”[2].

Sprowadzenie *tortora,* zwanego też „małodobrym”, kosztowało zbyt dużo, jak na oszczędnych mieszczan i szlachtę, siedzących pośród biednych mazowieckich piasków. Z drugiej strony dobrze to świadczy o uczciwości Płocka, krótkotrwałej stolicy Polski, skoro nie potrzebował kata.

Przerażony Rintfleich chciał wycofać pozew; błagał sędziów o zezwolenie na opuszczenie miasta. Ci jednak się nie zgodzili: *dura lex sed lex.* By przeżyć, Rintfleich w końcu sam powiesił karczmarza.

Odtąd jednak towarzyszyła mu infamia przypisana katu. Nieszczęsny mieszczanin wpadł w poważne społeczne i psychiczne tarapaty. Przez resztę życia usiłował zmazać straszną niesławę. Pisał do króla Kazimierza Jagiellona, opisując barbarzyński zwyczaj na Mazowszu i prosząc o zdjęcie niesławy. Zaskoczony dziwacznym sądem król infamię zdjął.

Ale potworny uraz psychiczny tkwił jak cierń w poranionej jaźni czcigodnego dotąd mieszczanina. Niebawem umarł, ale niesława przeszła na jego synów. Krzysztof Rintfleich usiłował więc po śmierci ojca

---

[2] Tamże, s. 77.

Łamanie kołem było rodzajem śmierci kwalifikowanej. Skazaniec miał czuć, że umiera, a zebrani świadkowie egzekucji wystraszyć na całe życie konsekwencji popełnienia przestępstwa.

uzyskać w 1501 roku dokumenty od rady miejskiej Płocka, że jest godny czci. Płock wypisał nienaganną opinię o Hansie Rintfleichu i jego synach, przed i po zdarzeniu z obwieszeniem karczmarza i wyjaśnił powód obwieszenia przez samego poszkodowanego. Dobrą opinię wystawił też Krzysztofowi Rintfleichowi indagowany w tej sprawie król czeski Władysław. Mimo to rada wrocławska nie dopuściła syna infamisa do swego grona ławników jako skalanego katem.

Obowiązki „małodobrego", związane z wyrokami sądowymi, były przez wieki ściśle ustalone: wyświecanie z miasta skazanych na banicję, torturowanie oraz karanie „na gardle". Wyświecanie odbywało się przy odgłosie bijących kościelnych dzwonów. Kat wyprowadzał wtedy skazanego poza mury miasta, siekąc go rózgami, paląc symbolicznie trzymaną przez banitę wiązkę słomy i ostrzegając przed powrotem do miasta. Wówczas była to niezwykle dotkliwa kara, gdyż banitę mógł bezkarnie zabić każdy, a ówczesny człowiek bez oparcia w gromadzie nie miał większych szans na godne przeżycie. Stąd powiedzenie „już ja cię wyświecę" albo „niech ci kat świeci" należało do przekleństw wywołujących duże wrażenie!

Niemal każdy przestępca złapany na gorącym uczynku, jeśli nie był herbowy, miał pewność, że trafi do izby tortur i tam skontaktuje się z bezlitosnymi rękami „małodobrego". Izba tortur była światem niedostępnym i przerażającym dla przeciętnego zjadacza chleba; nawet sędziowie, instygatorzy czy świadkowie zadawania mąk najczęściej siedzieli tyłem do męczonego lub też ofiary miały na głowach kaptury. Co ciekawe, chodziło nie tyle o straszne odgłosy męczonych ciał i wytrzymałość nerwową obserwatorów ponurego spektaklu, ile o ochronę przed czarami. Z tych też powodów kat golił całe ciało swych ofiar, gdyż we włosach najczęściej chował się diabeł.

Niekiedy kat obmywał podejrzanych, gdyż przestępcy ani włóczędzy nie mieli w zwyczaju dbać o higienę. Za wymycie Mazurka z Biecza w 1600 roku, który „śmierdział bowiem", kat wziął ekstra sześć groszy wynagrodzenia. Natomiast dwanaście groszy wydał na wino, by skatowanego Mazurka doprowadzić do przytomności, a potem upić. Rada miejska Biecza zezwoliła na ten chrześcijański zakup, być może także w trosce, by skazany mniej cierpiał. Kat po upojeniu alkoholowym badanego znów przystąpił do zadawania mu piekielnych mąk. Jednak nieszczęsny Mazurek nie przetrzymał fatalnego przeistaczania się kata w troskliwego opiekuna i umarł podczas tortur.

Niebawem okazało się, że jest niewinny. Kat pochował go więc za kolejne sześć groszy. Wynika stąd, że kat biecki, mimo sławy tegoż miasta, nie był jednak wybitnym fachowcem, skoro niewinny Mazurek wskutek mąk przyznał się do winy. A przecież legenda, a może prawda głosiła, że właśnie w Bieczu istniała Akademia Katowska, szkoląca adeptów zabijania i torturowania w glorii prawa.

Podobne wypadki zdarzały się niedaleko: w Żywcu w 1589 roku kat zamęczył dwóch chyba niewinnych podejrzanych: Wojciecha Muchę i Marcina Spólnika z Zakrzewa koło Kalwarii. Wójt żywiecki A. Komoniecki, autor ciekawej kroniki, tak to skwitował: „miasto sprawiedliwości, okrucieństwo się stało”[3].

Takie postępowanie przynosiło wielką ujmę katu. Jak każdy rzemieślnik w feudalnym społeczeństwie, oprawca uchodził bowiem za mistrza, a zamęczenie podejrzanego było poważnym, właściwie niedopuszczalnym błędem. Średniowieczne społeczności nie znosiły partaczy, gdyż psuli oni i tak chwiejne poczucie bezpieczeństwa. Długosz pisze, że gdy w 1456 roku w Lublinie mistrz trzy razy ciął skazańca, pudłując, rozwścieczony tłum zmusił kata do ucieczki i uwolnił skazańca. Jak się okazało, niewinnego.

Tortor znajdował się najniżej w feudalnym porządku, w gruncie rzeczy poza szczeblami drabiny społecznej. Traktowano go na równi z hyclami, grabarzami, rzeźnikami, a może nawet niżej niż nierządnice, których pilnował jako urzędowy sutener. Nie pomagała świadomość, że kat jedynie wykonywał czynności związane z procedurą sądową i wyroki miejskich sądów. Nie zmieniały świadomości społecznej przez wieki słowa znakomitego humanisty Andrzeja Frycza-Modrzewskiego wypowiadane w obronie kata.

W Polsce wyraźnie brzydzono się fachem „małodobrego” od najdawniejszych czasów. Nie tak łatwo było nad Wisłą pogodzić wiarę chrześcijańską z odbieraniem życia przez innego człowieka, choćby w majestacie prawa. Dlatego nikt w Polsce nie chciał zostać katem, pomimo stabilizacji życiowej i zarobków.

---

[3] A. Komoniecki, *Dziejopis żywiecki*, wyd. S. Szczotka, Żywiec 1937, s. 126.

Już w XIII wieku Władysław II Wygnaniec miał kłopoty z oślepieniem potężnego palatyna i wuja Piotra Włostowica, schwytanego i oskarżonego przez księcia seniora we Wrocławiu o zdradę. W końcu katowskiej posługi podjął się siedzący w lochu bratobójca, w zamian za wypuszczenie go na wolność. Wypuszczono go i ten kat amator, wprawiony jedynie w zabójstwie brata, zdołał wyrwać Włostowicowi język i wypalić mu oczy[4].

Taka kara nie była wyrazem bezsensownego okrucieństwa: przewidywało ją prawo i zwyczaje państwa Piastów. Skorzystał z niej między innymi ojciec Władysława II, Bolesław Krzywousty, wobec swego przyrodniego brata Zbigniewa. Nie wiemy jednak, kto był wtedy oprawcą, podobnie jak nie wiemy, czy *tortor* nieszczęsnego Włostowica rozsmakował się w zadawaniu cierpienia i pozostał w katowskim fachu.

We wspominanej *Cronica Petri Comitis Poloniae* podano, że kara wykonana na Włostowicu była zemstą podstępnej, zakłamanej żony Władysława II, kobiety o nieczystym sumieniu – Agnieszki Babenberskiej. Na ogół Polska była tolerancyjna, dość łagodna ze swoimi słowiańskimi zwyczajami i wyrozumiałością, nieco niezrozumiałymi za Odrą i Dnieprem. W wiekach średnich pojawiły się zagadkowe różnice pomiędzy zamiłowaniem do katostwa między Rzeczpospolitą a zachodnią Europą.

Na naszych ziemiach nie dziedziczono na przykład tego fachu, jak w Niemczech i Francji, gdzie powstawały wręcz katowskie klany. Było też niemożliwe, by kat polski po ścięciu określonej liczby głów zyskiwał tytuł szlachecki, jak w Niemczech! Nie nosił się też jak wielki pan w białych pończochach i czarnych pantoflach z upudrowanymi włosami, kroczący dumnie na czele procesji, jak we Francji, i to nie tylko w epoce gilotyny![5]

W Polsce nawet nie wkładano specjalnych strojów ani raczej nie wyróżniano domostwa, jak w Hiszpanii, gdzie dom kata pomalowany był na czerwono, a on sam miał obowiązek nosić białą opończę obramowaną szkarłatem. Prawdopodobnie kaci polscy przejęli jednak od Niemców zwyczaj używania rękawiczek, gdyż „małodobry" miał pozostać niedotykalny.

W Polsce niegodne rzemiosło było otoczone tabu strachu, jak piszą specjaliści zajmujący się ludźmi z marginesu społecznego, Hanna Zaremska i Bronisław Geremek. Niechęć polska do katowskiego fachu była czasem tak duża, że nie wszystkie miasta miały swych oprawców;

[4] *Cronica Petri Comitis Poloniae*..., wyd. M. Plezia, t. III, Kraków 1951, s. 21.

[5] Caillois R., *Żywioł i ład*, przeł. A. Tatarkiewicz, Warszawa 1973, s. 196.

normą było raczej wypożyczanie ich z większych do mniejszych miast polskich.

Tortury stosowane przez kata w jego przerażającej izbie nie były przypadkowe, dowolne i miały swoje etapy. Istniały stosowne procedury i regulacje hamujące sadyzm „małodobrych"; to nie miała być zemsta „szramowatych i guzłowatych na twarzach" psychopatów o strasznym spojrzeniu, ale droga przez mękę do „szczerych" zeznań złoczyńców i przestroga dla potencjalnych przestępców. Pierwszy etap tortur polegał, jak wiemy, na wykręcaniu stawów na specjalnych przyrządach. W drugiej turze przesłuchań przypalano ciało najpierw płomieniem świec. Niewyobrażalne bóle sprawiały, że normalny człowiek gotów był powiedzieć wszystko, czego oczekiwał sąd, byle uniknąć mąk. Część nie wytrzymywała i jeszcze przed przesłuchaniem popełniała samobójstwo, jak Szymek z Wielkiej Wsi, który „obwiesił się w kłodzie w sklepiku na pasiech" w Krakowie w 1555 roku.

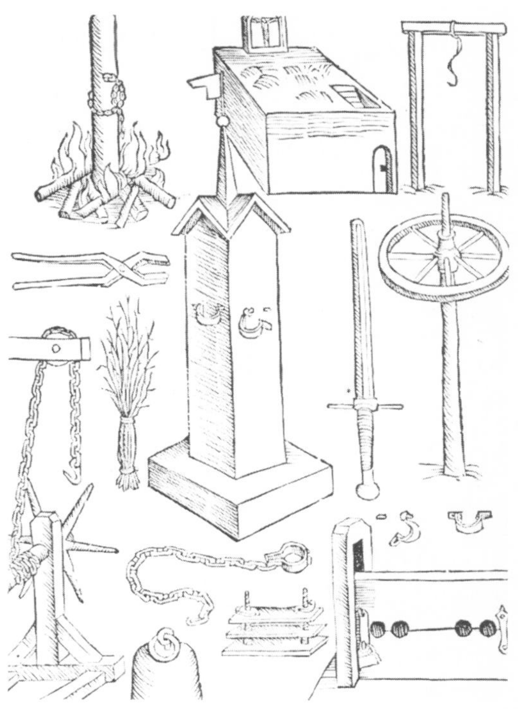

Już sam widok narzędzia tortur mógł przyprawić o pomieszanie zmysłów obwinionego, choć kary stopniowano; w społeczeństwach średniowiecznych nie było miejsca na samowolę kata. Jednakże wielu oskarżonych gotowych było przyznać się do wszystkiego, choć innym np. wiara pozwalała znieść tortury.

Istnienie kata miało też dobre strony, gdyż wymuszało uczciwość społeczną. Nikt nie chciał narażać się na nieludzki ból, kalectwo i śmierć. Jednakże od najdawniejszych czasów, podobnie jak teraz, niektórzy desperaci wybierali z pełną determinacją złodziejski i rozbójniczy fach. Od dzieciństwa gotowali się do rzemiosła, ćwicząc ciało, by nie czuło bólu. U zbójników góralskich i Kozaków zaporoskich było to wręcz normą; ich odporność była niepojęta, wyćwiczona i przekazywana w tajemnicy. Ile w tym było psychopatii, a ile treningu – też pozostanie ich tajemnicą. Wiemy tylko, że poddawani torturom nie przyznawali się do winy.

Jednak i owa odporność najczęściej nie ratowała przed straszną karą. Nieczuli na ból zbójnicy czy złodzieje, z powykręcanymi stawa-

Obraz piwnicy tortur w bawarskim mieście Bamberg. Instygator i komisja sędziowska szykują się do spisywania zeznań oskarżonego, krępowanego przez zawieszeniem na łańcuchu. Czekało go wyłamywanie stawów. Warto porównać wyraz twarzy komisji i oskarżonego.

mi, przypaleni, osmaleni ogniem i natarci siarką, przechodzili przez te katusze nie pisnąwszy słowa poza urąganiem oprawcom. Ale i tak nie traktowano ich jako niewinnych. Sąd dopatrywał się bowiem u takich podejrzanych działania siły nieczystej i badał sprawę na nowo, co na ogół kończyło się próbą pławienia, czyli topieniem podejrzanych, czy też innymi próbami sądu Bożego. W przypadkach wątpliwych uznawano, że to czary pozwalają przetrwać tortury, więc podejrzanych kierowano na stosy. Na przykład spektakl palenia czarownic, przejęty z prawa germańskiego dla ochrony przed upiorami, również przygotowywali kaci i ich pomocnicy. Palono też nader często mężczyzn, wbrew powszechnemu mniemaniu, że było to polowanie na histeryczne kobiety. Na przykład w szwajcarskim Waadtlandzie w latach 1580–1665 spalono na stosach tysiąc siedemset osób oskarżonych o czary, z czego około sześciuset to mężczyźni. Podobnie było w Rzeszy Niemieckiej – stanowili oni około jednej czwartej spalonych za czary. Natomiast na peryferiach Europy, w Islandii, Estonii, Finlandii, mężczyźni stanowili większość skazanych i zgładzonych[6].

Szlachta polska z jej wolnością nie mogła być poddawana kacim torturom. Ale i tak Mikołajowi Rejowi izba tortur kojarzyła się z piekłem. Twierdził, że katami powoduje nienawiść i żądza krwi. Pisarza chyba nie zawodziła intuicja. Szesnastowieczny jurysta B. Groicki, rozumiejąc, że kat jest niezbędny w społeczeństwie, podejrzewał, że oprawcami zostają ludzie o wyraźnie złych skłonnościach, dewianci: „z złoczyńcami nie inaczej iedno jako z innymi bestiami obchodzą bijąc, poszukując, targając nielitościwie, mordując niezwyczajnie, odzierając, jeszcze to sobie poczynając na chwałę, gdy tyraństwo nad człowiekiem, który jest stworzeniem Bożym, okazują, iżby tylko chuci

[6] Recenzja J. Wijaczki i E. Kizika książki A. Zdziechowicz, *Staropolskie polowania na czarownice*, Katowice 2004, w: „Kwartalnik Historyczny" nr 1, 2006, s. 145.

a żądzy swej ... dosyć uczynili" - pisał B. Groicki[7].

Skąd się brali „małodobrzy"? Śledząc pochodzenie oprawców, trudno nie zauważyć, że wielu z nich to byli przestępcy, a chyba wszyscy to poważnie zaburzeni psychopatyczni sadyści. Niektórzy, jak wykazała H. Zaremska, sami wchodzili na drogę przestępstw, stając się potem ofiarami swych kolegów katów. Mieli żony, najczęściej córki innych katów i prostytutki, które pomagały utrzymywać kontrolę nad kolejnym miejscem wyklętym, znajdującym się często poza murami miasta: domem publicznym.

Warcholący Samuel Zborowski klęczy przed ścięciem w Krakowie w 1584 r. po ujęciu przez oddział Stanisława Żółkiewskiego i pośpiesznym procesie urządzonym przez kanclerza i starostę krakowskiego (stąd uprawnienia sądownicze) Jana Zamoyskiego. Był to zapewne element walki o wzmocnienie władzy królewskiej i pozycji Zamoyskiego.

Sutenerstwo było drugą domeną działalności kata. Nadzór nad prostytutkami i związane z tym dochody prowadziły niekiedy także katów do osobistych tragedii. W Poznaniu w 1526 roku ścięto kata, który namawiał swe podopieczne do okradzenia rozamorowanego klienta lupanaru. W 1548 roku kat Wacław i jego pomocnik, katowczyk Jakub, położyli swoje szyje na katowskim pieńku jako karę za zamordowanie chłopa na moście chwaliszewskim. Kmiotek odważył się bowiem przyjechać po swoją siostrę, dowiedziawszy się, że uprowadzono ją do domu publicznego. Wyroki wykonano. Analiza dokumentów dokonana przez Hannę Zaremską wskazuje, że „nie brak śladów przestępczej działalności również w rejestrze złoczyńców grodu sanockiego"[8].

Pozbawieni skrupułów kaci, z zatartymi granicami dobra i zła, są potencjalnymi złoczyńcami.

Niekiedy kat łączył w swym ręku także inne „brudne" funkcje, jak wywóz nieczystości i hyclostwo, za co brał pensję. To bardzo potrzeb-

---

[7] B. Groicki, *Porządek sądów i spraw miejskich prawa magdeburskiego w Koronie Polskiej*, Warszawa 1953, s. 57.

[8] H. Zaremska, *op. cit.*, s. 87.

ne i pożyteczne funkcje. Bez nich miasta śmierdziałyby niemiłosiernie; bardziej zainteresowanych tematem odsyłam do powieści Suskinda *Pachnidło*.

Aż nadchodził dzień, gdy kat stawał na szafocie jako najważniejsza obok skazańca osoba. Ścinał, łamał kołem, rozdzierał końmi, wieszał. O ile przedtem był jakby w ukryciu w izbie tortur i omijany szerokim łukiem podczas czyszczenia ulic z fekaliów, o tyle podczas publicznej kaźni stawał się jednym z głównych aktorów wielkiego spektaklu miejskiego. Już dawno dowiedziono, że publiczne egzekucje wykonywane w Polsce jeszcze w XIX wieku nie wynikały z krwiożerczości dawnych społeczeństw, ale po prostu miały odstraszać potencjalnych i rzeczywistych przestępców. Temu też służyły w pewnej mierze tortury i okrutne z naszego punktu widzenia wyroki obcinania rąk, znakowania ciała rozpalonym żelazem, ćwiartowania itp. Nie istniały przecież wówczas możliwości wykrycia śladów linii papilarnych, kodu DNA i nie było setek innych obecnie znanych sposobów udowodnienia podejrzanemu winy.

Wykonanie kary miało tak wystraszyć chętnych do przestępczego chleba, by nikt nie połaszczył się nawet na biegające po Krakowie bezpańskie świnie. Jakoż w XV wieku widzimy ich koło Wawelu tak dużo, że musi się nimi zajmować... kat. Dodajmy, że wymuszona karami uczciwość skutkowała nawet w czasach znacznej nędzy i głodu. Ludzie woleli być uczciwi, niż narazić się na przerażający kontakt z „małodobrym".

Repertuar kar śmierci zadawanych przez polskiego oprawcę był dość ściśle określony. Raczej nie bywał tak przerażająco wymyślny, jak na przykład w Rosji czy Hiszpanii. Ścięcie mieczem należało się wysoko urodzonym i czcigodnym. Za Stefana Batorego i Jana Zamoyskiego szczególnie dużo posypało się tych głów, od wodzów kozackich po wielkich magnatów. Najbardziej znana kaźń to ścięcie magnata Samuela Zborowskiego w 1584 roku na placyku koło Wawelu, z wyroku kanclerza, starosty krakowskiego i wuja Samuela, Jana Zamoyskiego. Rzeczpospolita była wtedy bliska wojny domowej.

Przestępców pospolitych kat wieszał na szubienicy, o którą dbał w ramach płatnych obowiązków. Inne wykonywane przezeń kary to: topienie, spalenie, grzebanie żywcem. Niekiedy dochodziło do wykonania najgorszego wyroku: śmierci kwalifikowanej. To był horror: skazany miał czuć, że umiera i do obowiązków kata należało powolne zadręczanie ofiary. „Małodobry" rzucał więc koło od wozu na leżącego skazańca, zaczynając od nóg, łamał mu powoli kości. Po tej ciężkiej pracy wplątywał szczątki ludzkie w szprychy (stąd łamanie kołem).

Najwięcej pracy miał kat warszawski, „niemający sobie równych", przy Michale Piekarskim, który w Warszawie usiłował zabić czekanem w 1620 roku króla Zygmunta III. Pracy było tyle, że do pomocy ściągnięto kata z Drohiczyna, płacąc mu cztery złote. Był to ewenement. Warszawski oprawca dostał aż piętnaście zł, a cała kaźń kosztowała miasto ponad siedemdziesiąt trzy złote. Obnażonego Piekarskiego kat i jego pomocnicy wieźli wozem na rynek staromiejski i szczypali rozżarzonymi do czerwoności specjalnymi szczypcami wykutymi na tę okoliczność przez kowala Lenarta za jedyne cztery złote. Potem za murami miasta, w „Piekiełku", czyli w okolicach obecnego posągu Kilińskiego, na szafocie palono mu rękę z czekanem, a potem obie ręce ucięto. Umęczone ciało przywiązano następnie do czterech koni, które podcięto, ale ciało chorego psychicznie szlachcica nie chciało się rozerwać. Oprawca musiał nacinać stawy mieczem i dopiero wtedy konie rozerwały ofiarę, krzyczącą coś strasznie i niezrozumiale. Następnie kat szczątki spalił, prochami nabito armatę, która wystrzałem prochy w powietrzu rozproszyła.

Była to jedna z najcięższych robót dla mistrza krwawego fachu, gdyż najcięższą karę przewidywano właśnie za królobójstwo. W niezwykle okrutnej, jak na Polskę, kaźni widać wpływ Francji: tak właśnie skatowano w 1610 roku w Paryżu królobójcę Henryka IV Burbona, Francoisa Ravaillacka. Wzorce przenikały się wzajemnie.

Czy to mit, czy prawda, że w Polsce nie spotykało się jednak takiego wymyślnego okrucieństwa katowskiego, jak w innych krajach i że większość katów w Polsce rekrutowała się spośród Niemców? Pogląd ten zrodził przecież przekonanie o Polsce sielskiej, anielskiej, mesjańskiej, łagodnej.

W Hiszpanii ponoć kaci wieszali homoseksualistów do góry kroczem i piłowali piłą, a kobiety podejrzane o czary i zakonnice uprawiające po cichu seks obciążano ciężarami i nadziewano pochwą na tak zwanego konia, czyli stożek zakończony szpikulcem. W tym czasie car Iwan IV Groźny kazał piłować żony i córki podejrzanych bojarów. A na placu Czerwonym w Moskwie nakazywał swoim bojarom odcinać po kawałku ciała i zdzierać skórę po oblaniu wrzątkiem domniemanym szlacheckim przeciwnikom, niedawnym przyjaciołom przymusowych oprawców. Czyniąc z bojarów katów, car pozbawiał ich mimowolnie stygmatu honoru; rzecz w tym, że ci kaci po jakimś czasie sami stawali się ofiarami w straszliwych krwawych spektaklach Iwana IV. Podobnie czynił Piotr I w początkach XVIII wieku, niekiedy skazując na szafot i udzielając tłumom lekcji anatomii na ciele ściętego, na przykład uka-

Ponoć najbardziej humanitarna maszyna do zabijania to gilotyna. Wymyślona została przez lekarza na specjalne zamówienie w wieku oświecenia, szerzącego, jak wiadomo, racjonalizm na miejsce „przesądów religijnych".

zując skrwawioną głowę kochanki Marii Hamilton. Nie szczędził krwawych spektakli Henryk VIII Tudor, robiąc z kaźni straszliwy teatr.

Z pewnością w Polsce takich spektakli nie było. Co najwyżej katami stawali się mimowolnie żołnierze Rzeczypospolitej, mordujący pod Sołonicą w 1595 roku tysiące rodzin kozackich. Wedle zeznania cnego i rycerskiego hetmana Stanisława Żółkiewskiego był to skutek fatalnej pomyłki, ale Kozacy odtąd uważali Polaków za szczególnych, bo zdradzieckich katów. To dlatego na Ukrainie zrodził się mit o spaleniu atamana Semena Nalewajki w spiżowym koniu czy wole, specjalnie przygotowanym przez zdradliwych Lachów.

Odkąd pojawiła się instytucja kata, wierzono, że wszystko, z czym styka się oprawca – krew, pot, sperma, genitalia, sznur wisielca, uryna – ma magiczne działanie. To one były wykorzystywane w czarach, a kaci dorabiali się także na handlu mandragorą czy też polską wilczą jagodą, rosnącą ponoć u stóp szubienic. Jej posiadanie zapewniać miało powodzenie u kobiet i bogactwo. Szczęście w życiu i zdrowie zapewniał sznur wisielca, wykorzystywany w medycynie ludowej.

Różnica między katem polskim a innymi polegała zapewne także na tym, że oprawców w Polsce chyba się bardziej wstydzono. Inaczej niż na przykład w „słodkiej Francji", gdzie cieszyli się pewną popularnością. W Paryżu już w XVII wieku kat stał się postacią oswojoną i znaną z imienia: dumasowski hrabia de la Mole, kochanek szesnastowiecznej królowej Margot, nie zawaha się nawet podać ręki katu, za co ten później odpłacił mu się zaniechaniem tortur.

W Polsce raczej importowano katów przybłędów zza granicy, niż przysposabiano swoich. Ale różnie z tym bywało. Być może od XVI wieku rzemiosło kata nie wzbudzało już takiej niechęci i poczucia hańby, jak w poprzednich wiekach, ale znaleźć kandydatów na kata nie było łatwo. Gdy na przykład w Radomiu zbrakło oprawcy, sąd zlecił tę funkcję jedenastu warzelnikom, na co dzień warzącym piwo. W razie potrzeby mieli się oni zmieniać w stróżów prawa i egzekutorów[9].

Wiemy na przykład, że Wilno w 1677 roku zwracało się z prośbą o przysłanie kata do władz Holsztyna i Konigsbergu (Królewca), znamy też nazwisko katowczyka Daiczkana Wawrzyńca, sugerujące, że do fachu „małodobrych" przyjmowano ludzi między innymi z Armenii. Daiczkan zresztą okazał się raptusem, niegodnym fachu, gdyż w 1593 roku w bójce zranił bednarczyka.

W Niemczech i Francji katostwem zajmowały się całe rody przez pokolenia; zawód oprawcy przechodził z ojca na syna. Na przykład od 1580 roku przez trzysta lat w Stuttgarcie torturować i ścinać skazańców będą jedynie przedstawiciele dwóch powszechnie znanych mieszczanom rodów: Neherów i Beckelów. W Polsce było to nie do pomyślenia, gdyż katostwa nie dziedziczono. Ale też mitem jest, że wszyscy Polacy stronili od „małodobrego" fachu: w XVI wieku widzimy na przykład Jana Janika i Marcina Olszewskiego w Poznaniu. Nic dziwnego, że kaci zachodni zdają się być znacznie sprawniejsi od polskich i są na swój sposób poważani. Inna sprawa, że między Wartą a Dnieprem nie było wojen religijnych, rozległych spisków arystokratycznych, a kraj cierpiał raczej na chorobę demokracji republikańskiej, uniemożliwiającą łatwe ucięcie wysoko urodzonej głowy. „Małodobrzy" mieli więc robotę głównie przy złodziejach i rabusiach; nad Wisłą nie rodzi się żadna legenda czy mit katowski, jak we Francji.

Oto jedna z tych legend, a może i półprawda. Za czasów Ludwika XV jeden ze sławnego katowskiego rodu Sansonów słynął z takiego ścinania głów, że skazańcy nic nie czuli. „Na co czekasz? – pytał Sansona zniecierpliwiony Tomasz hr. de Lally Tollendal na szafocie – tnij wreszcie". „Ale Wasza Miłość, przecie już po wszystkim. Proszę tylko spojrzeć". Tu kat podniósł mówiącą głowę barona i pokazał jej oddzielone od niej ciało[10].

W Polsce nie wyrosła też „katologia" jako nauka, jak na zachodzie Europy. Tamże niezwykłym fachem i psychiką kata zajmowali się nie tylko historycy, ale i wybitni pisarze, jak Albert Camus, czy filozofowie, jak katolicki Joseph de Maistre. Onże i socjolog Roger Caillois

---

[9] Recenzja J. Wijaczki i E. Kizika książki A. Zdziechowicz, *Staropolskie polowania na czarownice*, Katowice 2004, w: „Kwartalnik Historyczny" nr 1, 2006, s. 149.

[10] Ch. H. Sanson, *Ośm spraw kryminalnych z czasów rewolucji francuskiej (wyjątki z pamiętników kata Sansona)*, Warszawa 1870.

zauważyli nie tylko grozę osamotnienia kata-infamisa wśród ludzi, co zapewne powiększało jeszcze bardziej jego „niecziowieczeństwo". Caillois dostrzegł też, jak silne jest odpychanie, a jednocześnie przyciąganie społeczności do osoby kata.

Francuski filozof zauważył też, że postaci z dwóch biegunów drabiny społecznej, tak kat, jak i król, są bardzo podobne, bo niedotykalne. Ścięcie głowy niedotykalnego króla Ludwika XVI podczas rewolucji francuskiej w styczniu 1793 roku przez niedotykalnego kata zupełnie zmieniło obraz oprawcy i zachwiało wielowiekowym, pilnie szanowanym podziałem na *sacrum* i *profanum*: świętość i podłość.

W Rzeczypospolitej do takiego zamazania *sacrum* i *profanum* nigdy nie doszło. Wprawdzie część zrewoltowanego w konfederacji barskiej społeczeństwa szlacheckiego gotowa była postawić króla Stanisława Augusta Poniatowskiego na szafocie, ale rzecz skończyła się na zamachu i nieudanej próbie uprowadzenia króla w niedzielną ponurą noc z 3 na 4 listopada 1771 roku. Kat ściął nie króla, ale zaszlachtował, ćwiartował i spalił zamachowca Walentego Łukawskiego, aby nie mógł powstać na sądzie ostatecznym.

Jednakże zbyt okrutny, dosłowny kat, jak się wydaje, nie mieścił się w tendencjach epoki światła, czyli rozumu. Z toporem i sznurem w ręce stał zbyt blisko tajemnicy śmierci i cierpienia. Być może wpłynęło to na pojawienie się bardziej anonimowej gilotyny. Nowoczesny kat powstał w czasie rewolucji francuskiej, kiedy to uruchamiał przyciskiem gilotynę skonstruowaną przez lekarza. Kat odrealnił się nieco, sprowadzony do roli anonimowego mechanicznego robota obsługującego maszynę.

W Polsce znów było inaczej, gdyż gilotyna się nie przyjęła. Targowiczan lud warszawski w 1794 roku po prostu powywieszał na szubienicach.

Kat zawsze pozostanie jednak tajemnicą, pomimo że jego jawne dzieje poszły nadzwyczajnie naprzód w epoce mediów. Swoje wspomnienia opublikowali francuscy Sansonowie ze słynnego rodu oprawców. We Francji w czasach Trzeciej Republiki zostały na przykład opublikowane wypowiedzi kata Anatola Deiblera (zmarł w 1939 roku). Po drugiej wojnie o tajnikach swego fachu opowiedział wykonawca trzystu osiemdziesięciu siedmiu egzekucji, Andre Obrecht. Wypytywani przez dziennikarzy kaci mówili o swym zawodzie, jakby był normalny, jak każdy inny, byli niekiedy melancholijni, a nawet dobrotliwi.

Wypowiedzi polskiego kata, który w PRL powiesił ponoć osiemdziesiąt osób, spisał Jerzy Andrzejczak. Współczesny kat polski podawał się za normalnego człowieka wykonującego wyroki jako trybik w maszynerii sprawiedliwości. I miał po części rację, gdyż prawdziwym katem był komunistyczny aparat represji i służący mu ludzie.

Ciekawe, czy podobnie myślał „małodobry” sprzed wieków? Pewnie też się usprawiedliwiał w trudnych chwilach mordowania ludzi; w końcu zdolność do samooszukiwania się jest jedną z najbardziej wyrazistych cech ludzkich prowadzących donikąd.

Rozdział 2.
Tajemnica Sędziwoja

Faciat hoc quispiam alius
Quod fecit Sendivogius Polonus

– głosił napis na tablicy marmurowej w roku 1604 wiszącej na ścianie pałacu hradczańskiego w Pradze. W tłumaczeniu na polski tekst brzmi:

„Niechby inny tyle wniósł,
Co Sędziwój Polonus".

Co zatem wniósł takiego do wiedzy czy poznania Michał Sędziwój, skoro sam cesarz Rudolf II nakazał uhonorować Polaka niezwykłą tablicą na Hradczanach w pięknej Złotej Pradze, a także wybiciem złotego medalu na jego cześć.

Cesarz Rudolf II Habsburg żył w świecie narastającego lęku, w psychotycznych napadach błąkając się po praskich Hradczanach. Uwolnienia od tych stanów szukał w alchemii, astrologii i alkoholu. Zaprosił także na zamek praski alchemika Sędziwoja.

Wedle niektórych przekazów Michał Sędziwój herbu Ostoja miał posiąść umiejętność transmutacji metali nieszlachetnych w złoto. Uczynił to na oczach cesarza Rudolfa II, alkoholika, wielkiego entuzjasty alchemii i magii, na którego dworze rabin Jehuda Low ben Bezalel, zwany Marahal, miał także stworzyć sztucznego człowieka z gliny – golema.

W 1604 roku Sędziwój stanął w komnacie cesarskiej na Hradczanach. Nie tylko przemienił zwykłe metale w złoto za pomocą tajemniczej tynktury czy proszku, ale pozwolił, by sam cesarz własnoręcznie dokonał niezwykłej reakcji. Złoto błysnęło w cesarskich rozedrganych rękach, więc Rudolf II uwiecznił niezwykłego Polaka płytą marmurową.

Sędziwój nie spadł na pawimenty hradczańskie *Deus ex machinae*. Ten urodzony 2 lutego 1566 roku w Łukowie koło Nowego Sącza szlachcic herbu Ostoja studiował zapewne w Akademii Krakowskiej albo poza jej murami, gdzie kwitła nauka sztuk tajemnych: magii, nekromancji, kabalistyki, chiromancji, krystalomancji i katoptromancji. Ale raczej uczył się w murach *Collegium Maius,* astrologia i częściowo alchemia były bowiem w XVI wieku oficjalnie wykładane. Wbrew potocznym wyobrażeniom nie utrwalały one ciemnoty, ale pełniły pożyteczną funkcję, przyczyniając się do powstania nauki astronomii i chemii.

Tradycja przypisuje Rudolfowi II zlecenie stworzenia Golema – sztucznego człowieka pozbawionego duszy. Miał to uczynić w Pradze rabin Jehuda Low ben Bezalel.

Sędziwój wędrował po całej Europie: studiował w Lipsku medycynę, w latach 1594–1595 w Wiedniu i Altdorfie poznawał filozofię i inne dziedziny nauk. W tymże roku został sekretarzem króla Zygmunta III Wazy, a jednocześnie jako dworzanin cesarza Habsburga zaprzyjaźnił się z wielkim miłośnikiem alchemii Michałem Wolskim, późniejszym marszałkiem wielkim koronnym. Obydwu podejrzewano, że poprzez alchemiczne próby wywołali wielki pożar, który wpłynął na dzieje Polski.

W Pradze czeskiej jako dworzanin cesarza Sędziwój założył rodzinę, żeniąc się z Weroniką Stiberin z Frankonii. Umarła dość szybko, jak i dwoje z ich potomstwa, podczas epidemii w Pradze w 1599 roku. Pozostawiła Sędziwojowi dwójkę żywych dzieci. Do badań chemicznych potrzebne były alchemikowi pieniądze i te znalazły się dość łatwo, gdyż wierzących w transmutację metali w złoto było wielu.

Poszukiwania Sędziwoja finansował zamożny mieszczanin praski Ludwik Koralek. Gdy zmarł w czerwcu 1599 roku, rodzina Koralka wytoczyła głośny proces Sędziwojowi, oskarżając go o doprowadzenie bogatego mieszczanina do ruiny finansowej i przyśpieszenie jego zgonu. Mimo przesłuchania kilkunastu świadków sąd nie dopatrzył się jed-

Sędziwój pokazujący wytopioną złotą monetę królowi Zygmuntowi III Wazie i Piotrowi Skardze. Złoto kojarzyło się z władzą i potęgą, a wyścig o transmutację – znalezienie formuły pozyskiwania metali szlachetnych – trwał od wieków. Miał dobre strony: mimowolnie zainicjował powstanie nauki chemii.

nak winy coraz bardziej znanego alchemika, kazał mu tylko zwrócić zaciągniętą pożyczkę.

W 1600 roku Michał Sędziwój wyjechał do Polski, po czym znów wrócił do Pragi. Tamże jego sława, ugruntowana wydaniem pierwszego traktatu alchemicznego *De lapide philosophorum* (O kamieniu filozoficznym), dotarła na dwór cesarski. Mimo że dzieło wydane było anonimowo, wtajemniczeni wiedzieli, kto jest autorem; wtedy to Sędziwój zyskał międzynarodową sławę. Ta sława znakomitego alchemika zaprowadziła go w nowej roli przed oblicze cesarza na zamek w Hradczanach, który zresztą dobrze znał. Wystąpił jako alchemik umiejący przemieniać pospolite metale w złoto.

Lekarz nadworny landgrafa Maurycego heskiego, Michael Maier, w 1616 roku poświadczył, że widział osobiście transmutację dokonaną przez Sędziwoja na zamku praskim. Dlatego postać wielkiego Polaka określonego mianem *Sarmata Anonymus* zamieścił w dziele *Symbola aureae mensae duodecim nationum* (Symbole złotego stołu dwunastu nacji), zawierającym biogramy dwunastu wielkich przyrodników. Polak i jego osiągnięcia znalazły się pośród nazwisk Demokryta, Avicenny, Alberta Wielkiego, Tomasza z Akwinu, Rogera Bacona...

Jak każdej niecodziennej postaci z pogranicza realności i magii, na dodatek wędrującej po dworach europejskich w dyplomatycznych misjach, tak i Sędziwojowi towarzyszyły podejrzenia, oskarżenia i plotki. W niektórych relacjach utrzymywano, że tajemnicę transmutacji metali w złoto uzyskał *Sendigovius* w niegodny sposób od szkockiego alchemika Aleksandra Setona. Jak podawał C.J.S. Thompson w książce *The Lure and Romance of Alchemy* (Czar i romantyzm alchemii), wydanej w 1932 roku, tajemniczy Szkot Seton został uwięziony przez elektora saskiego Christiana II, by wyjawił mu tajemnice permutacji.

Seton był torturowany, a wtedy Sędziwój, bawiący w Saksonii w 1603 roku, ułatwił mu ucieczkę z więzienia w Dreźnie. Uciekli do Krakowa, gdzie Sędziwój oddał Szkotowi do dyspozycji komnatę. Seton jednak w zamian za uratowanie życia nie chciał odwdzięczyć się Polakowi objaśnieniem tajemnicy transmutacji, której ujawnienie byłoby strasznym grzechem, jak powiedział.

W dwa lata później Seton zmarł, pozostawiając resztki czerwonej tynktury oraz żonę. Wdowę po Szkocie Sędziwój sam pojął za żonę; schedę stanowiły też dwa dzieła Setona: *Novum Lumen Chemicum* oraz *De Lapide Philosophorum Tractatus Duodecim.*

Obydwa dzieła, twierdzi angielski autor C.J.S. Thompson, zostały wydane przez Polaka jako własne. A pokaz transmutacji na zamku hradczańskim i na innych dworach Europy Sędziwój wykonał dzięki resztkom czerwonej tynktury pozostawionej przez „genialnego" Setona, której składu chemicznego nasz alchemik nigdy nie zdołał poznać.

Woził ponoć te resztki niezwykłego proszku zawieszone na szyi w złotym pudełeczku albo w specjalnym tajnym schowku w karecie. Podążała więc za Sędziwojem także niezwykła fama, pobudzająca do działania desperatów i furiatów. Jakiś szlachcic na Morawach uwięził alchemika podczas powrotu do Krakowa, usiłując wydrzeć mu tajemną tynkturę.

Ale Sędziwój był przygotowany na taką ewentualność, trzymając, jak się wydaje, piłę w bucie. Uciekł z więzienia po przepiłowaniu krat. Jeszcze gorsza przygoda spotkała go jednak w Stuttgarcie z rąk rywala Johanna Heinricha Müllera. Niemiec napadł na Polaka, ograbił, nagiego przywiązał do drzewa, zabierając cenne pudełeczko.

Nie odnaleziono pudełeczka już nigdy, mimo że Müller został schwytany przez żołnierzy księcia Wirtembergii. Nieuczciwego konkurenta Sędziwoja powieszono w 1607 roku na dziedzińcu książęcego pałacu. A nasz alchemik, nadal krążąc po Europie, dokonywał ponoć cudownych uzdrowień, dając chorym do połknięcia miksturę składającą się z drobin proszku rozcieńczonych w winie.

Dzięki dziełom i niezwykłym dokonaniom stał się sławny na całą Europę; legenda zaczęła przykrywać znaczną część prawdy o tym nie-

Czy Sędziwój był członkiem tajemniczego Bractwa Różokrzyża, które rzekomo założył w XIV w. Chrystian Rosenkreutz? Nietknięte przez upływ czasu ciało Rosenkreutza, znającego wszystkie Tajemnice Nieba i Ziemi, miało spoczywać w Świątyni Ducha Świętego. Bractwo objawiło światu swe istnienie publikując tekst *Fama Fraternitatis* w 1614 r. w niemieckim Kassel.

zwykłym człowieku. Kim był, skoro niebawem cudownych uzdrowień dokonywać będą także różokrzyżowcy mający powiązania z alchemią? Czy jest rzeczą przypadku, że niebawem, bo w 1614 roku objawią się oni światu dziełkiem *Fama fraternitatis, Chwała Bractwa,* wydanym w Tybindze i Kassel? Różokrzyżowcy oznajmiali w tej broszurze, że znają wiedzę ezoteryczną, tajemną, umieją uzdrawiać i istnieją niemal od początku świata.

Kim był zatem Michał Sędziwój, którego życiorys oplotły niezwykłe legendy i zwykłe kłamstwa? Czy miał powiązania z bractwem? Co ustaliła nauka?

Michał Sędziwój musiał mieć w sobie niemało poczucia wyższości lub dążenia do bycia ważnym, skoro zrobił niezwykłą karierę w niebezpiecznej dziedzinie wiedzy i świecie, a te cechy nabieramy w dzieciństwie. Jak ustalił Henryk Barycz, ojciec Michała, Jakub, pochodził z mało zamożnej szlachty i nosił nazwisko Sędzimira Łukowieckiego. Pod wpływem heraldyka Bartłomieja Paprockiego zmienił je jednak na bardziej szlacheckie nazwisko Sędziwój.

Waszmościowie z Łukowa żyli ponad stan, bogato, tłusto i mięsnie, z dodatkiem orientalnych, niezwykle drogich korzeni: imbiru, cynamonu, goździków, szafranu i pieprzu. A to wszystko zapewne na kredyt[11].

Taki sposób życia z pewnością wpłynął na młodego Sędziwoja i pobudził jego niezwykłe ambicje. Zapewne rodzice ułatwili mu też naukę w Akademii Krakowskiej i liczne podróże. Skąd wzięli pieniądze, Bóg raczy wiedzieć; może posiadali jakąś wiedzę tajemną albo siłę przekonywania wierzyciela, kupca Jerzego Tymowskiego. Czy studia i podróże Michała mogła sfinansować jedna wioszczyna Sędziwojów

[11] H. Barycz, *Z epoki renesansu, reformacji i baroku. Prądy–idee–ludzie–książki,* Warszawa 1971, s. 591 i n.

w Sądeckiem, a nawet posiadana ponoć także kamienica w Krakowie, która wskazywałaby jednak na zamożność[12].

Sędziwój musiał się wykazywać nieprzeciętną inteligencją, zdolnościami i urokiem osobistym, skoro inwestowano ogromne sumy na jego naukę i podróże. Pierwsza biografia Sędziwoja powstała już w 1598 roku, gdy miał trzydzieści dwa lata. Współczesny dworski poeta Georgius Carolides z Karlsbergu pisał, że młody Michał zwiedził już Moskwę, Szwecję, Anglię, Hiszpanię, Portugalię, Czechy, Niemcy, Austrię, Włochy, odwiedzając wiele uczelni, spotykając się z wieloma dyplomatami i uczonymi.

Postać Sędziwoja ma wiele tajemnic: ocierał się nie tylko o świat alchemii, magii, ale i polityki. Czy rzeczywiście sekrety alchemiczne zdradził mu Szkot Aleksander Seton; współczesne badania wskazują, że było na odwrót.

Zakres jego zainteresowań był imponujący: od filozofii i alchemii po medycynę i nauki tajemne. Były to czasy, gdy wiele dziedzin z pogranicza nauki przeplatało się ze sobą. I tak profesorowie uniwersytetu w Lipsku sądzili, że niektóre sztuki hermetyczne, jak alchemia, powinny być oficjalną dyscypliną akademicką. Poglądom tym z pewnością ulegał panicz z Łukowa. Ktoś dawał mu duże pieniądze na wojaże i studia.

Co ciekawe, Sędziwój był mniej więcej w tym samym czasie, w latach 1593 –1598, sekretarzem króla polskiego, a jednocześnie dworzaninem, a potem radcą dworu cesarza austriackiego. Nie było w tym pozornie wielkiej sprzeczności, gdyż obydwaj władcy, Polski i Austrii, bardzo interesowali się alchemią i utrzymywali ze sobą dość ścisłe kontakty polityczne. Zygmunt III Waza w początkach swego panowania chciał się nawet zrzec korony polskiej na rzecz Habsburgów! Zdaje się, że Sędziwój pełnił już wtedy poważne misje dyplomatyczne na obu dworach. Bywał też często w Krakowie i jest wielce prawdopodobne,

[12] R. Bugaj, *Michał Sędziwój (1566–1636). Życie i pisma*, Wrocław 1968, s. 55; por. H. Barycz, *op. cit.*, s. 591 i n.

Laboratorium alchemiczne budziło nie tylko ciekawość, ale i lęk. Tajemne formułki, wiedza z ksiąg mieszały się tam z topionymi substancjami w poszukiwaniu złota i kamienia filozoficznego.

że jego prace alchemiczne, prowadzone z zaprzyjaźnionym Mikołajem Wolskim, doprowadziły do pożaru Wawelu 29 stycznia 1596 roku. Przyjrzyjmy się temu ogniowi.

Spowiednik królowej Anny Austriaczki jezuita Zygmunt Ernhofer donosił w swej relacji, że pożar powstał podczas naprawy czy czyszczenia kominów. I to wzbudza naszą wątpliwość: jak to możliwe, że pod bokiem króla i ciężarnej królowej Anny Habsburżanki czyszczono je w sezonie grzewczym?

„Ogień rozszalał się w mig" – pisał dalej zakonnik. Okazało się, że nawet dwór najjaśniejszego króla Zygmunta III Wazy nie był przygotowany do katastrofy: „Nie było ani ludzi, ani wody, ani skórzanych wiader", wzdychał jezuita. Tymczasem wielki wiatr przeniósł ogień na północne skrzydło zamku, komnaty królewskie i narożnik przy Kurzej Stopce, a dym przedostał się do sypialni królewskiej.

Król Zygmunt III nie chciał niepokoić ciężarnej żony. Anna Habsburżanka usłyszała jednak szepty; wkrótce gorący, gryzący dym nie pozostawił wątpliwości: pożar ogarniał sypialnie i fraucymer z dwuletnią królewną Anną Marią. Czerń sadzy i dymu splatała się z czernią adamaszków, którymi Anna lubiła wybijać swe komnaty. Przerażona królowa zaczęła modlić się do świętego Stanisława.

Sytuacja była poważna, gdyż woda w kubłach zamarzła i rzeczy fraucymeru i królowej trzeba było wyrzucać przez okno. Gapie i służba kradli, co się dało, a taka na przykład sobolowa szuba, diademy i perły toczące się po zmarzniętym, ośnieżonym bruku stanowiły majątek nie lada. Annę bardziej bolało, że straciła portrety rodziców niż wszystkie swoje diademy. Poza tym pomimo otulenia futrem zaziębiła się, jak pisała, bo „zimno wdarło się przez usta". Natomiast słynna szara eminencja dworu Zygmunta III, Urszula Meierin, biadała nad utratą konfitur z porzeczek, pigw i wiśni, o czym donosiła z boleścią arcyksiężnej Marii Styryjskiej[13].

[13] Por.: W. Leitsch, *Pożar na Wawelu 29 I 1595 r.*, „Dzieje Wawelu" 1978, t. 4 *passim*.

Po tym pożarze dwór przeniósł się do kamienicy przy ulicy Kanoniczej, a potem do Warszawy. W 1611 roku został już w Warszawie na stałe. Legenda dopisała ten fakt także Sędziwojowi, który miał przyczynić się swymi alchemicznymi pracami do feralnego pożaru i zmiany stolicy Polski. Tego jednak, jak się wydaje, nie dowiemy się nigdy, chyba że Sędziwój pozostawił jeszcze jakieś tajne zwierzenia...

Czy jednak krakowski alchemik rzeczywiście zagarnął po śmierci Aleksandra Setona czerwoną tynkturę, którą wyczarowywał złoto przed Rudolfem II Habsburgiem i uzdrawiał? Czy Seton ze Szkocji w ogóle istniał, czy była to zupełnie inna postać? Historycy niekiedy mają więcej pracy z demistyfikacją legend niż z wykryciem samych zdarzeń. Sukcesy Polaka mogły być solą w oku przedstawicieli innych „alchemicznych nacji" i być może stąd pojawiła się postać Setona, spekulowali niektórzy historycy, podejrzewając o stronniczość pisma francuskie i włoskie. Tajemniczy Aleksander Seton, żyjący na przełomie XVI i XVII wieku, występował bowiem obok Sędziwoja w relacjach cudzoziemskich sekretarzy polskich królów: Hieronima Pinocci i Pierre'a des Noyersa.

W archiwach szkockich przewija się jednak także postać określana jako Setonius, Suchtenius czy Sydon. Ale też być może owym Setonem był w rzeczywistości lekarz Zygmunta III Wazy, Aleksander von Suchten z Gdańska, zwany na dworze Suchtą. Napisał on łaciński poemat *De lapide philosopharum,* który niektórzy historycy uznali za dzieło zawłaszczone przez Sędziwoja.

Jednakże nasz alchemik nie napisał poematu, ale jedynie traktat pod tym samym tytułem, co znów podważa legendy o wykradzeniu dzieła. W końcu w drugiej połowie XX wieku postaci Sędziwoja i Setona zaczął badać polski chemik i historyk Roman Bugaj, by wyjaśnić także sprawę fatalnych zarzutów rzekomego wykradzenia dzieł Szkota przez rzekomo nieuczciwego Polaka.

Badacz odnalazł wiele śladów Aleksandra Setona. Niewiele jednak o nim; prawdopodobnie należał do tajemniczego bractwa różokrzyżowców mających wiedzę hermetyczną. Wędrował po Europie w tajnych misjach, niekiedy dokonując transmutacji metali w złoto. Podpisywał się jako Cosmopolita; podobnie brzmiał pseudonim Sędziwoja, co prowadziło do omyłek albo celowego wykorzystania tej zbieżności.

Coraz więcej śladów wskazywało na historyczną nieprawdę utrwaloną w zachodnich przekazach wobec osoby polskiego alchemika i jego niezwykłych dokonań oraz działalności Setona. Profesor Bugaj w biografii Sędziwoja udowodnił w końcu, że „po bliższym rozpatrze-

Wedle tradycji Sędziwój miał pracownię w „Kurzej Stopce” zbudowanej w XV w. na Wawelu (po prawej stronie). Czy jego badania doprowadziły do pożaru Wawelu i Krakowa w 1596 r., kiedy to dwór królewski przeniósł się do Warszawy? Od 1611 r. król zamieszkał w Warszawie na stałe. I odtąd, jak szepcą krakusi, zaczęły się polskie nieszczęścia: „potopy”, najazdy, rozbiory, okupacje.

niu sprawy opadnie gęsta mgła alchemicznej legendy i dostrzeżemy Setona jako sprytnego oszusta”[14].

Roman Bugaj jest pewien, że nieprzychylną opinię o Sędziwoju rozgłaszał głównie Pierre des Noyers, sekretarz polskiej królowej Ludwiki Marii i marszałek dworu Jana II Kazimierza Wazy. To on posłał w świat kłamliwe relacje o nieuczciwym polskim alchemiku.

Obecnie badania polskie są uznane i potwierdzone przez opracowania zachodnie. Anglik Cherry Gilchrist w fundamentalnym dziele o alchemii sądzi: „Staranne badania zarówno profesora (Władysława) Hubickiego, jak i profesora (Romana) Bugaja wykazały, że ta historia (z Setonem, kradzieżą proszku i autorstwem dzieł – J.B.) została prawdopodobnie wymyślona w XVII wieku przez Francuza Pierre'a des Noyersa, który w ogóle nie lubił Polaków, a Sędziwoja szczególnie. Utrwaliło się to w różnych opracowaniach historii alchemii aż do dnia dzisiejszego”[15].

Co takiego napisał zatem des Noyers? Wedle Francuza, żyjącego dostatnio i z apanażami na polskim dworskim chlebie, autorem słyn-

---

[14] R. Bugaj, *W poszukiwaniu kamienia filozoficznego. O Michale Sędziwoju, najsłynniejszym alchemiku polskim*, Warszawa 1957, s. 138.

[15] C. Gilchrist, *Alchemy. The Great Work*, Wellingborough 1984, s. 86, 87; Z. Szydło, *Woda, która nie moczy rąk. Alchemia Michała Sędziwoja*, Warszawa 1997, s. 56, 57, p. 7.

nych na całą Europę dzieł z pogranicza alchemii, filozofii i przyrody podpisanych imieniem Cosmopolita był Aleksander Seton. To właśnie „cnemu Szkotowi" „niecny Sędziwej" miał wykraść znakomite dzieła. Jak to uczynił? Dość bezceremonialnie: poślubiając żonę po zmarłym Szkocie, występującą w niektórych źródłach jako Teresa Rokosz z Bawarii, dowodził Noyers.

W innej relacji autorstwa Włocha Hieronima Pinocciego owa Teresa występuje jako kochanka Polaka. Miała wydać Sędziwojowi *12 traktatów o kamieniu filozoficznym* oraz *Dialog Merkurego i alchemika*.

Badający te relacje Roman Bugaj po naukowym zbadaniu ich oraz kontekstu wydarzeń nie miał wątpliwości: „Obie wersje, podobnie jak relacja o przekazaniu naukowych papierów, są jednak zmyślone i niedorzeczne"[16].

Utrwalenie się w historiografii zachodniej poglądów o kradzieży cudzych dzieł i tajemnej tynktury przez niecnego Polaka kosztowało jednak wiele nie tylko Sędziwoja. Kosztowało także samych Polaków, w opinii Zachodu narodu mało kreatywnego, pasożytującego na badaniach innych. Takie przekonanie żywili i żywią przecież dotąd na przykład tak zwani przeciętni Niemcy czy Anglicy, choć powoli i to się zmienia.

Trzeba było lat badań, zainicjowanych przez profesora Ryszarda Bugaja i innych, by odkryć prawdę o tajemniczym alchemiku i filozofie, o dziwnej niechęci i niedorzecznościach w zmyślonych relacjach des Noyersa o Sędziwoju. Teraz wiemy z całą pewnością, że autor kryjący się skromnie za pseudonimami *Divi Genus Leschi Amo, Angelus Doce Mihi Ius, Cosmopolite, Ioachimus d'Estinguel* – to Michał Sędziwój!

Nasz uczony alchemik był przy tym dumny ze swej polskości i wielkiej Rzeczypospolitej. Pierwszy pseudonim *Divi Genus Leschi Amo* jest anagramem nazwiska Michael Sendigovius i oznacza „Ja kocham boski ród Lechitów", czyli Polaków. Ostatni pseudonim zresztą też jest anagramem jego nazwiska[17].

Z jakichś przyczyn Sędziwój krył się pod pseudonimami, jak na nowatora przystało; nie on jeden, że wspomnimy Leonarda da Vinci, zacierającego po sobie ślady, piszącego „zwierciadlanym" pismem.

Michał Sędziwój odarty z niezdrowych tajemnic i sensacji jawi się nam nade wszystko jako nowoczesny alchemik, wywierający ogromny wpływ na rodzącą się chemię. O jego znaczeniu świadczą wznowienia dzieł: do końca XVII wieku ukazało się w Europie ponad osiemdzie-

---

[16] R. Bugaj, *Michał Sędziwój (1566–1636). Życie i pisma,* Wrocław 1968, s. 110.

[17] Pisze o tym Z. Szydło, *op. cit.*, s. 70 i n.

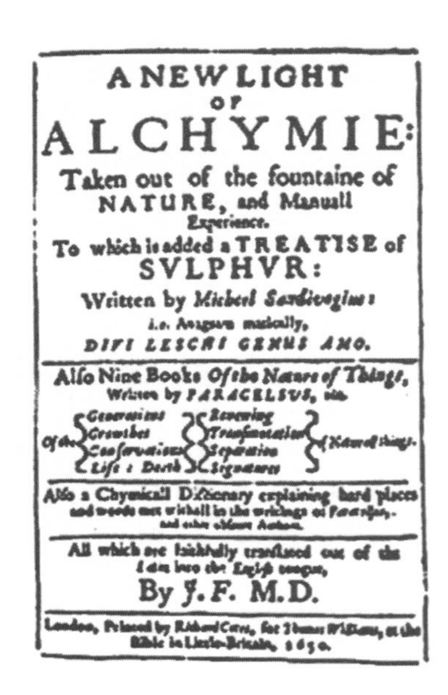

A NEW LIGHT
OF
ALCHYMIE:
Taken out of the fountaine of
NATURE, and Manuall
Experience.
To which is added a TREATISE of
SVLPHVR:
Written by *Michael Sendivogius*:
i.e. Anagram maticall,
DIVI LESCHI GENUS AMO.
Also Nine Books *Of the Nature of Things*,
Written by *PARACELSUS*, viz.
Of the *Generations*, *Growthes*, *Conservations*, *Life & Death*, *Renewing*, *Transmutation*, *Separation*, *Signatures* of *Naturall things*.
Also a Chymicall Dictionary explaining hard places and words met withall in the writings of *Paracelsus*, and other obscure Authors.
All which are faithfully translated out of the *Latin* into the *English* tongue,
By *J. F.* M.D.
London, Printed by Richard Cotes, for Thomas Williams, at the Bible in Little-Britain, 1650.

COSMOPOLITE
OV
NOVVELLE LVMIERE
de la Physique naturelle.
Traittant de la constitution generale des Elements simples & des composez.
Traduit nouuellement de LATIN EN FRANÇOIS.
Par le Sieur DE BOSNAY
A PARIS.
Chez ABRAHAM PACARD, rue sainct Iacques, au sacrifice d'Abraham.
M. DC. XVIII.

Strony tytułowe przetłumaczonych na inne języki dzieł Sędziwoja. Alchemik nasz miał dziejowego pecha, gdyż tworząc „teorię saletrowo-powietrzną" ocierał się o odkrycie tlenu. Wyniki jego badań wykorzystał oksfordczyk John Mayow (1641–1679).

siąt wydań traktatów Sędziwoja, tłumaczonych na większość języków Europy, także na rosyjski i czeski. Pilnymi czytelnikami byli między innymi Isaac Newton i Antoine Lavoisier, uznawani za gigantów chemii i fizyki. W XVII i XVIII wieku pojawiło się kolejne siedemdziesiąt pięć wydań[18].

Sendigovius nie był zatem szarlatanem i oszustem, jak uważano wskutek zełganej relacji des Noyersa, a zapewne i wskutek udanej przemiany metalu pospolitego w złoto. Jak tego dokonał w Pradze, nie wiemy; być może w tym przypadku Sędziowój posunął się do drobnej mistyfikacji, gdyż były mu potrzebne pieniądze, a taka droga była najkrótsza. A może rzeczywiście znał tajne sposoby?

Reszta dokonań naszego Michała z Łukowa była poważną pracą badawczą. Ryszard Bugaj zwraca uwagę, że ogromną zasługą Sędziwoja było to, że potrafił oddzielić spekulacje mistyczne towarzyszące alchemii od laboratoryjnego doświadczenia. Za punkt odniesienia uznał saletrę potasową, której produktem termicznego rozkładu jest tlen. Wedle Sędziwoja „duch saletry" był kamieniem filozoficznym, którego przez

[18] N*ieznany polski traktat alchemiczny Michała Sędziwoja*, „Przegląd Historyczny", t. LVI, 1965, z. 2, s. 284; wykaz bibliografii w: R. Bugaj, *op. cit.*, s. 280 i n. oraz Z. Szydło, *op. cit.*, s. 65 i n.

wieki szukały rzesze alchemików, smażących swe wywary w tajemniczych kubełkach i naczyniach.

Jak na nowatorskiego uczonego przystało, Sędziwój pisał swe prace zawiłym językiem, zrozumiałym jedynie dla znawców wiedzy hermetycznej. Ale pisał też po polsku, jak w przypadku odkrytego przez Bugaja traktatu *O dwunastu operacjach alchemicznych*. Z pisma tego możemy wywnioskować, że oczytany i zaznajomiony z historią alchemii kosmopolita Sędziwój był nie tylko entuzjastą polskości, ale też że doświadczenia swe prowadził w Wenecji i Padwie. Potem zresztą spotkał w tym mieście akademickim znakomitego matematyka i astronoma polskiego Jana Brożka.

Tamże, w Wenecji, pisze Michał Sędziwój, z „Jacobo Busenelo Abbate (który jeszcze teraz żyje i którego naprzód widział troszeczkę prochu *lapidis philosophici*) zobaczyłem kamień filozoficzny". Dalej następuje łaciński wywód reakcji chemicznych, po czym alchemik stwierdza: „tynktura ta *non permanens igne* (nie przetrwała w ogniu)".

Chodziło o jakąś sól złota, a operacja szósta opisywana przez Sędziwoja nie udała się do końca. Ale nie o to idzie. Nieznane dotąd dzieło *O dwunastu operacjach alchemicznych*, które powstało po polsku w końcu XVI wieku, jeszcze raz pokazało, że uczony polski alchemik sam napisał niezwykłe księgi, wnoszące tak wiele do dziedzictwa narodów[19].

Nikt z poważnych badaczy nie wątpi już obecnie w autorstwo czołowych dzieł Sędziwoja: *De lapide philosophorum* i *Tractatus de sulphre*, które wywarły wielki wpływ na początki nauki chemii. Potwierdzają to również badania niemieckiej profesor Karin Figala z Politechniki Monachijskiej, która pisze o „dużym znaczeniu dla rozwoju pewnych gałęzi filozofii przyrody" dzieł Polaka.

Michał Sędziwój wedle tych opinii był jednym z najbardziej wykształconych i kreatywnych chemików przełomu XVI i XVII wieku. „Teoria saletrowo-powietrzna, którą później przywłaszczył sobie John Mayow, czyni go prekursorem odkrywców tlenu. Doświadczenia Sędziwoja z solą główną – saletrą i tlenkami azotu – pozwalają uważać go, obok van Helmota (Jana Baptysty – J.B.) za twórcę nauki o gazach", pisał Roman Bugaj.

To niemało. Być może swoisty pech historyczny niezwykle utalentowanego Michała Sędziwoja z Łukowa polegał na tym, że świat dopiero stał w przededniu odkrycia w 1661 roku przez Roberta Boyle'a związku chemicznego. Dopiero potem nadejdzie czas odkrywania podstawo-

---

[19] Za: *Nieznany polski traktat alchemiczny Michała Sędziwoja*, „Przegląd Historyczny", t. LVI, 1965, z. 2, s. 292.

wych praw i pojęć chemicznych, jak prawo zachowania materii i masy, stałości składu, czas odkrycia pierwiastków i teorii atomów. Mimo to pisma Sędziwoja, których badania przeprowadził profesor Ryszard Bugaj, zdumiewają wszechstronnością zainteresowań autora traktatów: od chemii, medycyny, psychologii po filozofię przyrody, geologię i biologię.

Był nie tylko wybitnym ówczesnym naukowcem. Asystował też przy budowie fabryk drutu, blachy i prętów żelaznych, odlewni ołowiu i kul w Krzepicach koło Częstochowy, wspomagając swego przyjaciela, marszałka Wolskiego, odpowiedzialnego w Rzeczypospolitej za metalurgię. Po 1619 roku Sędziwój obiecał cesarzowi Ferdynandowi II nadzór nad budową nowej kopalni ołowiu na Śląsku niedaleko polskich granic.

Dzielił więc czas nasz alchemik między Kraków a Wiedeń jako sekretarz królewski i radca cesarski. Rozwój wojny trzydziestoletniej ukrócił, jak się wydaje, jego działania i zmusił do szukania finansowego zaplecza. Dostał od cesarza dwie wsie koło Ołomuńca. Chyba nie umiał na nich gospodarzyć, bo zaraz pojawiły się długi i kłopoty finansowe.

Najbardziej jednak tajemniczą stroną działalności Sędziwoja pozostała dyplomacja i polityka. Mecenat finansowy Wazy okazał się niewystarczający dla ambitnego alchemika; z kolei intrygi i śledzenie go w Pradze przez szpicli i alchemików chorobliwie podejrzliwego cesarza Rudolfa II także Sędziwojowi nie odpowiadało.

W 1600 roku został wysłany w tajnej misji przez Zygmunta III do Wiednia. Prawdopodobnie starał się uzyskać zgodę cesarza na dostęp Rzeczypospolitej do Morza Czarnego. Trochę to dziwne, bo hetman Jan Zamoyski i tak doszedł do Dunaju; nie oglądając się na cesarza, w 1600 roku zbił Michała Walecznego pod Buzową (Buzau) i osadził na tronie wołoskim polskiego lennika. To wtedy Rzeczpospolita rozciągnęła się od morza do morza.

Czy Sędziwój działał na dwie strony, jak się niekiedy sugeruje? Nawet jeśli tak, wówczas inaczej było to traktowane. Jurgieltnicy, czyli pobierający pensje od innych władców, nie byli traktowani jak zdrajcy i było ich sporo nawet na wysokich urzędach, jak kanclerz koronny za Zygmunta Starego, Krzysztof Szydłowiecki. Był też jurgieltnikiem heraldyk Bartosz Paprocki, ten sam, który wywiódł pradawną genealogię Sędziwoja. Sam Zygmunt Stary ze swoim przekonaniem o nadrzędności monarchii chrześcijańskiej nad racjami stanu Rzeczypospolitej ulegał Habsburgom.

Kim zatem był w działalności politycznej prześwietny alchemik? Zbigniew Szydło w wydanej biografii Sędziwoja nazwał go wręcz podwójnym agentem[20].

A może jednak działał na korzyść Polski, skoro pisano o nim *Sarmata Anonymus*, a sam się krył za anagramem *Divi Genus Leschi Amo*.

Czy jakieś dokumenty to potwierdzą, czy to kolejna tajemnica słynnego niegdyś, a później zapomnianego *Sendivogiusa Polonusa*?

[20] Z. Szydło, *op. cit.*, s. 64.

Rozdział 3.
Ziemia się trzęsie

Piątego maja 1200 roku w południe wiosna śpiewała radość góralom w okolicach Pienin. I wtedy nagle góry zafalowały i ziemia zaczęła się zapadać: nastąpiło wielkie trzęsienie ziemi. Tego nie pamiętali najstarsi ludzie ani kroniki nie odnotowywały.

Jan Długosz odnotował zdarzenie tak: „Trzęsienie ziemi, jakie nastąpiło 5 maja w południe w Polsce powtórzyło się w ciągu następnych dni, zniszczyło wiele wież, domów i warowni”[21].

Wiadomość tę wielki kronikarz wziął z *Kroniki* Pułkawy (*Przibico de Tradenina*). *Rocznik Traski* podawał inną datę: 4 maja 1201 roku i tę na ogół datę przyjmują ostatnio badacze. J. Pagaczewski w *Katalogu trzęsień ziemi w Polsce* podaje to tak: „Burzące trzęsienie ziemi w Górnej Styrii (Murau 9 st). Odczute bardzo silnie w Czechach (Bohemia), na Morawach, w południowych i środkowych Niemczech oraz w Polsce i na Śląsku”[22].

Polska wydawała się krainą wolną od kataklizmów wstrząsów ziemi i wybuchów wulkanów, jak w dalekiej Italii czy gdzieś w Ilirii. Tymczasem okazało się, że państwom skłóconych książąt piastowskich zagrażali nie tylko Tatarzy, ale i trzęsienia ziemi.

Uznawano to za wyraz znaków cudownych albo gniewu Bożego. Jak podaje Długosz, wstrząsy powróciły w 1258 roku[23].

Natomiast *Rocznik kapituły krakowskiej* datuje to wydarzenie na 31 stycznia 1237 roku. Być może południe Polski poraziły wtedy dwa ruchy sejsmiczne: 7 lutego 1258 i 31 stycznia 1259 roku. Falowanie ziemi w okolicach Krakowa doprowadziło do zburzenia wielu budynków w samej stolicy i chałup w pobliskich wsiach. Wstrząsy odczuli mieszkańcy Węgier, Czech i Rusi.

Liczby ofiar nie znamy. Znamienne jest kolejne zdanie Długosza sugerującego, że trzęsienie było znakiem, zapowiedzią nieszczęść. Pisze:

---

[21] J. Długosz, *Roczniki, czyli kroniki sławnego Królestwa Polskiego*, ks. 6, Warszawa 1981, s. 221.

[22] J. Pagaczewski, *Katalog trzęsień ziemi w Polsce z lat 1000–1970*, „Materiały i Prace Instytutu Geofizyki PAN”, t. 51, 1972, s. 8.

[23] J. Długosz, *op. cit.*, ks. 7, s. 150.

Pierwsze, bliżej znane i potwierdzone historycznie polskie trzęsienie ziemi nastąpiło w 1200 r. lub w 1201 r. w Pieninach.

„Następnie z biegiem lat gnębiły Polskę spory, waśnie i liczne nieszczęścia"[24].

Ale największe trzęsienie ziemi na ziemiach polskich i związane z tym katastrofy budowlane nastąpiły 5 lipca (?) 1443 roku między godziną trzynastą a czternastą. Kataklizm poświadczają źródła śląskie, czeskie i polskie, gdyż wstrząs odczuła cała środkowa Europa. „Rozwalały się wieże i murowane budowle. Poszczególne domy, jakkolwiek mocne i umacniane, chwiały się znacznie".

Skutki trzęsienia oglądał ze swej kanonii przy ulicy Kanoniczej w Krakowie Jan Długosz. Jak na obiektywnego historyka przystało, nic nie pisze o swych uczuciach, poza jedną frazą. „Widać było puste koryta rzek, ponieważ wody rozlały się na obydwie strony. Wszystko, co płynne, tryskało. Ludzie ogarnięci nagłym strachem odchodzili od zmysłów. Dach klasztoru Augustianów Eremitów świętej Katarzyny w Kazimierzu wskutek tego trzęsienia spadł nocą na ziemię i wiele innych miejsc uległo zrujnowaniu wskutek trzęsienia ziemi ... sama gleba ... rodziła kąkol i niewidziane przedtem owoce, zwane po polsku śniecią, zamiast czystej pszenicy. Wskutek wspomnianego trzęsienia uległa – jak pospolicie twierdzą – zepsuciu"[25].

---

[24] Tamże, s. 150–151.

[25] Tamże, ks. XI i XII, przekł. J. Mrukówna, Warszawa 2004, s. 320.

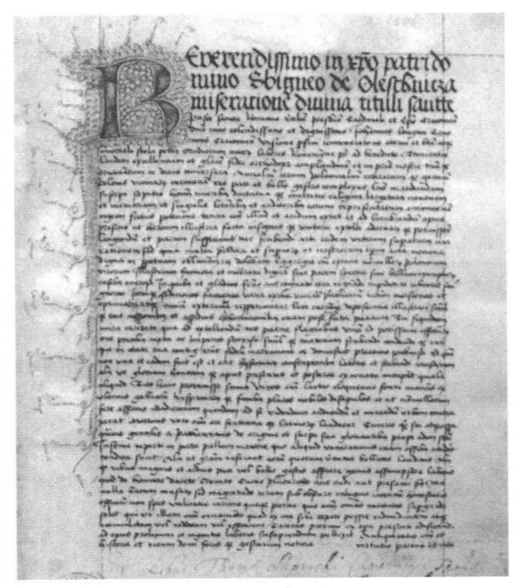

Ze stronic wiekopomnego łacińskiego dzieła Jana Długosza z XV w. dowiadujemy się nie tylko o zdarzeniach politycznych czy dynastycznych. Także o klęskach elementarnych, czy też cudach i dziwacznych znaleziskach.

J. Pagaczewski podaje jednak, że kataklizm ten nastąpił między godziną piętnastą a szesnastą 5 czerwca 1443 roku[26].

Ale w historii, jak i w innych dziedzinach nauki, wiele zdarzeń oraz ich interpretacji nie jest do końca absolutnie pewnych.

Nieszczęścia lubią chodzić parami. Ale zapewne to nie trzęsienie ziemi wywołało zepsucie plonów. Badacze zwrócili uwagę, że śnieć była po prostu chorobą kłosów zboża wywołaną przez grzyb.

Podczas tego pamiętnego trzęsienia najbardziej jednak ucierpiał Dolny Śląsk, Wrocław i jego wspaniałe budowle sakralne. W Brzegu spadła część sklepienia wspaniałego kościoła parafialnego.

Specjaliści po wiekach potrafili na podstawie opisów obliczyć magnitudę tych wstrząsów: w 1443 roku wyniosła ona około sześciu stopni w skali Richtera, a intensywność w epicentrum na Przedgórzu Sudeckim oceniona została przez naukowców na dziewięć stopni w dwunastostopniowej skali Mercallego!

Ponad rok później król polski i węgierski Władysław III Jagiellończyk zerwał zaprzysiężony pokój z sułtanem, po czym poniósł klęskę na równinie koło Warny, a sam zaginął. Jan Długosz nie uznał jednak tego trzęsienia ziemi za zapowiedź katastrofy warneńskiej, choć miał tendencje do podobnych tłumaczeń gniewu Bożego[27].

Powód klęski wytłumaczył czytelnikom inaczej, o czym jeszcze napiszemy.

Zdawał też sobie sprawę nasz uczony dziejopis, że w Polsce nie ma takich „trzęsień ziemi, których inne krainy doznają często aż ze skutkami ruin i unicestwień miast i wsi i rozpadaniem się gór", jak pisał[28].

---

[26] J. Pagaczewski, *op. cit.*, s. 10.

[27] J. Długosz, op. cit., ks. XI i XII, s. 360 i n.

[28] J. Długosz, *op.cit.*, ks. I–II, Warszawa 1961, s. 99.

I miał rację. Na podstawie źródeł i opracowania J. Pagaczewskiego, Małgorzata Hanna Malewicz wyliczyła, że pomiędzy XI a XV wiekiem ziemie polskie nawiedziło osiem silniejszych, burzących trzęsień ziemi.

Oczywiście fakt oszczędzania ziem między Karpatami a Morzem Bałtyckim przez ruchy sejsmiczne dodawał blasku wyjątkowości i opieki Bożej sławnemu Królestwu Polskiemu. Według danych Instytutu Geofizyki PAN przez tysiąc lat dziejów polskich ziemie między Odrą a Dnieprem nawiedziło siedemdziesiąt sześć trzęsień ziemi, ale żadne nie da się porównać z tym, co przeżyła na przykład Lizbona w 1755 roku zalana sześciometrowymi falami, czy ze wstrząsami ziemi we Włoszech.

Nieszczęść po wyniszczającym „potopie" szwedzkim dopełniło trzęsienie ziemi w Tatrach w 1662 r. Od tego czasu Sławkowski Szczyt (Słowacja), dotąd najwyższy, obniżył się ponoć o 300 metrów.

Dziewiątego sierpnia 1662 roku, gdy Rzeczpospolita leczyła rany po wyniszczających najazdach, około godziny dwudziestej trzeciej trzęsienie ziemi w Tatrach rozwaliło Sławkowski Szczyt po słowackiej stronie. Wysokość szczytu obniżyła się o około trzysta metrów, zasypane zostały wsie, zginęło wielu górali. Może i ci, którzy ratowali tak bohatersko króla Jana Kazimierza przed Szwedami.

W 1774 roku znów drgnęła ziemia, tym razem na Śląsku. W Raciborzu zawaliła się wieża kościelna. Dziesięć lat później, w latach 1785–1786 całą południową Polskę nawiedziła seria aż czternastu trzęsień ziemi. Dotarła do Szczecina. Dwudziestego siódmego lutego 1786 roku w Cieszynie popękały i pokrzywiły się murowane budynki, w Cierlicku zarysowało się sklepienie kościoła, w Mysłowie pękła wieża kościelna. W Bytomiu wskutek trzęsienia dzwony kościelne zaczęły same dzwonić, a ludzie odsypiający zapusty spadali z łóżek. Wielu wydawało się to końcem świata.

Trzęsienie ziemi na Śląsku i w Małopolsce wróciło 3 grudnia 1786 roku. Wzburzona Wisła koło Krakowa usiłowała zalać miasto, w kościołach odpadały tynki, dzwony same biły, rysowały się i pękały kamienice. W kościele Świętej Katarzyny rozstąpiło się sklepienie nad wielkim ołtarzem. Koło klasztoru w Tyńcu oderwała się skalna opoka, grożąc zawaleniem się zamku i klasztoru. Szczęśliwie do tego nie doszło.

Piorun nie ominął katedry poznańskiej, rujnując w 1371 r. prawą wieżę. Wedle Jana Długosza zniszczył m.in. płaskorzeźbę króla Przemysława II, oskarżanego w pieśniach ludowych o uduszenie poduszką żony Ludgardy. Tylko tak pobożni ludzie średniowiecza mogli sobie wytłumaczyć uderzenie gromu w katedrę.

Oczywiście owe wstrząsy w Polsce, rzadko nawiedzanej tego rodzaju kataklizmami, usiłowano sobie tłumaczyć. Zabobonna szlachta i chłopi skłonni byli uwierzyć, że to zapowiedź nieszczęścia. I ono nadeszło. 3 stycznia 1795 roku Polacy nie zdawali sobie sprawy, że choć zbudzili się we własnych łożach, to już nie w Polsce. Została wymazana z mapy Europy przez trzech zaborców na mocy tajnego porozumienia Rosji i Austrii. W dziejach polskich zaczął się najczarniejszy, długi okres niewoli.

Ale też grudniowe wstrząsy 1786 roku były ostatnim tak poważnym trzęsieniem ziemi na ziemiach polskich. Potem zaczęły się jeszcze straszniejsze wstrząsy powstań i wojen okupione olbrzymią daniną krwi.

Dotykały też Polskę katastrofy budowlane. W średniowieczu czasy stawiania gotyckich katedr bywały niebezpiecznym zajęciem. Ceglane ściany, marnie spojone wapnem i – jak w zamkach krzyżackich – białkiem kurzym, do chwili przewiązania ich ostrołukami, stropami i dachem, były narażone na wywrócenie byle podmuchem wiatru. Majstrowie, czeladnicy, wyrobnicy spadali z rozpadających się ścian i rusztowań, co uwieczniły nawet legendy związane z budową kościołów mariackich w Krakowie i Gdańsku. Nawet po wiekach przekonano się, jak wiele prawdy tkwiło w tych legendach, pokoleniom ku przestrodze. Dlatego murarzom odbudowującym kościół Mariacki w Gdańsku w latach pięćdziesiątych XX wieku nakazywano w razie silniejszego wiatru zeskakiwać na specjalnie przygotowane pryzmy piachu otaczające budowane mury. Przecież katedry pięły się pod niebiosa.

I w tych katastrofach dopatrywano się wyroków Bożych oraz znaków szczególnych. Piętnastego kwietnia 1371 roku uderzenie pioruna zniszczyło szczyt prawej wieży katedry poznańskiej. Piorun, wedle słów Jana Długosza, ominął kaplicę, natomiast poraził wyrzeźbione portrety króla Przemysława II i jego żony Rychezy. Długosz sugerował w ten sposób, że być może król poniósł karę pozagrobową za zlecenie zaduszenia poduszką swej pierwszej (najpierw ukochanej, a potem znienawidzonej) żony Ludgardy.

W 1525 r. bazylikę św. Elżbiety przejęli ewangelicy, podobno w wyniku wygranej gry w kości. W cztery lata później wichura zrzuciła hełm w jednej z najwyższych wież w Europie kościoła na cmentarz protestancki. Katolicy uznali to za karę niebios, a ewangelicy za znak łaski bożej, gdyż kawałki wieży przygnieść miały jedynie kota.

Wieże jednak spadały nadal na ziemię nie tylko wskutek niespełnionych uczuć, ale także pospolitych błędów popełnionych podczas budowy. Dość powszechnym zjawiskiem były uderzenia piorunów, wichury, burze, gradobicia, niszczące okazałe budowle. Tak stało się na przykład z wieżą kolegiaty warszawskiej Świętego Jana, która została strzaskana w początkach XVII wieku, a Warszawa pozbawiona wyniosłej ozdoby koło zamku. Ciężkie koleje przechodziło wiele innych polskich budowli sakralnych. Na przykład bogata, wspaniale wyposażona przez magnatów, szlachtę i mieszczan stara poznańska kolegiata Marii Magdaleny uszkadzana była wielokrotnie przez katastrofy budowlane, huragany i wojny. W końcu runęła, a dzieło zniszczenia przypieczętowali Niemcy, budując podczas drugiej wojny światowej na jej miejscu basen przeciwpożarowy. Wyniosła poznańska wieża ratusza została również zniszczona, na przykład w 1657 roku przez szalejącą burzę.

Katastrofy budowlane przechodziła wspaniała bazylika Świętej Elżbiety we Wrocławiu z czterdziestoma siedmioma średniowiecznymi ołtarzami. W 1529 roku podczas wichury zawalił się drewniany hełm wieży wysokości stu trzydziestu metrów, a jego szczątki spadły na cmentarz ewangelicki, co katolicy uznali za znak Boży wobec heretyków. W 1649 roku zawaliła się znów w tym kościele część sklepienia, gdyż filary nie wytrzymały naporu. Odbudowana piękna bazylika stoi jednak do dziś.

Podczas tych awarii i katastrof wieków średnich i nowożytnych zdumiewająco mało ludzi ginęło w Polsce. Czy byli niewarci wzmianek w szlacheckich kronikach, czy raczej polska sztuka budowlana stała na wysokim poziomie? Jak się to ma do potocznego sądu o marnych umiejętnościach rzemieślniczych dawnych Polaków?

Większość architektów pochodziła z Włoch i Niemiec. Kościoły i pałace budowali Polacy, nie oni jednak swą niedbałością powodowali katastrofy budowlane; zawalenia katedr nie były polską specjalnością, tak bywało w całej Europie. W średniowieczu najbardziej znana stała się katastrofa ogromnej i zachwycającej katedry francuskiej w Beauvais. Ta wczesnogotycka katedra, wyświęcona w 1272 roku, już w listopadzie 1284 roku rozpadła się niczym domek z kart. Dotąd nie wiemy, czy zawinił konstruktor, czy majstrowie-wykonawcy.

W Polsce aż takiej katastrofy w średniowieczu nie było, może dlatego, że katedry nie były tak strzeliste. Ale i Rzeczpospolitą nie ominęły szkody budowlane: w pierwszą niedzielę wielkiego postu 1732 roku w Przemyślu w trakcie remontu nagle runęło ciężkie sklepienie katedry

W sielskich Dubinkach w grudniu 1547 r. nagle oberwał się strop nad wejściem do komnaty Barbary Radziwiłłówny. Podejrzewano zamach na życie niedawno poślubionej tajnie żony króla Zygmunta Augusta. Jednakże takich przypadków zarwania się sufitów zasklepionych na wapiennej zaprawie bywało zapewne w Rzeczypospolitej dużo więcej.

Pierwszy most na Wiśle z 1573 r. był najdłuższą przeprawą w Europie i cudem ówczesnej techniki. Po nieukończonym jeszcze dębowym moście król Zygmunt August zdążył przejechać w ostatniej ziemskiej podróży do Knyszyna, do Barbary Giżanki, gdzie znalazł śmierć. Powódź i napór kry w 1603 r. uszkodziły poważnie most, który niekonserwowany rozpadł się w końcu.

pod wezwaniem Najświętszej Marii Panny i Świętego Jana Chrzciciela, niszcząc nowe filary i sześćdziesiąt dwa pomniki. Obyło się bez ofiar w ludziach, gdyż strop opadł w nocy.

Zamki i pałace musiały być jednak solidne, gdyż pełniły nade wszystko funkcje obronne. Przy dość marnych spoiwach ich budowa nie była prostym zadaniem, dlatego ważne budowle projektowali wybitni architekci, a murowali pod ich surowym nadzorem cechowi majstrowie, a nie partacze. Niepotrzebny był wynalazek betonu i stali, by te mury stały przez wieki; niektóre stoją do dziś. Nic dziwnego więc, że sztuka murowania uchodziła za niezwykłą, mającą swe wielkie tajemnice, że majstrów otaczano czcią, a mularstwo dało początek lożom masońskim (wolnomularzom) i spekulatywnemu myśleniu o Wielkim Architekcie Świata.

Gorzej bywało z prowincjonalnymi dworkami i zameczkami polskimi, gdzie sztuka budowlana była domeną rzemieślników z przypadku, oddalonych od centrum nowatorstwa architektonicznego. Łatwo obrywały się nadproża i sufity; całe szczęście, że były one niezwykle lekkie. Wiemy, że przydarzyło się to w grudniu 1547 roku na zamku w Dubinkach Barbarze Radziwiłłównie, tajnie poślubionej żonie króla Zygmunta Augusta. Tuż przed tym, jak Barbara miała wejść do komnaty, zawalił się sklep, czyli strop; królowa wraz ze służbą była o krok od śmierci albo kalectwa. W Polskę poszły wieści, że utraciła wzrok wskutek wyżarcia oczu wapnem, co bardzo ucieszyło szlachtę, niechętną małżeństwu króla z jego poddanką.

Nie wiemy jednak, czy był to zamach matki Zygmunta Augusta, królowej Bony, na Barbarę, czy raczej dość typowa wówczas awaria budowlana. Barbara ocalała, ale król nie chciał uwierzyć, że strop był źle wykonany, skoro tak pilnie przestrzegano ówczesnych norm budowlanych. Uwierzył, choć nie do końca, dopiero słowom szwagra, Mikołaja Radziwiłła Rudego, który pisał: „Ten sklep nie przez zdradę upadł, to Bogiem świadczę, a przez złe opatrzenie urzędników dawnych ojca mego, a przez moje też niedoźrzenie tego, co się około niego działo”[29].

W czasie panowania Zygmunta Augusta od 1568 roku budowano też pod kierownictwem Erazma z Zakroczymia pierwszy most na Wiśle łączący Warszawę z Pragą, zaprojektowany przez inżyniera włoskiego F. Veranizo. Oddany do użytku w 1573 roku był ówczesnym cudem techniki: drewniany, o trójkątnym układzie wierszowym, był najdłuższym mostem w Europie, a może i na świecie, dowodem potęgi Rzeczpospolitej. Długo jednak nie przetrwał, został zerwany w 30 lat później podczas wielkiej powodzi. Warszawa musiała czekać trzysta lat na żelazny most Kierbedzia, zbudowany w 1864 roku.

Dziejopisowie nie piszą jednak o ofiarach ludzkich podczas tych katastrof. Charakterystyczne też, że żaden z królów polskich ani magnatów nie doznał nigdy większego szwanku wskutek awarii budowlanych. Nie było aż tak źle z polską sztuką budowlaną, choć bez wątpienia wpływ na to mieli świetni architekci i inżynierowie włoscy. Gorzej chyba bywało z polskimi majstrami na prowincji, gdzie nie docierały nowocześniejsze metody stawiania dworków. Szczęśliwie łatwo je można było odbudować, drewna było pod dostatkiem.

Współcześni umieli jednak na ogół odróżnić błąd budowlany od znaku, jaki daje siła wyższa poprzez wstrząsy i zawalenia. Przynajmniej tak im się zdawało, zgodnie z wielowiekowym przekonaniem, że nic nie dzieje się przypadkiem.

---

[29] *List Mikołaja Rudego Radziwiłła do króla Zygmunta Augusta*, Dubinki, 22 I 1547 r., w: *Listy polskie*, red. K. Rymuta, t.1, Kraków 1998, s. 469.

Rozdział 4.
Kryzysowa pogoda

„Rok 1647 był to dziwny rok, w którym rozmaite znaki na niebie i ziemi zwiastowały jakoweś klęski i nadzwyczajne zdarzenia" – tak rozpoczął Henryk Sienkiewicz Ogniem i mieczem. *Pisarz nie dał się ponieść fantazji, rzeczywiście był to czas anomalii pogodowych, co wyczytał z kronik.*

Zima z 1647 na 1648 rok zamieniła się we wczesną wiosnę, przeszła niemal bez mrozów, za to z wielkimi deszczami. Huraganowe wiatry i burze szalały też na Mazowszu, Pomorzu koło Szczecina, a potem wokół Hamburga, Bremy, Frankfurtu, Wrocławia. Kronikarze piszą o ogromnych szkodach.

Potem nastąpiło niezwykle suche lato i ataki szarańczy, wyniszczającej zbiory na Ukrainie. Zimą nie było czym karmić bydła. Chłopi ukraińscy, zwani wówczas czernią, porzucali z rodzinami ojcowizny i lgnęli do Kozaków Chmielnickiego nie tylko z nienawiści do panów

Nieszczęścia Rzeczypospolitej 1647/1648 r. na Kresach: anomalie pogodowe, klęski nieurodzaju, głód. I na dodatek niespodziewany sojusz chrześcijańsko-islamski, czyli Kozaków z Tatarami przeciw polskim „Lachom".

Lachów. To wynik głodu wywołanego anomaliami pogodowymi dwóch strasznych dla Ukrainy lat: 1648 i 1649.

Klęski elementarne, jak to określa nauka, wynikłe z kaprysów i anomalii pogody, często są mechanizmem spustowym dramatycznych wydarzeń w dziejach. Ich rola bywa niedoceniana. Rzeczpospolita i jej ówczesna część, Ukraina, nieraz ocierała się o klęski elementarne albo docierały do niej wieści o klęskach głodu.

Niedaleko przecież rozciągało się wielkie państwo moskiewskie. U schyłku XVI wieku ledwo okrzepłe, wyczerpane było niezwykle krwawym i okrutnym panowaniem psychopatycznego Iwana IV Groźnego oraz pobiciem Rosji przez Polskę Stefana Batorego.

Ale to nie był kres cierpień i być może nie doszłoby w Rosji do wielkiej smuty i straszliwego wyniszczenia tego kraju, gdyby nie pogoda. Latem 1601 roku Wielkie Księstwo Moskiewskie zostało poddane kolejnej śmiertelnej próbie. Z nieba lały się potoki deszczu, zbiory wygniły. Jesieni prawie nie było, gdyż po lecie przyszły od razu wielkie mrozy. Niebywała klęska głodu poraziła nie tylko biedaków. Sytuacja ta powtórzyła się w 1603 i 1604 roku, doprowadzając do dzikich buntów i przerażających zdarzeń. Aby przeżyć, rodzice sprzedawali w pierożkach na targach mięso zabijanych dzieci. Przerażające sceny miały się powtó-

Kolejna wielka plaga głodu na Ukrainie została wywołana celowo w latach trzydziestych XX w. przez J. Stalina. Była wynikiem przymusowej kolektywizacji wsi: uciekające do miast chłopskie rodziny umierały na ulicach. Nieszczęsna Ukraina płaciła kolejną cenę za złączenie się z Rosją od 1654 r., w czasach Chmielnickiego.

rzyć w „cywilizowanym" XX wieku na Ukrainie podczas kolektywizacji wsi na rozkaz Stalina. Zresztą w Polsce i w innych krajach Zachodu w chwilach skrajnego głodu także szerzył się kanibalizm.

W czerwcu 1604 roku w przepiękny, ciepły, słoneczny dzień, na co zwracali uwagę kronikarze, wszedł do Moskwy „cudownie ocalały" carewicz Dymitr na czele wspierających go polskich i kozackich oddziałów. Moskwianie krzyczeli: „Oto słoneczko nasze", gdyż wierzyli, że nowy car zdoła odmienić pogodę, że ustaną deszcze, przyjdzie słońce i urodzaj. Dobra pogoda rzeczywiście wróciła, ale Polacy weszli na Kreml, po czym doszło do wielkiej wojny domowej i przeciw zaborcom – Polakom. Dla głodnej Rosji był to okres ruiny kraju, czyli wielkiej smuty w państwie moskiewskim, potwornie łupionym przez Polaków, Kozaków i Tatarów. Warto pamiętać, że bez wątpienia do tego długotrwałego kryzysu Moskwy przyczyniły się właśnie zaburzenia klimatyczne i klęski elementarne z lat 1602–1604.

Także w Polsce w 1648 roku Bohdan Chmielnicki zyskał tak ogromne poparcie nie tylko na skutek nienawiści Kozaków i czerni do Lachów, ale również dlatego, że brakowało żywności. Anomalie pogody dalej pogłębiały kryzys. Jakby nie dość było nieszczęść bratobójczej wojny, w 1649 i 1650 roku Polskę i Europę Środkową po fali deszczów nawiedziły niespotykane powodzie. Wylała Wisła, Wełtawa, Dunaj, Ren, Łaba, Wezera. Pomimo że były to zjawiska powszechnie się zdarzające, gdyż rzeki były nieregulowane, to dopełniały miary nieszczęść, przyczyniając się do groźnych kryzysów.

Armię polską przeprawiającą się w 1649 r. przez wezbraną rzekę Strypę ocaliła determinacja króla. Bohdan Chmielnicki ukorzył się przed Janem Kazimierzem, ale nie na długo.

Kroniki odnotowały, że król Jan II Kazimierz idący w sierpniu 1649 roku na Chmielnickiego z polską wielką armią odsieczową pod Zborów nie mógł przejść przez rzekę Strypę. Wielka woda zabierała kolejne mosty. Król wykazał tym razem niezwykłą determinację: objeżdżając panikujące wojska przy blasku pochodni, uniknął pobicia przez „Chmiela" podczas przeprawy. Sam hetman zaporoski zjawił się nawet w namiocie królewskim z kornymi przeprosinami, które i tak niewiele zmieniły w obrazie wzajemnych nienawiści i podejrzliwości obu stron.

W następnym roku z pogodą było jeszcze gorzej: Mikołaj Jemiołowski odnotowuje „niezwyczajne wylanie rzek po trzy razy przez rok". Na południu Polski wylała Wisła, San, Bug, Dunajec. Rajca kazimierski i kronikarz Marcin Goliński opisywał w *Terminatach*, jak z trupami ludzi płynęły zwierzęta, w tym węże, jaszczurki, krety, „i wodę trucizną zarażali i ludzie od tego puchli". Nawiasem mówiąc, imć rajca w swych *Terminatach* koncentrował się jedynie na powodziach, powietrzu i głodzie, co siłą rzeczy może dać jedynie obraz klęski.

Podobnie czynili inni kronikarze, wybryki pogody przerażały. Człowiek ówczesny czuł się uzależniony od warunków pogodowych. Nie mogło być inaczej, skoro ulewne deszcze doprowadzały do zalewania Krakowa, jak na przykład w 1652 roku, i morowego powietrza, czyli zarazy. Woda niosła wówczas ponoć dwadzieścia tysięcy trupów... Wraz z fatalną pogodą i klęskami elementarnymi, zwanymi też żywiołowymi, pojawiały się bowiem epidemie dziesiątkujące ludność. Warto jednak pamiętać, że klęski te zapoczątkowały właśnie zjawiska meteorologiczne, w tym przypadku długotrwałe ulewne deszcze. Głód, który potem nastąpił, doprowadził nawet do rzeczy niespotykanej dotąd w siedemnastowiecznej Polsce: samoistnej ucieczki głodującej części ludności Podola, Wołynia, Kijowszczyzny do Rosji, którą tym razem omijały plagi pogodowe.

Nadszedł pamiętny rok 1655. Zima była wyjątkowo mroźna i długa. Morze Bałtyckie skuł mróz, który ponoć uczynił z niego gigantyczne lodowisko. Szwedzi saniami w czwórkę koni przeprawiali się do Niemiec i stąd do Polski. Byli wówczas mocarstwem, pomimo że wielkie połacie Szwecji zamieszkiwało tylko około półtora miliona mieszkańców.

Niespotykany mróz ułatwił im rozpoznanie i przygotowanie się do uderzenia na Rzeczpospolitą; już nie na jej obrzeża, ale w serce kraju. Szwedzi mogli przerzucać nie tylko wojska, ale i potężną artylerię przez skute lodem cieśniny bałtyckie. Oczywiście główne siły przetransportowano na statkach – i potężne działa oraz żelazne regimenty Karola Gustawa niebawem z łatwością rozpędzały polskie chorągwie, łącznie z osławioną husarią.

Lata potopu były czasami anomalii pogodowych, przyczyniających się do pogłębiania kryzysu. Uznawano to za szczególną przestrogę Bożą dla Rzeczpospolitej i świata chrześcijańskiego, gdzie linie podziału w wojnach biegły często pomiędzy katolikami a protestantami. Nasilały się nastroje religijne. Wiosenne oraz letnie deszcze i powodzie doprowadziły w wielu miejscach Europy, w tym i w Polsce, do kolejnej fali głodu.

Do tego dołączyła niespotykana plaga myszy pustoszących podobnie jak szwedzcy najeźdźcy polskie spichlerze i stodoły.

Nawet dość bogatą wówczas Litwę dopadło w końcu głodowe barbarzyństwo. „Ludzie zjadali psy, koty, padlinę ... na ostatek rżnęli ludzi i ciała ludzkie jedli i umarłym trupom ludzkim wyleżeć się w grobie nie dali" – pisał naoczny świadek w województwie mińskim, Jan Cedrowski, o latach szwedzkiego potopu, niezwykłych wybryków pogody i klęsk głodu.

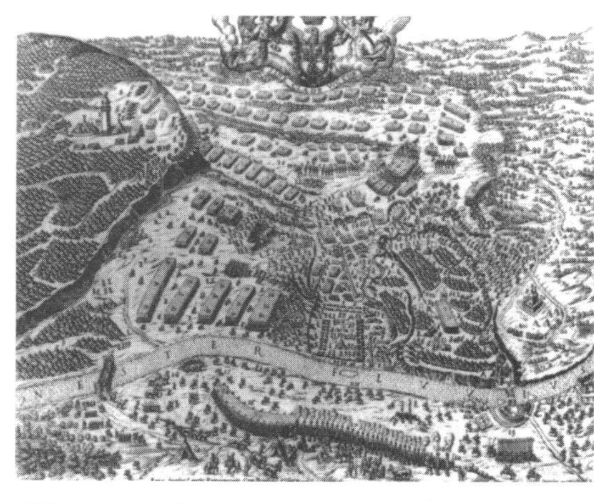
W bitwie pod Chocimiem w listopadzie 1673 r. przenikliwe zimno bardziej poraziło Turków niż Polaków, przyczyniając się do polskiego zwycięstwa.

Wydawało się współczesnym, że świat zawalił się im na głowy: nie dość Szwedów, Kozaków, Węgrów Jerzego Rakoczego, to jeszcze Moskwianie zajęli Wilno. Dokonali tam w 1654 roku pierwszego tragicznego odwetu za spaloną przez Polaków Moskwę, pierwszego ludobójstwa i pierwszych masowych deportacji, wywożąc z czasem z Białorusi niemal wszystkich rzemieślników. Białoruś stała się chłopska, bierna, z całą konsekwencją tego stanu rzeczy. Coraz częściej ją też będą dotykać klęski elementarne i głodu.

Wiele bitew toczonych było pod dyktando pogody i biada wodzowi, który nie uwzględniał tego w swych planach. Kto wie, jak potoczyłaby się decydująca bitwa Jana Sobieskiego z tureckim Husseinem paszą pod Chocimiem, gdyby nie pogoda. Przenikliwe zimno 10 listopada 1673 roku źle wpływało na Turków, mniej odpornych na mrozy niż Polacy. Mimo to zdołali odeprzeć gwałtowny szturm Sobieskiego. Hetman jednak dojrzał w przenikliwie mroźnej pogodzie szansę na odniesienie zwycięstwa. Cała jego trzydziestosiedmiotysięczna armia stała przez noc z 10 na 11 listopada gotowa do ataku. Również cała armia turecka zmuszona została do czuwania na mrozie. W cieńszych ubiorach ludzi Południa, nieodporni na zimno, Turcy zmarzli do szpiku kości – i o to hetmanowi chodziło. Rankiem Sobieski osobiście poprowadził dragonię na odrętwiałych od mrozu islamistów. Odniósł wielkie zwycięstwo, uznawane przez Karla von Clausevitza za „przykład jednej z najpiękniejszych operacji". Z trzydziestotysięcznej armii Husseina ocalało ledwie cztery tysiące żołnierzy, a Chocim przyniósł Sobieskiemu koronę polską i antycypował słynną wiktorię wiedeńską...

Zaburzenia klimatyczne na ogół były katalizatorem przemian, a nawet wywoływały kryzysy gospodarcze i społeczne. Poprzedzały groźne bunty i rewolucje. W 1846 roku doszło do straszliwej rzezi galicyjskiej, czyli ruchu chłopów przeciw dworom pod wodzą Jakuba Szeli w Tarnowskiem, w zaborze austriackim. Być może nie doszłoby do mordowania przez polskich kmieci patriotów szlacheckich w Galicji, szykujących właśnie powstanie przeciw zaborcom, gdyby nie słoty, ulewne deszcze, powodzie lat 1844–1845. Pojawił się wtedy nieodłączny towarzysz klęsk elementarnych: głód. Austriakom bardzo łatwo przyszło przekonać chłopów, że wszystkiemu winni są polscy panowie, a nie fatalna pogoda.

Podobna słota objęła w następnych latach niemal całą Europę, przyczyniając się do okropnej zarazy ziemniaczanej i nieurodzaju zbóż w 1847 roku. Wywołało to największą klęskę głodu aż do czasów pierwszej wojny światowej w Europie. „Widziałeś nędzę w łachmanach, kobiety z napuchłą twarzą i szkielety dzieci wołające chleba ... W Wadowickim obwodzie liczba mieszkańców zmniejszyła się o 60 tys. ... nie starczyło trumien, zabrakło miejsca na cmentarzach ... nędza Irlandczyków stoi w takim stosunku do tej summy nieszczęść naszego kraju jak jeden do tysiąca", pisał felietonista krakowskiego „Czasu"[30].

Ziemie polskie w powstaniach i tym razem wyprzedziły resztę Europy: „rewolucja kartoflana" w Niemczech, czyli bunty głodowe przerodziły się w największe wrzenie rewolucyjne, słynną Wiosnę Ludów. Ruch ten, jak wiadomo, odmienił dzieje kontynentu. Zaburzenia pogodowe odegrały w nim znaczącą rolę.

Przez wiele pokoleń zastanawiano się, jak tłumaczyć wściekłe kaprysy natury? Ludzie i kronikarze od wieków usiłowali powiązać anomalie pogodowe i klęski elementarne z działaniem Boga. Ale jak połączyć rozmiar cierpień z wiarą w Boga miłosiernego?

Ulegał tym przekonaniom kanonik krakowski Jan Długosz, choć starał się być ostrożny przy tego rodzaju wnioskach. I on jednak wskazywał i powoływał się na znaki niezwykłe. Przywoływał na strony swych wiekopomnych kronik nie tylko zdarzenia katastroficzne, ale i nadzwyczajne, opierając się głównie na *Roczniku Traski* i kapituły krakowskiej[31].

Lektura fragmentów dotyczących tych zdarzeń pozwala potwierdzić banalny skądinąd wniosek, że przez wieki myśli Polaków były przepeł-

---

[30] *Lato głodu 1847*, „Czas" przedruk, Kraków 1866, s. 5.

[31] J. Długosz, *Roczniki, czyli kroniki sławnego Królestwa Polskiego*, ks. 7, s. 212.

nione wypatrywaniem znaków Bożych w każdej anomalii, tak pogodowej, jak i innych zjawisk przyrody oraz ludzkich zachowań.

I tak pod datą 1278 rok pisze za *Rocznikiem Traski* o złych duchach zamieszkujących jezioro w pobliżu Krakowa i utrudniających łowienie ryb. Usiłowano w surową zimę, gdy brakło pożywienia, przegonić je procesją z pięcioma krzyżami, po czym zapuszczono sieci. Za trzecim razem „wyciągnięto strasznego potwora, którego oczy były czerwone, ogniste i płonące żarem, a kark kończył się kozią głową. Wszystkich zebranych ogarnęło na jego widok takie przerażenie, że zostawili krzyże i chorągwie, i bladzi i drżący rozbiegli się, gdzie popadło. U niektórych z nich wystąpiły chorobliwe wrzody”[32].

Miała więc Polska wczesnośredniowieczna także swego potwora na miarę Loch Ness. Opis w *Rocznikach* Traski i Długosza miał jednak posmak ewangeliczny, gdyż wielu apostołów to rybacy, a Jezus, powołując rybaka Kefasa, czyli Piotra, do grona swych uczniów, powiedział mu, że odtąd będzie ludzi łowił dla zbawienia ich dusz.

Roczniki lubiły zresztą przywoływać wszelakie dziwactwa i anomalie, usiłując dociec ich transcendentnego tła. „Mówiono, że w tym roku wydarzyło się w Polsce wiele dziwnych rzeczy”, pisał Jan Długosz pod datą 1270. Oto podczas połogu Małgorzata, żona komesa Wirobosława ze wsi Nakel, urodziła trzydzieścioro sześcioro żywych dzieci. Zaraz potem niestety zmarły; nie wiemy jednak, czy matka przeżyła. „W poniedziałek 6 grudnia o godzinie 1 w nocy niebo otworzyło się szeroko na kształt krzyża i ukazała się ogromna, podobna do księżyca światłość, która oświetliła zarówno miasto, jak i całą okolicę Krakowa niezwykłym blaskiem”. Nawiasem mówiąc, niezwykłych rozświetleń nieba Długosz odnotuje więcej, na przykład w 1277 roku, w święto Obrzezania Pańskiego o północy[33].

Ale wróćmy do roku 1270. Nasz dziejopis opisał wtedy narodzenie się w Kaliszu w oktawę Bożego Narodzenia ciołka mającego zęby psa, dwie psie głowy, jedną od strony ogona, i z siedmioma cielęcymi nogami. Na Śląsku przez trzy dni płynęła ponoć krwista woda, a „we wsi Michałów letnią porą spadła z nieba zamiast deszczu krew. Te niezwykłe znaki budziły nie tylko zdziwienie, ale i obawy, żeby one nie przyniosły zguby narodowi polskiemu”.

Kanonik krakowski powiązał jednak te znaki i zdarzenia z 1270 roku ze swoistym ostrzeżeniem sił natury: „rok ten zaznaczył się u Polaków nie tylko niezwykłymi znakami, ale i burzami, i ulewnymi deszczami”.

---

[32] Tamże, s. 258.
[33] Tamże, s. 251.

Wisła zatapiała wielkie połacie pól i wsie, więc „panowało przekonanie, że ten potop spotkał Polaków za nieprawość ludzką", tych, którzy „obrazili miłosierdzie Boże, sprawiedliwy Bóg pokarał nowymi i nadzwyczajnymi karami".

Powszechne modły bogobojnych mężów i niewiast, jak sugeruje Długosz, przyczyniły się jednak do zmiłowania Bożego nad krajem. Historycy bowiem nie wykryli objawów kryzysu w 1270 roku. Nadal trwało bolesne rozbicie dzielnicowe, które jednak kmieci i mieszczan niewiele obchodziło; wielu nie miało nawet pojęcia, kto jest ich księciem. Pan to ten, co był niedaleko i zabierał daniny, zmuszał do pracy, okładał biczem.

A przecież trapiły ludność Rzeczypospolitej przez wieki bardzo realne i straszne zniszczenia wojenne, szczególnie wskutek najazdów tatarskich. Zalewały wielkie powodzie i pożary – tak było wszędzie. Wylewała nie tylko Wisła, jak 28 marca 1514 roku, zalewając całe Żuławy, czy Warta 13 lipca 1515 roku, zalewając pola, domy i opadając dopiero po świętym Michale, czyli 29 września[34].

Wskutek tej powodzi został zniszczony kościół Bożego Ciała w Poznaniu, a karmelici na długo musieli się ewakuować. To tylko drobny wyimek z analitycznego dzieła Antoniego Walawendera ukazującego oddziaływanie zjawisk przyrody na dzieje Polski. Gdy czytamy kronikarskie opracowanie klęsk elementarnych, nie sposób oprzeć się wrażeniu, że ówczesny Polak i cały świat zdawał się być igraszką sił natury, od której zależała wysokość plonów, a więc i niewyobrażalny głód.

Powodzie zalewały niemal wszystkie krainy związane z Polską, na przykład Górny i Dolny Śląsk. W 1766 roku rzeka Nysa zerwała mosty w Paczkowie i Nysie. Rzeka ta wylewała często, ale jeszcze gorsze w skutkach, jak wskazuje Jan Kwak, były w XIX wieku wylewy Odry pozbawionej obwałowań[35].

Oprócz kaprysów pogody, zarazy, szkód wojennych gnębiły Polaków pożary. Czasem wynikały z uderzenia pioruna, ale najczęściej były dziełem ludzkich rąk – przypadkowym bądź celowym. Polskie pożary nie były chyba tak niszczące jak gigantyczny pożar w londyńskim City, spalonym niemal doszczętnie w 1666 roku. Niemniej jednak i polskie pożogi bywały przerażające.

---

[34] A. Walawender, *Kronika klęsk elementarnych w Polsce i krajach sąsiednich w latach 1450–1586*, t. 1, Lwów 1932, s. 41.

[35] J. Kwak, *Klęski elementarne w miastach górnośląskich (w XVIII i 1. poł. XIX w.)*, Opole 1987, s. 80 i n.

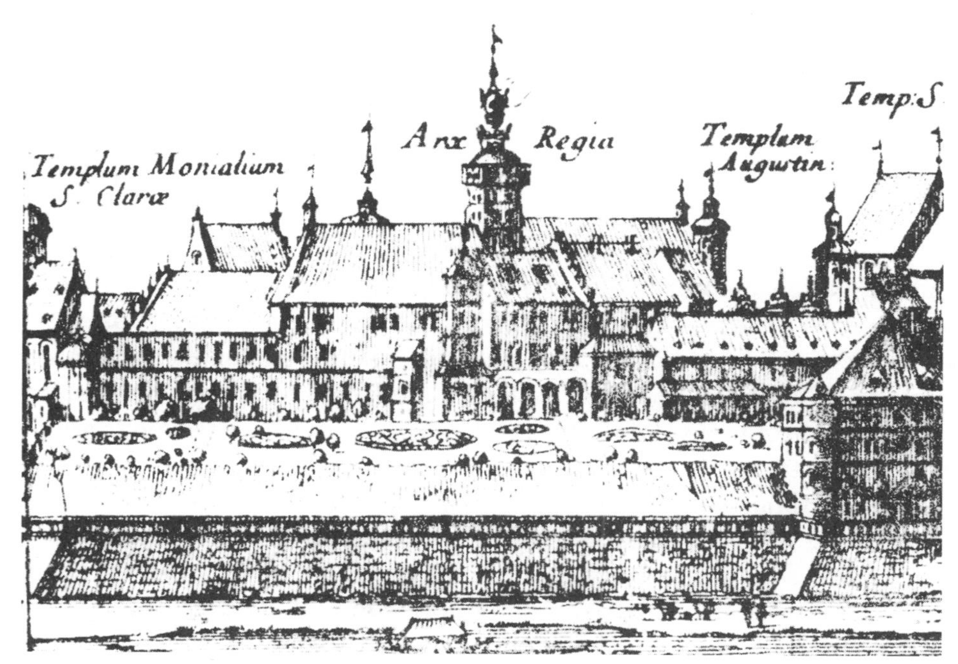

Po przeniesieniu dworu Zygmunta III do Warszawy z prowincjonalnej mieściny zmieniła się ona w duże miasto z pięknym zamkiem, pałacami i kamieniczkami. Zamek królewski został jednak ogołocony doszczętnie przez Szwedów, którzy od 1656 r. wywozili do swego kraju wszystko, nawet zamkowe marmury.

W 1613 roku zapaliła się pierwsza stolica państwa polskiego i Gniezno zgorzało do cna. Około pięciu tysięcy mieszkańców pozostało bez dachu nad głową, ale miasto szybko odbudowano wraz z kościołami, ratuszem, zamkiem i synagogą. Dopiero czasy wojen ogarniających w połowie XVII wieku rdzenne ziemie polskie wywoływały jeszcze gorsze pożary i zniszczenia. Niemal każdy kościół czy zamek doznał tej plagi wynikłej z nieostrożności lub przypadku. W ogniu ginęły dzieła sztuki i wielki dobytek kulturalny, tak jakby nie dość było wojen, grabieży, zarazy, chorób.

Pożar miewał wielką moc sprawczą. Ten, który wybuchł 29 stycznia 1596 roku, stał się, jak pisaliśmy wcześniej, jedną z bezpośrednich przyczyn, najbardziej widoczną, zmiany stolicy. Król z dworem, po wyprowadzce z Wawelu wskutek pożaru, ostatecznie w 1611 roku osiadł w Warszawie. Niektórzy krakowianie nadal uznają to za największą katastrofę dziejową i trudno się dziwić: od przeniesienia stolicy do Warszawy w dziejach polskich zaczęły się piętrzyć trudności, a potem wręcz klęski Rzeczypospolitej.

Czy to tylko myślenie magiczne, czy jest w tym głębszy sens? I dlaczego pogoda sprzyja bądź niszczy w trudnych czasach, wywołując często i dopełniając miary kryzysu? Pozostanie to zagadką z pogranicza wiary i rozumu.

Nie dla wszystkich zapewne. Wątpliwości nie miał na przykład ksiądz Charszewski, pisząc i wydając w 1932 roku dzieło *Palec Boży* z przedmową Konstantego Bolesty-Modlińskiego. Książka była przeznaczona dla Polonii w Stanach Zjednoczonych. Autor opisał siedemnaście katastrof, w których dopatrywał się interwencji i kary Bożej.

I tak rozpędzenie przez huragan katolickiej Wielkiej Armady w kanale La Manche w 1588 roku ksiądz Charszewski tłumaczy zamiarem Bożym uchronienia floty ultrakatolickiego Filipa II przed pogromem przez heretyckich Anglików. „Przejściowa klęska Hiszpanii stała się – na metę daleką – klęską Anglii. Triumfujący protestantyzm anglikański poddał Anglię w niewolę żydowsko-masońską", oceniał autor.

Z kolei *Titanic* zatonął dlatego, że budowała go między innymi „bezbożna sekta oranżystów", która ponoć wypisała na kadłubie statku „Ani sam Chrystus nie zatopiłby tego okrętu" oraz „Nie masz Boga, któryby zdołał ten okręt w odmętach morskich pogrążyć". To dlatego, pisał ksiądz Charszewski, „Bóg zmusił zbuntowanego tytana do oddania sobie hołdu", zatapiając za karę niezatapialnego Titanica z tysiącami pasażerów[36].

Inne katastrofy, jak trzęsienia ziemi i komunikacyjne, również ocenione zostały przez autora w tym duchu.

Szczęśliwie ksiądz Charszewski nie wpadł na myśl napisania o katastrofach polskich. Wtedy zapewne żaden emigrant nie odważyłby się wrócić do kraju.

---

36 Ks. Charszewski, *Palec Boży,* Katowice 1932, s. 51.

Część IV

SPISKI CZYHAJĄ NA POLSKĘ

Rozdział 1. Czy masoni rozebrali Polskę?

Hiram, budowniczy wielkiej świątyni za czasów króla Salomona, wychodził ze świątyni po północy, po modlitwie. Podeszło do niego trzech łotrów i zażądało wyjawienia tajemniczego Słowa. Hiram odmówił, więc dwóch odeszło na bok, ale trzeci z nich, Matuzal (inna wersja: Jubelum) uderzył go w głowę młotkiem.

Ponoć dwóch łotrów dobiło Hirama węgielnicą i cyrklem, a ten ledwie zdążył wyrzucić swój złoty święty trójkąt. Ciało ukryli w świątyni, następnie przenieśli w góry, oznaczyli gałęziami akacji i usiłowali zbiec (w innej wersji: usiłowali powrócić w szeregi czeladników). Mimo to Hiram został przywrócony do życia przez króla Salomona i tajemnicze Słowo.

Mówi o tym legenda masońska, podawana zresztą w różnych wersjach. Od XVIII–XIX wieku słowo mason zaczęło budzić skojarzenia z sekretnym, antykościelnym działaniem i tajnym stowarzyszeniem

Inscenizacja zabójstwa Hirama.

o ogromnych wpływach. W XIX i XX wieku zwolennicy spiskowej teorii dziejów oskarżali Żydów i masonów o wywoływanie zła na świecie. Dotąd teoria ta pokutuje w wielu głowach.

Kim są masoni? Sekretnym zakonem o tajemniczym obrządku i niejasnych celach wobec świata? Organizacją ukrytą za symbolami, o podwójnej ideologii i niecnych zamiarach zastąpienia katolicyzmu chrześcijańską gnozą? Jaką rolę odegrali w dziejach polskich?

Początki masonerii toną w legendach i półprawdach, jak legenda o Hiramie. W sensie instytucjonalnym organizacja masońska powstała po wiekach, 24 czerwca 1717 roku, w dzień świętego Jana. Wtedy to cztery loże obradujące w gospodzie „Pod Gęsią i Rusztem" utworzyły Wielką Lożę Londynu i Okolic. Niebawem przekształciła się ona w Wielką Lożę Anglii.

Skąd się wzięli owi *freemasons*? Przeciwnicy masonerii są przekonani, że byli oni przedłużeniem bractwa różokrzyżowców. Wielkie Loże w Anglii powstały po to, „aby umożliwić różokrzyżowcom ukrycie swych alchemicznych badań i idei gnostyckich", a mularzom udostępnić bogactwa różokrzyżowców, przekonywał francuski pisarz A. de Lassus[1].

Na potwierdzenie przytacza się nazwiska pastorów, założycieli loży: Jeana T. Desaguliersa i szkockiego prezbitarianina doktora Jamesa Andersona. Według niektórych opracowań uchodzili oni za różokrzyżowców.

Masoni nadal jednak oponują przeciw „takim bredniom". Mają swoją legendę, ale i swe racjonalne prawdy. Zabójstwo biblijnego majstra

---

[1] A. de Lassus, *Masoneria, czyżby papierowy tygrys*, przeł. W. Podolska i P. Kalina Warszawa 1994, s. 27.

Hirama związane było ponoć ze znajomością „Wielkiego Masońskiego Słowa", „niewypowiadalnego imienia Boga", klucza do prawdy, a więc i władzy. Wszystkie narzędzia, jak młotek, cyrkiel, węgielnica, pion, trójkąt, nawet drzewo akacji, występujące podczas zdarzeń związanych z budową świątyni, jak i osobą Hirama, odegrały ważną rolę w tradycji masońskiej. Legły bowiem u podstaw obrządku, pełniąc symboliczną funkcję podczas wtajemniczenia na trzeci stopień: mistrza.

Symbole masońskie: cyrkiel i węgielnica.

Pierwsza organizacja masońska nawiązywała bowiem do zawodu mularzy. W Polsce określano ich „mularz", „mason"; w Anglii *freemason*; w Niemczech *der Freiemaurer*. Byli to budowniczowie katedr i zamków, strzegący swych tajemnic przed pospolitymi murarzami, władającymi jedynie kielnią i zaprawą. Budowanie wyniosłych świątyń w oczach prostaczków średniowiecznych graniczyło z cudem, więc mularze strzegli pilnie tajemnic niezwykłej sztuki stawiania ówczesnych cudów architektury.

Kaplica w Rosslyn koło szkockiego Edynburga ma wiele zagadek, wykorzystywanych przez łowców sensacji i autorów chodliwych książek. Nie została zbudowana na planie krzyża, pokryta jest tajnymi znakami templariuszy, różokrzyżowców i masonów. Co łączyło te organizacje?

Po raz pierwszy słowo *freemasons* dostrzegamy w angielskim tekście z 1376 roku. Miejscem spotkań wolnych mularzy był warsztat rzemieślniczy, a raczej przylegająca do niego szopa, zwana *lodge*, gdzie przechowywano narzędzia. W tej loży nowicjusz mularski składał przed majstrami i członkami przysięgę, że nie zdradzi tajemnic zawodowych. Tajników zawodu pilnie strzeżono przez wieki.

Czy to masoni sprowadzili Wita Stwosza z Norymbergi do Krakowa?

W drugiej połowie XVII wieku budownictwo katedr traciło na znaczeniu i w lożach pojawili się przedstawiciele innych zawodów. Do myślenia murarskiego, zawodowego, wnosili więcej myślenia spekulatywnego. W tych czasach, na początku XVII wieku, został też ogłoszony w Tybindze i Kassel w Niemczech manifest różokrzyżowców, istniejących, jak podawali, „od początku świata". To różokrzyżowcy prawdopodobnie wpłynęli na przemianę masonów w związek wolnomyślicielski. Podobną rolę odegrali alchemicy, zajmujący się nie tylko permutacją metali, ale także „alchemią duchową", transfiguracją osobowości. W ten sposób została otwarta droga do powstania masonerii spekulatywnej, a nie zawodowej.

W czasach oświecenia w XVIII wieku masoni przez Anglię, Szkocję, Francję zaczęli się błyskawicznie rozprzestrzeniać na wszystkie kraje i kontynenty. Tajemniczość ich działań i ideologii podkreślały wieści o ceremonii przyjęcia profana, czyli światowego do tajnej organizacji.

Być może protowolnomularze w Polsce pojawili się wcześniej. Wedle Leszka Mazana to masoni krakowscy w 1477 roku zdecydowali się sprowadzić z Norymbergi Veita Stossa, rzeźbiarza i wolnomularza, który miał wykonać wspaniały skądinąd ołtarz kościoła Mariackiego w Krakowie[2].

Są to jednak daleko idące domysły i spekulacje.

Szły one dalej. Stanisław Nowakowski, były szambelan należący do Wielkiego Wschodu Polskiego oznajmił na posiedzeniu 20 kwietnia 1820 roku: „Wolnomularstwo polskie zaszczepione od Włochów za Zygmunta I, przez Anglię później uporządkowane". Czyli w pierwszej połowie XVI wieku. Założycielami tajemnego stowarzyszenia na dworze Bony Sforzy na Wawelu miał być Włoch Branaccio i jego pomocnik

---

[2] L. Mazan, *Biblia z lipowego drzewa*, „Kaleidoscope" wrzesień 2000; por. T. Dobrowolski, *Wit Stwosz. Obraz Mariacki*, Kraków 1980; C. Leżeński, *Masoni bez maski*, Toruń 2006, s. 9.

Lorenzo. Członkami stowarzyszenia mieli być między innymi Gamrat, może nawet biskup Piotr (1487–1545), od 1541 roku prymas Polski, znany z talentów politycznych, renesansowego wolnomyślicielstwa i rozwiązłego życia, oraz któryś z Firlejów. Reszta nazwisk jest zamazana, a organizacja chyba nie przetrwała, gdyż nie ma dalszych o niej wzmianek[3].

Matką Fryderyka A. Rutowskiego, założyciela polskiej loży masońskiej, była Turczynka Fatima, znana później jako Maria Anna von Spiegel. Ojcem – wielki miłośnik kobiet i wina – król Polski August II Wettin.

Wiadomość ta wysoce niepewna. Jeśli taka organizacja protowolnomularska rzeczywiście istniała, a nie została sprokurowana dla podniesienia splendoru masonerii polskiej, to znikła zupełnie z powierzchni na dwieście lat.

W Polsce masoni pojawili się z całą pewnością niemal natychmiast po utworzeniu Wielkiej Loży Londyńskiej i Okolic. Sprzyjały temu rozległe międzynarodowe kontakty arystokracji, liczne podróże, zamiłowanie do nowinek i korespondencja: przedstawiciele Rzeczypospolitej od dawna bywali i często błyszczeli w Europie. Masoni wraz z francuską nazwą *macson* błyskawicznie przeniknęli do Rzeczpospolitej.

Już gdzieś w 1721 roku za Augusta II miewali, jak pisze W. Wilkoszewski, „czasami między sobą w Warszawie posiedzenia, które nazywali lożami"[4].

Wtedy też, jak podaje autor naukowego opracowania, Ludwik Hass, powstało Bractwo Czerwone z udziałem Czartoryskich, zapewne podskarbiego koronnego Jana Jerzego Przebendowskiego i hrabiego Franciszka Maksymiliana Ossolińskiego. Wśród członków *La Confrérie Rouge* spotykamy również kobiety, Sasów i Prusaków[5].

---

[3] Za: W. Wilkoszewski, *Rys historyczno-chronologiczny Towarzystwa Wolnego Mularstwa w Polsce*, Londyn 1968, s. 13.

[4] Tamże, s. 14.

[5] L. Hass, *Wolnomularstwo w Europie Środkowo-Wschodniej w XVIII i XIX w.*, Wrocław 1982, s. 63.

W 1729 roku, wraz z powiększeniem się grona *macson,* ukonstytuowała się Loża Trzech Braci, która nikomu nie podlegała. Polacy odegrali też rolę krzewicieli masonerii w tej części Europy. „Stolica Polski była pierwszym punktem oparcia dla wolnomularstwa w Europie Wschodniej i wschodniej części Europy Środkowej", pisał znawca masonerii Ludwik Hass[6].

Około 1738 roku hrabia Fryderyk A. Rutowski, naturalny syn króla Augusta II, zakłada w Dreźnie pierwszą w Niemczech wschodnich lożę Trzech Białych Orłów. Ona także jest niezależna.

Do masonów lgną nie tylko spragnieni tajemnicy i nowinek arystokraci, ale i różni pomyleńcy. Pewien student krakowski, niejaki Winiarski, podawał się za księcia Ramzesa Bartazzaniego i jako emisariusz Wielkiej Loży Londynu zbierał datki i ludzi do krucjaty antytureckiej. Zdemaskowano go w końcu. Sylwetki wolnomularzy służyły też jako modele rzeźbiarskie uwiecznione w... figurkach porcelanowych wykonanych w Miśni. Jak się wydaje, była to swoista zabawa i moda, ale nie dyskredytująca tajemnego ruchu.

Masoneria zdawała się zagrażać Kościołowi w walce o dusze. Dwudziestego czwartego kwietnia 1738 roku osiemdziesięcioszescioletni „ciężko chory i prawie ślepy", jak pisze L. Hass, papież Klemens XII potępił wolnomularstwo jako związek tajemny[7].

Dochodzi do tumultów: w Poznaniu tłum demoluje miejsca spotkań loży. Jednakże pomimo zakazów i reakcji tłumów Kościół nie mógł powstrzymać fali napływu już nie tylko arystokratów, ale koronowanych głów do lóż masońskich, a nawet głównych pasterzy Kościoła i wyższych duchownych. Szczególnie w Polsce.

W 1740 roku wstąpił do założonej przez siebie loży pruski król Fryderyk II. Jeszcze wcześniej w Rosji car Piotr I miał należeć do loży masońskiej sformowanej w Aleksandrowskiej Słobodzie. Wolnomularzom będzie sprzyjał także nieobliczalny, krótko panujący car Piotr III (1728–1762), mąż Katarzyny II.

Wolnomularstwo, jak każda organizacja coraz bardziej masowa, zaczęło się różnicować i tworzyć struktury oraz zależności. Za panowania ostatniego króla Polski, Stanisława Augusta Poniatowskiego, wielki mistrz Wielkiej Loży Anglii mianował stolnika wielkiego koronnego Augusta Moszyńskiego wielkim mistrzem prowincjonalnym Wolnomularstwa Królestwa Polskiego i Wielkiego Księstwa Litewskiego. Jeden z odłamów wolnomularstwa, Ścisła Obserwa sprowadziła też szerzej

---

[6] Tamże, s. 64

[7] Tamże, s. 68.

Wstępujący do masonów „światowy", czyli „profan" był poddawany inicjacji. Wymagało to niemałej odwagi w zetknięciu ze szpadą, „bratem straszliwym" i dochodzącymi odgłosami np. własnej wylewanej krwi.

do Polski idee bractwa różokrzyżowców, których wielkim admiratorem był Antoni Moszyński.

W 1777 roku do Ścisłej Obserwy i jej loży „Pod Trzema Hełmami" w Warszawie został przyjęty w ogromnej tajemnicy sam król Stanisław August. Wstąpił do Ścisłej Obserwy chyba na własne życzenie, gdyż ten odłam był neutralny wobec krytykowanego powszechnie w społeczeństwie króla Stasia. Monarsze udzielono wszystkich stopni wtajemniczenia, do ósmego włącznie, a o jego akcesie mogli być powiadomieni jedynie posiadacze siódmego i ósmego stopnia wtajemniczenia.

Wedle opinii biskupa przemyskiego, doktora Józefa Sebastiana Pelczara, profesora Uniwersytetu Jagiellońskiego, wyrażonej w jego dziele wydanym własnym nakładem w 1914 roku, do masonerii przystępowali w drugiej połowie XVIII i początkach XIX wieku najwyżsi duchowni: prymas Gabriel Podoski, biskup wileński Nikodem Kuzyna, prałaci i kanonicy. Masonem miał być pierwszy rektor Uniwersytetu Warszawskiego, ksiądz Wojciech Szweykowski. Biskup Pelczar sądzi, że ich intencje i motywy były czyste: nie chcieli rozsadzać Kościoła od wewnątrz, ale wierzyli, że „masoneria jako instytucja cywilizacyjna i postępowa, przyczyni się do zbawienia Polski"[8].

---

[8] J. Pelczar, *Masonerya, jej istota, zasady, dążności, początki, rozwój, organizacya, ceremoniał i działanie*, wyd. III, Lwów 1914, s. 304–305.

Masoneria objęła koronowane głowy, w tym Stanisława Augusta Poniatowskiego. „Profanom" i Kościołowi mogło się zatem wydawać, że wszelkie ważne decyzje są podejmowane tajnie, w wolnomularskich lożach. Zwolennicy konspiracjonizmu sądzą dotąd, że spisek masoński doprowadził do upadku Polski i nadal decyduje o losach świata.

Rywalizacja między odgałęzieniami polskiej masonerii biegła tak jak podziały wolnomularskie w świecie: między „Szkotami" a „Francuzami". Byli to i są zwolennicy rytów szkockich oraz tradycji wolnomularstwa francuskiego. W sferze wartości linia podziału biegła pomiędzy skłonnościami do teozofii i okultyzmu (Szkoci) a nurtem racjonalistycznym, wolnomyślicielskim (Francuzi). 30 października 1780 roku na mocy patentu Wielkiej Loży Anglii ukonstytuowała się Wielka Loża Prowincjonalna Polski. Jej kontynuacją była Wielka Loża Narodowa Wielkiego Wschodu Polskiego – *Grande Loge Nationale du Grand Orient Polonais* – powstała 27 grudnia 1781 roku. Obediencja ta przyjęła nową konstytucję 26 lutego 1784 roku.

Stanisław August przyjął imię zakonne *Salsinatus Eques a Corona vindicata*. Masoneria miała międzynarodowe powiązania i opinia publiczna, do której docierały niejasne strzępy informacji, podejrzewała ją o najgorsze. Wolnomularzom przypisywano rosnący wpływ na politykę światową. Tymczasem król, choć stał się członkiem masonerii, nie zdołał uchronić Polski przed trzema rozbiorami, pomimo że ponoć „Zakon jako swój cel wskazywał niedopuszczenie do utraty państwowości przez Rzeczpospolitą, a po 1772 roku żadna z lóż nie uznawała rozbioru Polski"[9].

Jednocześnie zupełnie przeciwne, uporczywe plotki głosiły, że to właśnie spisek masoński przyczynił się do unicestwienia Najjaśniejszej Rzeczpospolitej.

Teza ta znalazła swych zwolenników wierzących w ogólnoświatowe spiski. Nauka akademicka na ogół pogardliwie milczy wobec prostac-

[9] Tak twierdzi C. Leżeński, *Masoni bez maski*, Toruń 2006, s. 23.

kich tłumaczeń biegu dziejów i losów państw, narodów, społeczności; milczy, nie chcąc zapewne dolewać oliwy do ognia podejrzeń płonącego w głowach „spiskologów" i obrońców masonów. Gorzej jednak się dzieje, że wskutek tego milczenia wizje spiskowe znajdują rzesze zwolenników; w tym przekonanie o pogrzebaniu Polski przez spisek tajnych zakonów.

Zwolennicy tych tez wierzą, że już w XVIII wieku wolnomularstwo polskie w powiązaniu z innymi lożami uruchomiło tajny mechanizm nieszczęść Rzeczypospolitej, czyli rozbiorów. Rzeczpospolitą pogrzebali ostatecznie ościenni ukoronowani masoni, jak Katarzyna II i Fryderyk II, sądzą zwolennicy teorii spiskowych, a dobili ją krajowi masoni w rodzaju targowiczanina, wojewody ruskiego Stanisława Szczęsnego Potockiego, hetmana wielkiego koronnego Franciszka Ksawerego Branickiego i króla Stanisława Augusta, który dostał za operację pierwszego rozbioru Rzeczypospolitej dwieście tysięcy dukatów.

Tezy to nienowe. Już w 1935 roku historyk, doktor Kazimierz Marian Morawski, twierdził, że Polska została rozebrana wskutek działalności „kabał" i „sekt", dążących do zniszczenia arcykatolickiej Polski[10].

Szczególny nacisk autor kładł na niemieckie knowania sięgające zamierzchłych czasów zakonu krzyżackiego, różokrzyżowców niemieckich i powiązanego z nimi tak zwanego zakonu palmowego, istniejącego ponoć od 1617 roku oraz innych, powiązanych rzekomo z różokrzyżowcami. Osławiony Grand Dessein, Wielki Plan króla Augusta II Saskiego, to plan rozbioru Polski, twierdził K.M. Morawski[11].

Dla kolejnego zwolennika koncepcji antypolskich spisków, Jędrzeja Giertycha, mistrzami prawd objawionych byli Roman Dmowski i K.M. Morawski. „Otóż Polska była i jest jednym z państw na świecie najzawzięciej przez obóz masoński zwalczanych. To jest odkrycie (Romana) Dmowskiego, że Polska ma obóz masoński przeciw sobie", pisze J. Giertych, autor *Tragizmu losów Polski*. „Rozbiory Polski przeprowadzone zostały – przez masonerię. Plan rozbiorów uknuty został w lożach", dowodzi dalej kategorycznie[12].

Rozważaniom tym towarzyszy jednak taki stopień ogólności i braku konkretu, że pozostaje autorowi wierzyć jedynie na słowo. Nawet insurekcja kościuszkowska – „niewątpliwie o masońskim charakterze"

---

[10] K.M. Morawski, *Źródło rozbiorów Polski*, Poznań 1935, passim.

[11] K.M. Morawski, *Wolnomularstwo a Polska w dobie dziejowej przed rewolucją francuską, „Pamiętnik V Zjazdu historyków polskich w Warszawie"*, Lwów 1931, t. I, s. 241.

[12] J. Giertych, *Tragizm losów Polski*, Pelplin 1999, s. XIV; 90.

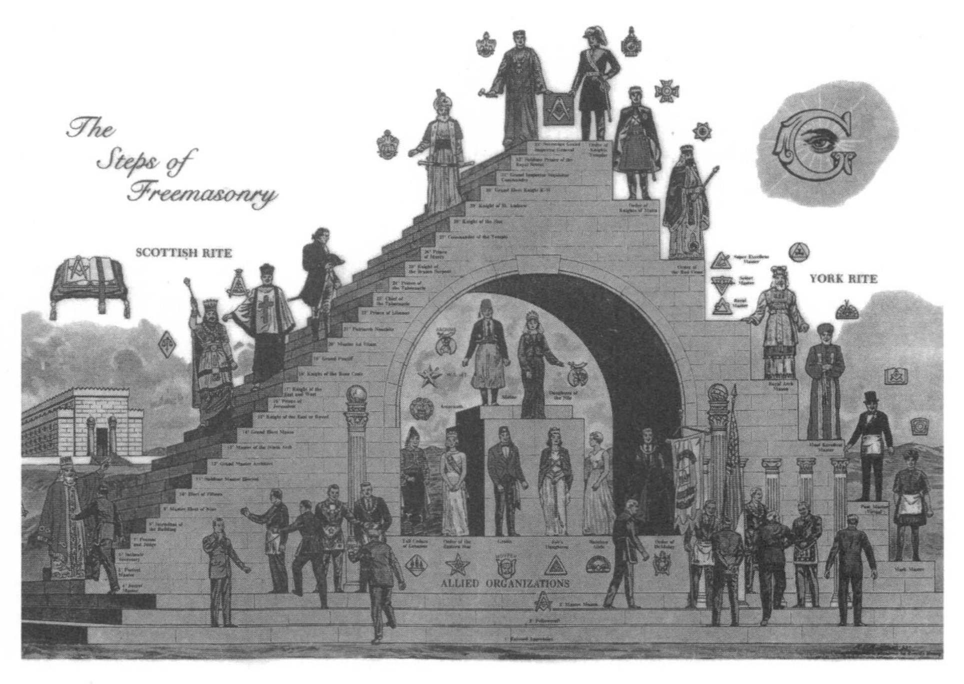

Struktura wtajemniczeń masońskich – po lewej stronie stopnie rytu szkockiego.

– jest wedle Giertycha jedynie „dywersją, zorganizowaną z myślą o ratowaniu nie Polski, lecz rewolucji francuskiej”[13].

Samego Tadeusza Kościuszkę autor uważa za farmazona, jak określano w Polsce wolnomularzy (od *franc-maçon*).

Pod piórem Jędrzeja Giertycha zaroiło się więc w upadającej Rzeczypospolitej od masonów i kryptomasonów. Nawet tak światłych jak ksiądz Hugo Kołłątaj, który jednocześnie miał gubić nieszczęsną Polskę.

Jędrzej Giertych znajduje dotąd naśladowców i zwolenników nie tylko w rodzinie. W XXI wieku Jan Marszałek napisał książkę *Tajne zakony jako jedna z przyczyn rozbiorów Polski*. Ukazał koniec Rzeczypospolitej jako wynik knowań, spisków, głównie masońskich od czasów Augusta II Sasa aż do ostatniego rozbioru i działalności masona Stanisława Augusta Poniatowskiego. W gruncie rzeczy jest to powieleniem i rozwinięciem tez Jędrzeja Giertycha.

Autor twierdzi autorytatywnie, że to „polscy wolnomularze składają przysięgę wierności królowi pruskiemu” i carowi, czyli Katarzynie II. Caryca miała być, wedle Marszałka „Wielkim Mistrzem Tajnego rosyjskiego Zakonu (loży wolnomularskiej – czytaj: tajnej agentury car-

[13] Tamże, s. 190, 193.

skiej), działającego w Polsce, na przykład Zakon Przyjaciół Doświadczonych"[14].

Jan Marszałek twierdzi też, że polscy magnaci, nawet gdy osiągnęli najwyższe godności wielkiego mistrza, „to i tak posiadali mizerniutką tajną wiedzę królewską, bo jedynie z zakresu tajemnic Różanego Krzyża ... Natomiast cudzoziemcy w tajnych prowincjonalnych zakonach w Polsce i na Litwie odgrywają pierwszoplanowe role".

Spisek tajnych zakonów przeciw Polsce nasilił się po śmierci Jana III Sobieskiego w 1696 roku, twierdzi autor rewelacyjnych tez i przytacza stosowne tabele. Tajne zakony były potrzebne jego następcy Augustowi II Mocnemu do zgermanizowania i skolonizowania Polski[15].

Potem stały się instrumentem w rękach pruskich, rosyjskich i austriackich do rozebrania Rzeczypospolitej na kawałki.

Grozy tych niezwykłych „prawd" nie jest w stanie zatrzeć końcowe sformułowanie relatywizujące końcowe: „Tajne Związki były jedną z przyczyn rozbiorów Polski, przyczyną ważną, lecz nie jedyną"[16].

A może ci autorzy mają rację? Może biednym dziatkom w szkołach wbija się do głów wygodne „prawdy", media mówią nieprawdę, nauka kłamie, a Polacy od setek lat są otumaniani przez kolejne pokolenia wpływowych masonów i Żydów, manipulujących historią dla własnych niecnych celów? Może jesteśmy poddani gigantycznemu oszustwu co do naszych dziejów, a Rzeczpospolita została sprzedana i wymazana z mapy świata przez masonów, jak sądzą J. Marszałek, K.M. Morawski, oraz J. i M. Giertychowie?

Historyk musi pilnować głównie dokumentów, źródeł i stamtąd dawać świadectwo prawdzie. To jest podstawą badania dziejów, a nie domniemania, hipotezy, zestawienia czy nawet nierzetelne opracowania innych. Kategoryczne tezy K.M Morawskiego i J. Marszałka są niezwykle słabo udokumentowane źródłowo. Nie zbadali żadnych archiwów, więc większość ich tez wisi w źródłowej próżni. Są to rzeczy dla zawodowego historyka niepoważne.

Jednak takie tezy miewają ogromną siłę rażenia, gdyż zaspokajają dziwaczne przekonanie, że pod oficjalną prawdą tkwi prawda jeszcze prawdziwsza, dla wtajemniczonych. Ileż to fortun powstało dzięki zaspokojeniu potrzeb niezwykłości, jak choćby powieść Dana Browna o rzekomym kodzie Leonarda da Vinci i „prawdziwym" Jezusie, udają-

---

[14] J. Marszałek, *Polityczna historia Polski: Tajne zakony jako jedna z przyczyn rozbiorów Polski*, Warszawa 2003, s. 7.

[15] Tamże, s. 33.

[16] Tamże, s. 174.

ca najprawdziwszą prawdę. Nauka często staje się bezradna wobec siły ludowych przekonań i jawnych manipulacji różnego rodzaju osobników z wyraźnymi obsesjami teorii spiskowych.

Tymczasem naukowa praca Ludwika Hassa, oparta na źródłach i fachowych opracowaniach, pokazuje zupełnie inny obraz roli masonerii w dziejach upadającej Polski. Ale zwolennicy spiskologii mogą wszystko kwestionować, gdyż autor swymi niegdysiejszymi poglądami trockistowskimi i pochwałami wielkiego mistrza w latach 2000–2003, Tadeusza Cegielskiego, paradoksalnie może wywoływać wrażenie nieobiektywnego sympatyka masonów[17].

Jest to obłęd spiskowego myślenia, tymczasem z obiektywnych prac Hassa wynika jednak, że caryca Katarzyna II, główna animatorka rozbiorów Polski, nigdy nie uczestniczyła w ruchu masonerii ani nie sympatyzowała z nim. Przeciwnie: jak wskazują badacze rosyjscy, jako wielka księżna była daleka do chęci udziału w warsztatach masońskich. Miała chyba do nich niechęć od czasu, gdy loże organizował jej debilowaty, coraz bardziej zapity i szalony mąż, wielki książę Piotr.

Po zamachu, zabiciu Piotra III w 1762 roku i przejęciu władzy przez Katarzynę widziała ona w ruchu masońskim „połączenie dziwactwa z dziecinnością". Drażnił ją mistycyzm wolnomularzy, wietrzyła z ich strony podstęp. Ale początkowo usiłowała nie zadrażniać stosunków ze światem wpływowych lóż. Dopiero gdy wzmocniła swą pozycję, wyrażała rosnącą niechęć do masonerii. Zaczęła prowadzić z nią walkę, najpierw na słowa, a po wybuchu rewolucji francuskiej środkami administracyjnymi.

Gdy wybuchła rewolucja francuska, która ścięła głowę Ludwikowi XVI, Katarzyna II poważnie wystraszyła się „czerwonej zarazy" idącej z Francji na wschód. Jej strach był uzasadniony, gdyż wybuch rewolucji wiązano z działalnością powiązanych ze sobą stowarzyszeń iluminatów, różokrzyżowców, filadelfów i masonów. W 1792 roku caryca nakazała przesłuchanie wolnomularzy, po czym wielu zesłano do ich majątków. Przywódcę moskiewskich różokrzyżowców Nikołaja Nowikowa 1 sierpnia 1792 roku Katarzyna II skazała na piętnaście lat ciężkiej twierdzy w Szlisselburgu.

Masoni odpłacali carycy tym samym, od początku sympatie kierując w stronę następcy tronu carewicza Pawła[18].

---

[17] T. Cegielski, *Ludwik Hass – historyk wolnomularstwa,* „Ars Regia" 2, internet.

[18] L. Hass, *Wolnomularstwo w Europie Środkowo-Wschodniej w XVIII i XIX w.*, Wrocław 1982, s. 109, 144.

Wybór okazał się nietrafny, gdyż Paweł I po objęciu władzy również zakazał działalności wolnomularskiej. Zezwolił na to dopiero Aleksander I w 1801 roku. Rzekome sympatie wolnomularskie Katarzyny II i ich wpływ na rozbiory Polski nie mają zatem najmniejszego uzasadnienia.

Wielki Mistrz Wielkiego Wschodu Polski Ignacy Potocki przyczynił się do uchwalenia wiekopomnej Konstytucji 3 maja. Czy oznaczało to, że masoni zadecydowali o pozytywnych reformach w Polsce? Z drugiej strony masonami byli przecież targowiczanie, m.in. osławiony Szczęsny Potocki, co z kolei zwolennicy konspiracjonizmu uznali za dowód masońskiego spisku przeciw Polsce.

Ale może to sami masoni polscy doprowadzili do tragedii rozbiorów? Po uchwaleniu Konstytucji 3 maja w 1791 roku część wpływowych magnatów polskich usiłowała zatamować proces zdrowienia państwa i w rok później zawiązała konfederację w Targowicy. Faktycznie spisek magnacki hamujący reformy ustroju Polski został zawiązany już w kwietniu 1792 roku nie w Targowicy, ale w Petersburgu pod patronatem Katarzyny II. Trzech polskich dygnitarzy na czternastu, którzy podpisali w maju suplikę do carycy Katarzyny II z prośbą o faktyczny rozbiór Polski, było niegdyś masonami. I to piastującymi najwyższe godności: Adam Moszczeński, Jerzy Wielhorski i osławiony Szczęsny Potocki.

Jednak ci pogubieni magnaci, odchodząc od wszelkich związków z obozem patriotycznym, przekreślili swe kontakty z wolnomularstwem. „Niemal wszyscy, którzy znaleźli się wtedy w obozie reakcji, odeszli od ruchu wolnomularskiego", stwierdza wybitny znawca tych zagadnień Ludwik Hass[19].

Przestali uczestniczyć w ruchu masońskim już przed uchwaleniem Konstytucji 3 maja w 1791 roku. Znane warsztaty wolnomularskie w Tulczynie i Niemirowie targowiczanina Szczęsnego Potockiego zamarły, gdyż wojewoda ruski był przeciwnikiem obozu patriotycznego, gdzie także dominowali masoni. Inne dowody walki masonów z obskurantyzmem i tak zwanym obozem zdrajców to na przykład ustanowie-

---

[19] L. Hass, *Wolnomularstwo...*, s. 210.

nie przez Stanisława Kostkę Potockiego „Orderu Pacanowskiej Kozy z Ciemnogrodu". Sylwetki masonów-patriotów, którzy przyczynili się do powstania wielkiego programu reform upadającego państwa można także odnaleźć w innych pracach z nurtu masońskiego[20].

Nie sposób więc oskarżyć wolnomularzy, że doprowadzili do upadku Polski i rozbiorów. Z naukowych opracowań Ludwika Hassa wynika, że było zupełnie inaczej. Do tajnej organizacji należeli bowiem wówczas najbardziej światli i znaczący ludzie w Polsce, koryfeusze oświeceniowych idei, również ci, którzy przyczynili się do uchwalenia Konstytucji 3 maja 1791 roku. Był wśród nich Ignacy Potocki, lider tak zwanego stronnictwa patriotycznego na Sejmie Czteroletnim 1788–1792. „Wolnomularzami była zdecydowana większość przywódców i najwybitniejszych członków stronnictwa patriotycznego", pisał Ludwik Hass, podając za Adamem Skałkowskim, że na siedemnastu przywódców obozu patriotycznego dwunastu należało do lóż masońskich[21].

Był nim król, zwolennik konstytucji. Masonami byli też ówcześni myśliciele: uczestnikiem warsztatów wolnomularskich był na przykład wybitny ówczesny pisarz i historyk, założyciel „Gazety Narodowej i Obcej" – Julian Ursyn Niemcewicz.

Masoneria szerzyła się także wśród szlachty: na stu siedemdziesięciu siedmiu posłów na Sejm Wielki trzydziestu dziewięciu było członkami lóż (dwadzieścia dwa procent). Jednym z dwóch marszałków Sejmu został zastępca wielkiego mistrza Wielkiego Wschodu Polski Kazimierz Nestor Sapieha. Dzięki owej grupie w Polsce można było zainicjować wiekopomne dzieło reform i uchwalić pierwszą nieoktrojowaną konstytucję w Europie!

Zarzucany masonom antyklerykalizm i antykatolicyzm też okazuje się w przypadku Konstytucji 3 maja wielce wątpliwy: ustawa rządowa zakazywała apostazy, czyli odstępstwa od wiary rzymskokatolickiej. Twierdzenie, że to masoni doprowadzili do tragedii rozbiorów i upadku Polski jest zatem wyraźnym nadużyciem, nawet jeśli uwzględnimy sekrety tej organizacji i pewną hermetyczność utrudniającą rzetelne zbadanie.

Uczynienie z insurekcji kościuszkowskiej i walk o wyzwolenie antypolskich spisków jest stawianiem przez spiskologów świata na głowie. Gdy Polska zaczęła dobijać się niepodległości w końcu XVIII wieku, na czele legionów stanął wolnomularz wysokiego stopnia z poznańskiej

---

[20] Na przykład C. Leżeński, *op. cit.*, Toruń 2006.

[21] L. Hass, *Wolnomularstwo...*, s. 209; A. Skałkowski, *Towarzystwo Przyjaciół Konstytucji 3 Maja*, Poznań 1930, *passim*.

loży francusko-polskiej, *Les Francais et Polonais reunis,* generał Jan Henryk Dąbrowski. Po utworzeniu Księstwa Warszawskiego w kwietniu 1809 roku pod Raszynem niepodległości bronili żołnierze pod wodzą księcia Józef Poniatowskiego. Dwudziestego drugiego marca 1810 roku ukonstytuował się Wielki Wschód Narodowy Księstwa Warszawskiego. Spośród siedmiu członków Rady Ministrów Księstwa czterech należało do lóż[22].

Wolnomularstwo w czasach rozbiorów Polski było powiązane ze sprawą walki o niepodległość. Mason, major Walerian Łukasiński, stał się męczennikiem sprawy narodowej.

Po wejściu wojsk carskich w granice Księstwa Warszawskiego w 1813 roku car Aleksander I mianował swym namiestnikiem starego wolnomularza generała Józefa Zajączka. Car nie tylko zgodził się na uznanie obediencji warszawskiej (odłamu masońskiego), ale wpłacił kilkadziesiąt tysięcy złotych na cele wolnomularzy. Uporczywe plotki głosiły, że sam Aleksander I jest masonem. Jeśli tak, to zaryzykuję hipotezę, że z pewną korzyścią dla Polski: zapewne dzięki temu Rzeczpospolita, okrojona do granic Królestwa Polskiego stworzonego na kongresie wiedeńskim, mimo wszystko zaznała znacznych swobód i zaistniała na mapie, dając nadzieję na pełną niepodległość.

Jedną z pierwszych czynności reaktywującej się obediencji Wielkiego Wschodu Polski było zawieszenie 18 marca 1814 roku wielkiego portretu księcia Józefa Poniatowskiego w pałacu Mniszchów w Warszawie, siedzibie warsztatów masońskich. Gdy zwłoki bohatera narodowego przenoszono na Wawel w 1817 roku, Wielki Wschód urządził obchód żałobny w Warszawie, dopuszczając do udziału także niemasonów[23].

O niezwykłym wyczuleniu masonerii na sprawy niepodległej ojczyzny świadczy też zawiązanie Wolnomularstwa Narodowego przez majora Waleriana Łukasińskiego, męczennika, który za rozpaczliwą próbę

---

[22] L. Hass, *Wolnomularstwo...*, s. 233, 239.

[23] Tamże, s. 295.

ROK III (1994)
Nr 3/4 (8/9)
KWARTALNIK POŚWIĘCONY
MYŚLI I HISTORII WOLNOMULARSTWA

„Ars Regia", pismo masońskie w III Rzeczypospolitej, nie przyciągnęło powszechnej uwagi mas ani nawet intelektualistów do „sztuki królewskiej", czyli „sztuki myślenia". Ludzie wolą celebrytów i schematyczne seriale „o życiu", naukowcy empirię.

podjęcia walki o niepodległość Polski został aresztowany w 1822 roku. Zmarł w 1868 roku po czterdziestu czterech latach więzienia w straszliwej twierdzy szlisselburskiej jako symbol niezwykłego hartu i męczeństwa.

Masoneria wywarła znaczący wpływ na rozwój psychiatrii polskiej: trzej psychiatrzy – Rafał Radziwiłłowicz, Jan Mazurkiewicz i Witold Łuniewski w latach 20. XIX w., byli wielkimi mistrzami Wielkiej Loży Narodowej Polski[24].

Mimo zasług dla ojczyzny masoneria od początku nosiła na sobie szaty tajemnic, i to zadziałało, moim zdaniem, głównie przeciw niej. Zdejmowała swe symboliczne sekretne ubiory, odkrywała swe istnienie, tłumaczyła, ujawniła stopnie, wydawała pisma, między innymi w Polsce, jak „Ars Regia" o sztuce królewskiej, promując rozwój swobody intelektualnej człowieka – na nic. Być może dlatego, że jako ruch świecki „nie wypracowała wszechogarniającej filozofii", jak pisze Giuliano de Bernardo. Stała się jedynie „etyczną filozofią praktyczną", mającą szerzyć miłość, idee wolności, tolerancji, dobroczynności, doskonalenia moralnego w dziele budowy świata, szukanie prawdy, jak sama o sobie mówi[25].

Stała się zbyt mądra nie tylko dla przeciętnych zjadaczy chleba, ale i dla elit – jako jedna z propozycji rozwoju i działania w określonych strukturach. Jej czas, jak się wydaje, raczej przeminął. A jeśli nie, to pozostaje raczej uśpiona, nie wywierając widocznego wpływu na teraźniejszość wirtualizmu i postępującego infantylizmu kultury i ludzi.

---

[24] T. Nasierowski, *Psychiatria a wolnomularstwo w Polsce*, Warszawa 1998, s. 33 i n.

[25] „Ars Regia" 1993, s. 8.

Poza tym masoneria weszła w konflikt z potężnym Kościołem. Wprawdzie podczas warsztatów lóż leży na stole Biblia, a za pierwszego masona uważano niegdyś Adama ulepionego z gliny przez Wielkiego Budowniczego Świata, ale jednocześnie konstytucja masońska sugeruje wyznawanie „religii, co do której zgadzają się wszyscy ludzie".

Kościół był coraz bardziej zaniepokojony i przeciwny tej organizacji i jej doktrynom, wierni również. W XIX wieku biskupi i papieże doszli do wniosku, że masońska panreligia z Wielkim Budowniczym Świata jako „transcendetna koncepcja zasad etycznych" rozmija się z chrześcijańską wiarą w Słowo Boże i Boga objawionego. Między Kościołami a wolnomularzami rosły napięcia, urazy i podejrzenia o najgorsze: o panowanie nad duszami. Niechęć, urazy i podejrzliwość pogłębiały się, pomimo że obydwie organizacje przyczyniły się do odbudowy Rzeczypospolitej.

Ta podskórna, tajna walka zdaje się przenikać nadal wiele umysłów, a nawet dzieje Polski. Niektórzy spiskolodzy są pewni, że ta walka trwa do dzisiaj.

Rozdział 2. Czy truto polskich królów? Odsłona I, czyli „spisek protestancki"

Od połowy XVI wieku „atak (na Polskę) szedł z trzech kierunków: z północnego zachodu, północnego wschodu i południowego wschodu. Skrzydło północno-zachodnie to właśnie reformacja, która obok działania wojskowego prowadziła działalność dywersyjną, mającą na celu zmiękczenie przeciwnika – pisał w 1964 roku w Londynie historyk-amator i lekarz Herman Zdzisław Scheuring. – Kierowniczką ataku politycznego i wojskowego z północnego zachodu była Anglia z królową Elżbietą I i lordem Cecilem na czele".

Stefan Batory uchodził za władcę o żelaznym zdrowiu. W rzeczywistości cierpiał na tajemniczy wysięk na nodze. Dlaczego też unikał kobiet i obawiał się trucizny?

Protestancka Anglia w XVI wieku wedle tegoż autora walczyła nie tylko z katolicką potężną Hiszpanią, wspomagając tym samym reformację, ale tworzyła też wielkie skrzydło na wschodzie, zaopatrując „Moskwę w różne materiały wojenne, z najemnymi żołnierzami i specjalistami do produkcji i obsługi nowoczesnych wówczas broni włącznie. To właśnie doprowadziło ją do politycznego zatargu z Polską"[26].

Do spisku masońskiego, różokrzyżowego, żydowskiego przeciw nieszczęsnej Polsce H. Scheuring dołączył więc również „heretyków", dybiących na katolicką Rzeczpospolitą. Dotąd historycy ostrożnie łączyli ewentualne „zagrożenie protestanckie" Polski z czasami potopu szwedzkich luteranów, kiedy to wykrystalizował się obraz Polaka-katolika i zaznaczyła mocno ksenofobia polska. Scheuring

[26] H.Z. Scheuring, *Czy królobójstwo? Krytyczne studium o śmierci króla Stefana Wielkiego Batorego*, Londyn 1964, s. 162.

sugerował, że spisek arian i w ogóle protestantów wykluł się znacznie wcześniej, w XVI wieku.

Specjaliści od spisków łączą najczęściej „wielkich podejrzanych" w jedną całość. Budując taką teorię, H. Scheuring, autor studium o śmierci Stefana Batorego, wykorzystał niektóre zdarzenia i poszlaki z XVI i XVII wieku, aby udowodnić tezę o protestanckim spisku. Czynił podobnie jak jego mistrzowie: Kazimierz M. Morawski, Jędrzej Giertych, Antoni (Andrzej?) Rawicz, którzy obok żydów i masonów w protestantyzmie także upatrywali źródła nieszczęść, a w końcu rozbiorów Rzeczypospolitej.

Ideowy przywódca obozu narodowego Roman Dmowski (1864-1939) był przekonany o żydowskiej konspiracji sterującej polityką światową. Usiłował się jej przeciwstawiać neoslawistycznymi i nacjonalistycznymi poglądami i działaniami. W poglądach tych mieściły się podejrzenia otrucia Stefana Batorego i innych królów polskich przez tajne siły antypolskie.

A może to prawda ukryta? W końcu nie byle jaka głowa, bo twórca nowoczesnej polskiej myśli narodowej, Roman Dmowski, zarzucał historykom, że nie wnikają ani nie wyczuwają podskórnego biegu zdarzeń i nie potrafią tego właściwie zinterpretować. Aby łatwiej trafić do polskich głów, Roman Dmowski w 1931 roku wydał pod pseudonimem książkę *Dziedzictwo,* wskazującą na spisek żydowski przeciw Polsce.

Jak się wydaje, otworzyło to kolejną, po 1922 roku i zabójstwie prezydenta Narutowicza, nacjonalistyczną puszkę Pandory. Polska myśl narodowa poszła dalej. W tychże latach trzydziestych XX wieku pojawiła się bowiem fala artykułów i książek Morawskiego, Rawicza, Gluzińskiego (podpisującego się H. Rolicki) i J. Giertycha o tajnych spiskach przeciw Polsce.

„Istnieją niemałe poszlaki, że Stefan Batory oraz Jan Sobieski zostali przez tajne związki otruci – Batory przez lekarzy swoich Bucellę i Simoniusa, związanych z założoną w roku 1545 w mieście Vicenza konspiracją socyniańską", pisze Giertych, referując dociekania Antoniego Rawicza[27].

[27] J. Giertych, *Tragizm losów Polski*, Pelplin 1999, s. 22.

John Dee (1527–1608?), matematyk i mag. Niewykluczone, że wywołując ducha przed Stefanem Batorym pełnił funkcje agenta angielskiej królowej Elżbiety I.

Ten z kolei kierował się w swych sądach dziewiętnastowiecznymi badaniami Aleksandra Kraushara, historyka tyleż płodnego i pracowitego, przytaczającego obficie źródła, co zawodnego w analizach i syntezach[28].

„Za socynianami stali Żydzi", dowodzi Rawicz w artykule o zagadce zgonu Stefana Batorego, podpisując się jako Andrzej (przedtem jako Antoni Rawicz). „Żydostwo zainteresowało się państwem polskim jako przyszłą siedzibą synów Izraela. Wzrost kalwinizmu i szeregu innych sekt opartych silnie o Stary Testament, a wrogich Rzymowi, był im niezmiernie na rękę ... Batory jednak zawiódł nadzieję żydostwa ... W interesie narodu wybranego było przedwczesne zejście Stefana Batorego z tego świata", dodawał z niezbitą pewnością[29].

Taką pewność, niestety, może dać jedynie obsesja, a nie solidna, rozważna wiedza i aparat krytyczny godny historyka.

Autorzy antysemickich teorii zdawali się przy tym celowo nie zauważać ówczesnych naukowych ustaleń żydowskiego badacza Majera Bałabana, na którego się czasem wyimkowo powoływali. Tymczasem Majer Bałaban pisał: „W stosunku do Żydów okazał się Batory nader życzliwym i wyrozumiałym. Doktora Salamona Kalahorę zatrzymał na swym dworze, swe interesy pieniężne powierzał żydowskim bankierom. Jednym z nich był Izak Nachmanowicz ... fundator synagogi we Lwowie".

Bałaban zauważał też, że wielkie sumy na wyprawy wojenne pożyczał królowi złotnik Jakub Ezdrasz[30]. Batory chronił edyktami wyznawców Mojżesza, nadawał im przywileje, widząc i ceniąc ich talent do interesów[31].

---

[28] A. Kraushar, *Drobiazgi historyczne*, Petersburg–Kraków t. I, 1891, s. 178.

[29] A. Rawicz, *Zagadka zgonu Stefana Batorego*, „Myśl Narodowa" 1934, nr 3.

[30] M. Bałaban, *Historia i literatura żydowska*, Lwów–Warszawa–Kraków 1925, t. III s. 168.

[31] J. Besala, *Stefan Batory*, Warszawa 1992.

Dlaczego zatem Żydzi mieliby nienawidzić i dążyć do zgładzenia dobrego dla nich króla?

Lekarz Herman Scheuring na emigracji w Londynie trzymał się jednak bardziej hipotezy o otruciu króla Stefana przez inne tajne siły. Pozornie wiele na otrucie wskazywało: silna pozycja Polski i Batorego szykującego się do wyprawy na Moskwę, a potem być może na Turcję, musiała wzbudzać wielki niepokój państw protestanckich. Na dodatek w 1584 roku na Wawelu i w Niepołomicach odwiedził króla ówczesny angielski uczony okultysta i matematyk doktor John Dee, co wywołało wiele podejrzeń A. Kraushara, H. Scheuringa i innych historyków czy raczej publicystów historycznych.

Doktora Dee, znawcę wiedzy tajemnej, komunikującego się z aniołami, zarekomendował Batoremu wojewoda sieradzki Olbracht Łaski. Wielce ambitny magnat, najpierw przeciwnik elekta Stefana Batorego, kandydat do korony polskiej, snuł tajemnicze plany w Anglii. Przez Elżbietę I przyjmowany był niczym udzielny książę. O czym rozmawiał z doradcami i urzędnikami królowej? Anioł Ilemese, wywołany w Londynie przez Johna Dee, przepowiedział Łaskiemu mitrę mołdawską i koronę polską po gwałtownej śmierci króla Batorego.

Dee, który również cieszył się łaską królowej Elżbiety I i był jej doradcą, został zaproszony przez Łaskiego[32].

Za zgodą króla przybył z medium Edwardem Kelleyem (E. Talbot) i rodziną do Polski. Zdaje się, że o przyjęciu magów przez Batorego zadecydowało cierpienie chorującego przewlekle polskiego władcy i nadzieja na wyleczenie. Jednocześnie kierujący się racjonalizmem Batory rzekł wprost doktorowi Dee, że w proroctwa nie wierzy, gdyż ustały od czasów Jezusa Chrystusa, ale skoro nie uchybia to religii i czci, z chęcią maga wysłucha. W pamiętnej scenie 27 maja 1585 roku na zamku w Niepołomicach Dee w obecności króla Stefana Batorego wywołał ducha, Najwyższego Pana. Towarzyszyło im medium, Edward Kelley.

Przepowiednia, tak jak na przepowiednię uczonego maga i matematyka przystało, była dwuznaczna. Król ma być uległy, choć z zachodu wyciągają się drapieżne pazury, mówił duch. Co się za tym kryło?

Scheuring przypuszcza za badaczami angielskimi, że Dee był agentem związanym z bractwem różokrzyżowym. Świadczyć ma o tym analiza jego dzieła *Monas Hieroglifica,* przeprowadzona zresztą przez badacza angielskiego. Dwuznaczną rolę mógł też odegrać wojewoda Łaski. Scheuring zastanawiał się, czy Łaski nie został angielskim szpiegiem

---

[32] B. Woolley, *The Queen's Conjuror: The Science and Magic of Dr. John Dee, Adviser to Queen Eizabeth I*, Nowy Jork 2001.

Francis Walsingham (1532–1590), zaufany polityk Elżbiety I, być może zakochany w królowej. Był twórcą nowoczesnej siatki szpiegowskiej, mającej uchronić Anglię przed katolickimi „matactwami".

i nie przyczynił się do skierowania doktora Dee właśnie do Pragi i Krakowa.

W świetle badań wydaje się pewne, że John Dee, odwiedzający dwory europejskie, był rzeczywiście agentem przeszkolonym przez kanclerza królowej, sir Francisa Walsinghama, który w 1573 roku utworzył tajną, nowoczesną, jak na owe czasy, organizację wywiadowczą. Była to opłacana przez niego rozległa instytucja posługująca się na wielką skalę szyframi, werbunkiem, kamuflażem, przeprowadzająca akcje szpiegowskie niemal w całej Europie. Walsingham wiedział wiele: szyfry listów łamał świetny kryptoanalityk Thomas Phelippes.

Ale są to tylko domysły; poza tym niewiele się zgadza. To prawda, że Łaski zabiegał o koronę. Ale zimą 1581 roku pojednał się z królem; koło Warszawy przypadł mu do kolan. Batory zapowiedział wtedy, że podczas wojny z Turcją wyśle Łaskiego... na Mołdawię; zdaje się, że obiecywał wojewodzie mitrę, udzielne księstwo w Jassach. Chyba Łaski stał się wierny królowi; niektórzy historycy twierdzą wręcz, że wojewoda w Londynie storpedował starania posła carskiego Teodora Pisemskiego o sojusz angielsko-rosyjski. Czy tak działałby szpieg królowej Elżbiety?

Ponadto John Dee nie mógł być różokrzyżowcem, ale tylko proto- lub kryptoróżokrzyżowcem, gdyż bractwo ogłosiło swe istnienie w Tybindze i Kassel w 1610 i 1614 roku Nie mógł też przekupić lekarzy Batorego, by go otruli, bo król Stefan był już bardzo chory, o czym wiedziało dobrze jego najbliższe otoczenie, jak i pewnie sam Dee. Batoremu sączyła się ropa z niezagojonego wrzodu na podudziu, podobnie jak jego ojcu. Stefan Batory dożyje też mniej więcej tylu lat, co jego ojciec.

Według mnie istnieje inny trop związany ze śmiercią króla, co najmniej równorzędny tezie o otruciu. Już Aleksander Kraushar w końcu XIX wieku zauważał na podstawie źródeł, że Batory z biegiem lat stawał się coraz bardziej zmienny w nastrojach i nieobliczalny: winnych Kozaków na kawałki siec zalecał, po czym pogrążał się we łzach i atakach melancholii. Tak było nie tylko po śmierci przyjaciela Kaspra Bekiesza czy brata Krzysztofa. Wpadał w apatię bez widocznego powodu, by znów wracać do furii, jak na obradach sejmowych w 1585 roku, kiedy to Jego Majestat Królewski po prostu wrzeszczał i rwał się do korda.

„Ten sam człowiek pod koniec swego panowania zdradza pewną melancholię, niechęć do życia, żądzę samotności", pisał Kraushar[33].

Dlaczego tak się zmieniał – czy był to efekt choroby, ślimaczącego się wrzodu na podudziu? Czy dlatego z nastrojów rzewnej apatii wpadał w nadaktywność i furię? A może to objawy syfilisu, skoro Batory wyraźnie unikał kobiet i miał w swym otoczeniu doktora Wojciecha Oczko, specjalistę od osób „obmierzle ogniłych"? A może to niewłaściwe leczenie, może podtruwanie żelaznego króla przez ostatnich lekarzy Mikołaja Bucellę i Szymona Simoniusa (Simone Simoni) wywoływało takie stany?

Wedle Giertycha i Scheuringa, lekarze ci byli arianami i należeli do konspiracji socyniańskiej zawiązanej w 1545 roku w mieście włoskim Vicenza. Wojowniczy król był zagrożeniem dla doktryny ariańskiej przeciwnej mieczowi i państwu. „Herezja ariańska, kierowana przez Socynów i im podobnych była herezją zwróconą przeciwko wszelkiemu rodzajowi społeczeństw", przekonywał Herman Scheuring[34].

Arianie z drewnianymi mieczami, głosząc pokój narodów, w rzeczywistości byli antynarodowi i antyspołeczni i otruli polskiego wybitnego władcę, sugeruje autor tej tezy.

Analiza zachowania Batorego, jego stanów i ostatnich dni władcy wskazuje jednak, moim zdaniem, na inną hipotezę. Król, jak sądzę, pił zbyt dużo wina, dzień po dniu, niekiedy od śniadania, niekiedy za zezwoleniem lekarzy. „Król dla zjednania sobie snu dwa kielichy starego wina z kawałkiem chleba wypił", pisał Jerzy Chiakor, pod którym to pseudonimem krył się sam Bucella. Szczególnie łatwo nadużywanie wina przez Batorego można dostrzec w starannym opisie ostatnich dni dokonanym przez Simoniusa i Bucellę, nieobecnego zresztą w pierwszej fazie choroby króla[35].

---

[33] A. Kraushar, *Czary na dworze Batorego*, Kraków 1888, s. 43.

[34] H. Scheuring, *op. cit*, s. 61.

[35] Za: *Cudzoziemcy o Polsce*. Relacje i opinie, wybrał i oprac. J. Gintel, Kraków 1971 t. 1, s. 176 i n.

Prawdopodobnie Batory od dawna był uzależniony od alkoholu, co obecnie uznawane jest za chorobę przewlekłą, postępującą i śmiertelną. Cechą tej choroby jest coraz silniejszy zanik uczuć wyższych. Być może dlatego Stefan Batory bywał skrajnie bezlitosny, co wykazał już po bitwie pod Szent Pal w 1575 roku czy wobec Kozaków, traktując ich z niebywałym okrucieństwem. Być może dlatego tak zmiennie traktował banitę Samuela Zborowskiego, który znalazł schronienie u Batorego w Siedmiogrodzie, a potem pomógł Węgrowi zdobyć tron w Polsce. Król tolerował jego obecność w wyprawach moskiewskich i wyprawie na czele Kozaków na tureckie galery, mimo że był banitą. Po czym zezwolił czy nawet nakazał ścięcie Zborowskiego w maju 1584 roku. „Pies wściekły zabity nie kąsa", miał powiedzieć Janowi Zamoyskiemu[36].

Zmienne stany emocjonalne króla, coraz większa depresja na przemian z atakami wściekłości, przełamywane polowaniami i wojnami, drgawki, wymioty, zmiany wagi, od chudości do wręcz otyłości, wskazują na rozwój choroby alkoholowej. Zapewne towarzyszyła temu cyklotymia z elementami choroby afektywnej dwubiegunowej. Być może wchodził w stan padaczki alkoholowej. „Około północy przyszedł atak lubo z małemi drgawkami i król niebawem odzyskał przytomność", opisywał na przykład pod datą 11 grudnia 1586 roku lekarz Bucella. Drgawki te nasilały się od pewnego czasu, sporo jest opisów remisji i nawrotów.

W chwili śmierci 12 grudnia Batory miał pięćdziesiąt trzy lata. Jego śmierć budziła wiele podejrzeń. W 1933 roku konsylium lekarzy pod przewodnictwem profesora doktora Franciszka Waltera stwierdziło, że król umarł na torbielowate zapalenie nerek i uremię.

Jak się wydaje, jest to diagnoza najtrafniejsza. Być może to wino pite codziennie od lat poczyniło w nerkach największe spustoszenie. Ale degradacji ulegał też system nerwowy.

Nie wydaje się zatem, by to protestancki spisek i trucizna pozbawiła Batorego życia. Chyba że lekarze króla celowo podawali mu wino: rzecz w tym jednak, że było ich dwóch, i to potężnie skłóconych. Patrzyli sobie wzajemnie na ręce, jak i patrzył też cały dwór.

Ustalenia te kłócą się jednak z sądem narodowców o spisku protestanckim, ariańskim, socyniańskim. A przecież błędów w takim rozumowaniu o konspiracji protestanckiej jest co niemiara. Główny ideolog ariański, Włoch ze Sieny, Faust Paweł Socyn, nie mógł zawiązać konspiracji socyniańskiej w 1545 roku, bo miał wtedy sześć lat. Fakt, że przejechał w ślad za Stefanem Batorym w czerwcu 1579 roku z Siedmiogrodu do Krakowa, o niczym jeszcze nie świadczy. Socyn nie mógł

[36] J. Besala, *Stefan Batory*, s. 442.

nic uczynić wobec Batorego, gdyż dzielił go od monarchy dystans nie do przebycia, nawet uwzględniając słynną dostępność i bezpośredniość króla Stefana. Ideolog arianizmu był przy tym oskarżony o działalność antypaństwową przez nuncjusza papieskiego A. Bolognetiego i od 1583 roku chronił się w Pawlikowicach, majątku Krzysztofa Morsztyna, drżąc o własne życie.

Protestant Faust Socyn (1539–1604) raczej nie mógł się przyczynić do śmierci Stefana Batorego. Sam Socyn miał niełatwe życie w związku z głoszonymi poglądami i ledwie uniknął śmierci z rąk katolickich studentów krakowskich w 1598 r. Ocalił Socyna jeden z profesorów; studenci spalili wtedy księgozbiór arianina.

Teza o spisku ariańskim jest wyraźnie bezpodstawna także w zderzeniu ze szczegółowymi faktami o Bucelli i Simoniusie podanymi na przykład przez Lecha Szczuckiego w *Polskim Słowniku Biograficznym*. Nie jest nawet pewny fakt, czy król w ogóle zamyślał o wyprawie na ówczesne supermocarstwo, jakim była Turcja. Kazimierz Dopierała w swej rozprawie sądzi, że raczej nie[37].

Batory nie stanowił aż takiego zagrożenia dla protestantyzmu, by go truć.

Ale teza o otruciu króla i tak będzie miała swych zwolenników. Wynika to nie tylko z ludzkiej potrzeby szukania sekretów, pasji ich ujawniania i snucia teorii spiskowych. Wypada dodać, że bez wątpienia nikt przytomny nie chwali się przed potomnymi, że truł bądź otruł króla czy kogokolwiek. Takie sprawki na ogół zabiera się do grobu.

Przyjrzyjmy się zatem, jakich lekarzy miał król Stefan?

Doktor medycyny i filozofii, arianin Mikołaj Bucella, dostał się na dwór Batorego jeszcze w Siedmiogrodzie, 12 kwietnia 1574 roku, za wstawiennictwem innego arianina, lekarza i dyplomaty, Jerzego Blandraty. Jak pisał Kazimierz Lepszy, „zyskał sobie wówczas duże zaufanie i sympatię króla". Od 1581 roku był już pierwszym lekarzem króla Stefana i jemu zawdzięczał majątki oraz bogactwo.

U jego boku pojawił się w 1583 roku doktor Simone Simoni (Simonius): skuteczny w leczeniu, zdolny choleryk. Bucella pozostał chyba

[37] Por. K. Dopierała, *Stosunki dyplomatyczne Polski z Turcją za Stefana Batorego*, Warszawa 1986, *passim*.

pierwszym lekarzem; wiedział o pogarszającej się kondycji króla i dlatego chciał dobrać sobie innego doktora. Niebawem obaj lekarze, chcąc uniknąć odpowiedzialności za zgon króla, weszli w zaciekły spór, owocujący setkami stron druku czytanych w całej Europie i urabiających opinię o śmierci wybitnego władcy Polski!

Ale i to nie jest żadnym argumentem przeciw Bucelli i Simoniusowi. Ten ostatni – istny wariat, skłócony niemal ze wszystkimi, a przy tym błyskotliwy i dobrze diagnozujący – został zatrudniony oficjalnie jako lekarz króla od stycznia 1583 roku. Simone Simoni początkowo był podejrzewany o sympatię wobec arian. Zadeklarował się jednak na polskim dworze jako katolik i gotów był nawracać Socyna i innych innowierców!

Prowadził też uczone polemiki z luteranami i arianami. Król Stefan, który o sobie rzekł, że „gdybym nie stał się królem, zostałbym jezuitą", polubił Simoniusa. Gdy jego książka zwalczająca poglądy protestanckie się źle sprzedawała, Batory pokrył w 1584 roku deficyt. Pozycja Simoniusa na dworze stała się tak silna, że już na początku 1586 roku lekarz ten odważył się szerzyć pogłoski, iż „Bucella chciał otruć króla przy pomocy osób trzecich"[38].

To dało podstawę do późniejszych teorii spiskowych.

Kolejna puszka Pandory z podejrzeniami i zaciekłymi sporami została otwarta po zgonie władcy. Z niejasnych powodów Simoni nie chciał uczestniczyć w sekcji zwłok króla, przez co tak naprawdę mógł jedynie snuć domysły co do przyczyn jego śmierci. Mimo to walczył dzielnie na słowa drukowane i obelgi z Bucellą – aż w końcu wyjechał na Morawy do Ołomuńca, gdzie tracimy go z oczu.

A może Simonius ma rację, że jego starszy kolega truł króla? Ale gdyby Bucella miał coś na sumieniu, to ten stary kawaler i perfekcjonista (o czym wiemy z jego testamentu) uciekłby lub wyjechał z Polski! A Bucella nie tylko pozostał w Rzeczpospolitej do końca swych dni, ale cieszył się ogromnym zaufaniem, między innymi przyjaciela zmarłego króla, kanclerza Jana Zamoyskiego. Większość magnatów wierzyła mu tak bardzo, że doktor Mikołaj Bucella z ich rekomendacji został w 1589 roku naczelnym lekarzem króla Zygmunta III Wazy! Podejrzliwy skądinąd król Zygmunt nie powierzyłby swojego zdrowia w niepewne ręce ani przezorny „wicekról" Jan Zamoyski.

Na rok przed śmiercią, w 1598 roku Bucella dostał indygenat, herb Sapiehów i Gostomskich, ciesząc się nadal dobrą sławą. Tej opinii nie nadwerężyło ani chronienie Socyna przez Bucellę w latach 1593–1598

[38] Za: Lech Szczucki, *Simoni Simone*, Polski Słownik Biograficzny, t. XXXVII.

we własnych dobrach, ani wyraźna tęsknota za włoską ojczyzną, jak i lekceważenie polszczyzny. Tolerancja miała wówczas inny wymiar niż obecnie i w dawnej Polsce oznaczała także wybór swej narodowej tożsamości bez jej represjonowania.

I gdzież tu spisek arian i innych protestantów trujących króla Stefana?

Rozdział 3.
Czy truto polskich królów?
Odsłona II, czyli „spisek żydowski"

Król Władysław IV Waza zmarł w Mereczu 20 maja 1648 roku. Wiedział o rebelii kozackiej, ale nie doczekał się strasznych wieści o klęskach polskich w starciu z Kozakami Chmielnickiego. Istnieją podejrzenia, że został otruty.

Aura tajemnicy otaczała śmierć niedocenianego przez historię króla, gdyż kanclerz Albrycht Radziwiłł zapisał pod datą 31 maja 1649 roku, już po zgonie Władysława IV: „Mówią, że zdarzyły się próby otrucia zmarłego króla, stąd małżeństwo było poróżnione i król przed śmiercią posyłał do królowej, prosząc o usprawiedliwienie się"[39].

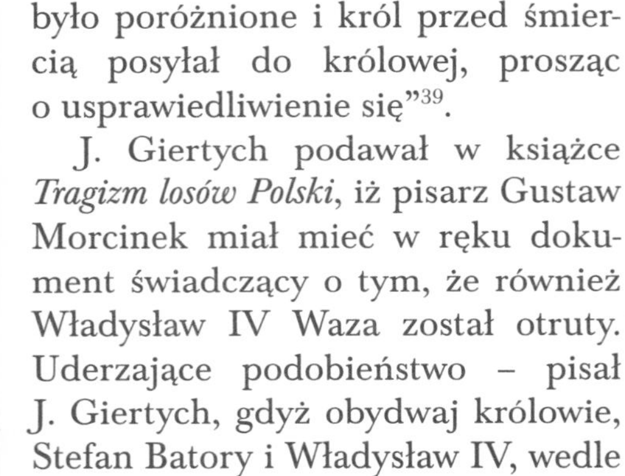

J. Giertych podawał w książce *Tragizm losów Polski*, iż pisarz Gustaw Morcinek miał mieć w ręku dokument świadczący o tym, że również Władysław IV Waza został otruty. Uderzające podobieństwo – pisał J. Giertych, gdyż obydwaj królowie, Stefan Batory i Władysław IV, wedle tegoż autora, szykowali wielkie wyprawy na Turcję i byli wielkimi zwycięzcami w wojnach z Moskwą[40].

O co tu szło, skąd takie pogłoski?

Władysław nie ufał swej żonie, Ludwice Marii. Był świadom obyczajów włoskich i francuskich, gdzie niewygodnych na dworze usuwano za pomocą trucizny, a przynajmniej takie przekonania krążyły po dworach Europy. A jego żona pochodziła z włoskich Gonzagów.

Kanclerz wielki litewski Stanisław Albrycht Radziwiłł (1593–1656) napisał bezcenne *Pamiętniki*, wspominając o próbach otrucia króla Władysława IV Wazy. *Pamiętniki* zostały opatrzone wzorcowymi przypisami i komentarzami historyków A. Przybosia i R. Żeleńskiego.

[39] Radziwiłł S., *Pamiętnik o dziejach w Polsce*, przeł. A. Przyboś, R. Żelewski, t. III, Warszawa 1980, s. 199.

[40] J. Giertych, *Tragizm losów Polski*, Pelplin 1999, s. 21.

To chyba dlatego skory do amorów król odwlekał zbliżenie z żoną: z obawy przed podaniem mu trucizny. Władysław podejrzewał, że bóle żołądka i nerek mają związek z podtruwaniem go. Gdyby było inaczej, nie posłałby do chorej królowej dziwacznego zapytania w przeddzień swej śmierci, *de facto* z żądaniem wyjaśnienia!

Król Władysław IV (1595–1648) z biegiem lat tył i cierpiał coraz bardziej. Powodem podagry i choroby nerek nie była zapewne podawana rzekomo trucizna, ale nadmiar mięsa, wino i przewlekły stres.

W sentymentalnym Mereczu, gdzie niegdyś król kochał się z umiłowaną Jadwisią Łuszkowską, 1 maja Władysław IV dostał strasznych ataków. Był do nich przyzwyczajony, bo podagra, czyli dna moczanowa, trapiła go od lat. Gorączkował, czkał, opadał z sił.

Lekarzy miał przednich, nie zważał na ich wyznanie i narodowość, ale wiedzę i umiejętności. I tak ulubiony doktor luteranin, Maciej Vorbek-Lettow, leczył go kopytami łosia i rogami jelenia, a także, zgodnie z teorią sygnatur, sproszkowanymi kośćmi młodego człowieka[41].

Król bywał też u zagranicznych wód, co wymagało zgody sejmu. A potem spożywał wywary sporządzane przez Polaka Pawła Kleofasa Podchocimskiego, Włocha Girolanco Cazzo, Andrzeja Knoeffela z Budziszyna, Johanna Heckera, Jana Kaspra Kraffta, niemieckiego lekarza poprzedniej żony, Cecylii Renaty. Usiłował ratować zdrowie króla doktor Ludwiki Marii, Francuz Augustyn Courrade. Obolały, wyjący z bólu król imał się wszystkiego: pił nawet wywar chłopa-znachora z Prus, zapłaciwszy mu za przepis sześćset złotych! To była fortuna, a bóle po jakimś czasie znów wróciły. Wywary przysyłała mu również chora żona, ale nie wiemy, czy je pił.

Lekarze ci nie byli protestantami na usługach tajemnych sił. Poza tym wielowiekowy ceremoniał próbowania potraw i nadzoru kucharzy gwarantował monarchom względne bezpieczeństwo. Choć przy polskim zamiłowaniu do niechlujstwa, przyznajmy, że różnie z tym bywało.

---

[41] K. Targosz, *Uczony dwór Ludwiki Marii Gonzagi, 1646–1667*, Wrocław 1975, s. 262.

Król podejrzewał francuską małżonkę Ludwikę Marię Gonzagę o podtruwanie go. Podejrzenia wzmacniało pochodzenie księżniczki: król wiedział, że i sztylet, i trucizna są stosowanymi metodami walki politycznej na nowożytnych dworach włoskich i francuskim, przynajmniej od czasów XVI-wiecznej Katarzyny Medycejskiej.

Teoretycznie istniała możliwość otrucia; praktycznie zanim napój czy potrawa dotarła do ust króla, przechodziła przez sito urzędników i pracowników dworskich.

W maju 1648 roku codzienne uczone analizy moczu i kału chorego *ex visu et odoratu,* naoczne i zapachowe, nie pomagały lekarzom w postawieniu diagnozy i podjęciu leczenia Władysława IV. Król, choć od wielu lat nękały go ataki podagry i inne, uległ myśli, że jest zatruwany. Wysłał gońca do Ludwiki Marii, prosząc ją o usprawiedliwienie[42].

Co odpowiedziała Ludwika Maria, nie wiemy. Dlaczego jednak ona, pobożna katoliczka i przebiegła, ambitna kobieta wyzwolona tamtych czasów, miałaby truć męża? Przecież dzięki niemu jej skronie zwieńczyła sławna korona polska! Na dodatek sekretarz królowej Pierre des Noyers twierdzi, że chora Ludwika Maria nie zamyślała o ponownym małżeństwie, jak to niekiedy sugerowano, z bratem Władysława IV, Janem Kazimierzem[43].

Być może myślała nawet o klasztorze[44].

Trudno uwierzyć, by tak jej zależało na zgonie męża, że postanowiła go otruć. Po co? Z powodu jego metres i miłostek? Wszak to norma na dworze francuskim; sama Maria Gonzaga księżniczka de Nevers nie była święta, a jej romans z koniuszym Cinq-Marsem czy też domniemana miłość kardynała de Richelieu były głośne na całą Europę.

Spowiedź króla Władysława IV przed jezuitą Grzegorzem Schoenfeldem utrudniała silna czkawka. Na łożu śmierci dowiedział się

[42] A. Radziwiłł, *op. cit.*, t. III, s. 199.

[43] Za: K. Targosz, *op. cit.*, s. 158.

[44] *Portfolio królowej Maryi Ludwiki, czyli zbiór listów...* tłum. K. Raczyńska, J. Radolińska, Poznań 1844, t. I, s. 44 i n.

o wielkiej rebelii kozackiej Bohdana Chmielnickiego i jego sojuszu z Tatarami, do którego to buntu w jakimś stopniu się przyczynił, obiecując Kozakom wielką wojnę z nienawistnymi Turkami.

Po śmierci króla chirurdzy Dietrich Wigbolt i Jan Lancberg, w obecności lekarza Macieja Vorbeka-Lettowa, dokonali sekcji zwłok. Odkryli, że monarcha polski zmarł na ropne zapalenie lewej nerki, niemal przegniłej. W prawej było wiele kamieni.

Wybitny pedagog Czech Jan Amos Komensky był powiązany nie tylko z różokrzyżowcami, ale także działał na rzecz luterańskiego króla Szwecji Karola X Gustawa. Po emigracji w 1655 r. przyczynił się swymi pismami do wykreowania fatalnego obrazu obskuranckiej, nietolerancyjnej Polski.

Potworne cierpienia wzmagało zapalenie ścianek żołądka. Nic dziwnego, że podczas ataków król od lat wył z bólu.

Cud, że Władysław IV nie oszalał z cierpienia: rządził, walczył, snuł wielkie plany, polował, kochał i zachwycał świat pogodą ducha, wziętą gdzieś z dobrego dzieciństwa i młodości. Zdaje się, że do cierpienia i śmierci doprowadziła go nie trucizna, ale po prostu fatalna dieta. Był to czas coraz większego dobrobytu i przepychu, widocznego na stołach dworów Europy monarszej, magnackiej i szlacheckiej. Nadmiar spożywanych ciężkich win i mięs potęgował podagrę. Stała się chorobą pospolitą wśród magnatów i arystokracji Europy, pławiących się w dobrobycie, dogadzających sobie węgrzynem, małmazją, tłustymi mięsami, sosami zaprawianymi korzeniami i cukrami. Niemal wszystko wskazuje na to, że śmierć Władysława IV była naturalna, a nie została wymuszona przez tajne siły. Tym bardziej że Ludwika Maria była pobożną katoliczką wspomagającą się astrologami, a nie truciznami.

Później jednak niektóre zdarzenia zdawały się potwierdzać teorie tajnej gry protestantów przeciw Rzeczypospolitej. Genialny pedagog, twórca pansofizmu i brat czeski, Jan Amos Komensky, który znalazł przytułek w wielkopolskim Lesznie, okazał się wielce aktywnym agentem szwedzkim. Jędrzej Giertych wysunął nawet hipotezę, że Komensky działał w ramach różokrzyżowców, tajnego bractwa nawiązującego rzekomo do żydowskiej Kabały, zdążającego do władzy nad światem. Giertych wykreował dodatkowo pedagoga na ojca masonerii. Autora nie zraził fakt, że Wielka Loża Londyńska powstała w blisko pół wieku po śmierci Komensky'ego, a siedemdziesiąt sześć lat po jego ostatniej wizycie w Londynie.

Wedle tez spiskowych również Jan III Sobieski został otruty. Tym razem zwolennicy teorii spiskowych wplątali w to Żydów. Sobieski został otruty „przez swego lekarza, Żyda Emanuela Jonę", czyli Simchę Manachema – pisali Antoni Rawicz i Jędrzej Giertych[45].

Obaj autorzy wskazywali na wielki wpływ żydowski co najmniej od czasów odrodzenia, a może i Kazimierza Wielkiego, dobroczyńcy Żydów, którego połączył słynny romans z Żydówką Esterką. Wprawdzie dotąd nie jesteśmy pewni, czy Esterka w ogóle istniała i skąd Jan Długosz wziął tę postać, skoro nie znajdujemy nawet jej śladu w innych kronikach i źródłach? Wiemy jednak, że postać Esterki doskonale wpisywała się w antyżydowskie fobie późniejszych nacjonalistów: to ona miała wpłynąć na przywileje, które otrzymali Żydzi od króla w 1334 i 1364 roku. Tymczasem przywileje te były w istocie przedłużeniem przywilejów wielkopolskich Bolesława Pobożnego z 1264 roku dla wyznawców religii Mojżeszowej w księstwie śląskim. Kazimierz rozszerzył to na całe Królestwo Polskie, a potem, w 1367 roku, na przyłączoną Ruś ze Lwowem.

Żydzi na tym nie poprzestali, twierdzą antysemiccy ideolodzy. Wichrzenia żydowskie w Polsce, twierdził Rawicz, odbywały się już od czasów Zygmunta Starego, kiedy to podskarbim ziemskim litewskim był od 1510 roku nobilitowany przechrzta Jan Abraham Ezofowicz, starosta smoleński. Wbrew dumnej nazwie urzędu była to godność odpowiadająca randze wójta miejskiego.

Ale i tak kariera Ezofowicza była rzeczywiście niezwykła: do herbu Leliwa przyjął go marszałek wielki litewski Jan Zabrzeziński. Niebywałą karierę zrobił też jego brat Michel jako dzierżawca królewski: podczas hołdu pruskiego 10 kwietnia 1525 roku na rynku krakowskim król Zygmunt I pasował Michała Ezofowicza na rycerza z herbem Leliwa. „Fakt wyniesienia do godności szlacheckiej nieochrzczonego Żyda, jedyny w dziejach Polski, jest bardzo charakterystycznym objawem tolerancji w Polsce złotego wieku", pisał wybitny znawca epoki Władysław Pociecha[46].

---

[45] A. Rawicz, *Wichrzenia żydowskie za Jana III*, „Myśl Narodowa" 1933, nr 52; J. Giertych, op. cit.., s. 22.

[46] W. Pociecha, *Ezofowicz Michał*, Polski Słownik Biograficzny.

Jednak dla tropicieli spisków nobilitacje i urzędy dla Żydów były kolejnym dowodem na konszachty i panoszenie się Syjonu w celu przejmowania władzy nad Rzeczpospolitą. A. Rawicz dowodził dalej, że wichrzenia żydowskie trwały także za czasów panowania bohatera spod Wiednia, Jana III Sobieskiego[47].

I miały wpływ na jego śmierć.

A jak było wedle źródeł i zawodowych badaczy?

Wedle wyznawców konspiracjonizmu Jana III Sobieskiego otruł lekarz, Żyd Emanuel Jona. W rzeczywistości król przewlekle chorował i popadał w apatię: zwycięzca spod Chocimia i Wiednia, dziecko sarmatyzmu nie był w stanie zmienić ustroju Rzeczypospolitej szlacheckiej, który go wyniósł do najwyższych urzędów w państwie.

Piętnastego czerwca 1696 roku król Jan III Sobieski wybrał się w Wilanowie na przejażdżkę. Wrócił z wysoką gorączką: od dawna jego zdrowie poważnie szwankowało, a listy z kampanii wojennych urozmaicały opisy chorób nękających hetmana i króla.

Marysieńka nie odstępowała go przez dwie doby, ale król odmawiał napisania testamentu. Zapewne oddalał myśl o śmierci, ale też nie chciał w królewskiej rodzinie sporów i kłótni o skarb i schedę.

Rankiem 17 czerwca wyniesiono monarchę do ogrodu. Zjadł obfity obiad i zaczął w łożu konferować z ambasadorem Francji, Melchiorem de Polignac i biskupem kijowskim, Andrzejem Chryzostomem Załuskim. Zmęczona królowa drzemała na kanapie.

Nagle król stracił przytomność i zsunął się na podłogę, „robiąc piersiami"; piana wystąpiła mu na usta. Królowa wpadła w panikę[48]: „lekarze, chirurdzy, przybiegli co prędzej, przyszło także wielu dworzan, lecz zaledwie który trzeźwy". Króla ocucił opłatek namoczony w winie i podany przez dominikanina i spowiednika Ambrożego Skopowskiego. „Westchnąwszy głęboko, zapytał: – Co się ze mną stało?".

---

[47] „Myśl Narodowa", 1933, nr 52.

[48] J.U. Niemcewicz, *Zbiór pamiętników historycznych o dawnej Polszcze z rękopismów tudzież dzieł w różnych językach o Polszcze wydanych oraz z listami oryginalnemi królów i znakomitych ludzi w kraiu naszym*, Warszawa 1822, t. 4, s. 456 i n.

Dla królowej Marysieńki Sobieskiej polityka to głównie utrwalanie pozycji swych dzieci i próby stworzenia dynastii. Wobec męża bywała troskliwa, ale przypominało to raczej kontrolę.

Po wyznaniu grzechów przed księdzem Skopowskim, „błogosławieństwo za testament zostawił i kazał imieniem swoim upomnieć i obowiązać miłością ojcowską, aby królowę Ichmość Matkę wzajemnie kochali i szanowali i żeby zawsze, mając w pamięci przykazanie, przestrzegali wszelkiej sprawiedliwości". Chodziło o skłóconych synów króla[49].

Śmierć król miał lekką; pośród modłów biskupów, między ósmą a dziewiątą 17 czerwca 1696 roku „bez żadnej ciężkości umarł".

Narodowcy śmierć króla przypisali otruciu przez lekarza, tym razem Żyda. Wykorzystali dziewiętnastowieczne badania A. Kraushara. „Emanuel de Jona ... wykształcony i przebiegły Izraelita wkradł się w krótkim czasie w łaski schorowanego władcy", pisał Antoni Rawicz za Krausharem, który z kolei powoływał się głównie na źródła francuskie. Za Jonaszem (Joną) do łask króla pociągnęli Żydzi, dodawali.

Zwolennicy nacjonalizmu nie informowali przy tym, że sam A. Kraushar (1842–1931) był z pochodzenia Żydem, który w 1903 roku przyjął z żoną katolicyzm, zbliżając się do endecji. Przypomnienie o żydowskim pochodzeniu i konwersji Kraushara mogłoby popsuć obraz „nacjonalistycznego obiektywizmu".

Szczególną rolę na dworze króla, wedle Kraushara, miał odegrać niejaki Jakub Becal vel Betsol (Becalel ben Natan). Jakub Becal na dworze warszawskim czy raczej w Żółkwi miał przekupić pazerną Marysieńkę i dostał za to dzierżawę klucza dóbr królewskich. Zyskał też zaufanie króla i stał się wpływowym ministrem: wyznaczał ponoć nawet taksy za urzędy. Wpływ rzeczywiście miewał znaczny, ale chyba w obszarze wyznawanej wiary: król zezwolił swemu dzierżawcy zbudować nową synagogę w Żółkwi w 1687 roku.

[49] Za: Łuniński E., *Ostatnie chwile Jana III. Wspominki. Z dni historycznych kart kilka*, Warszawa 1910, s. 343–347.

Obraz J. Matejki przedstawia przyjęcie Żydów w Polsce przez Władysława Hermana i jego synów w XI w. Polska okazała się przyjaznym miejscem dla Izraelitów: *W tym kraju nie ma zawziętej nienawiści do nas, jak w Niemczech. Oby zostało tak nadal, aż do nadejścia Mesjasza*,, pisał w XVI w. rabin krakowski Mosze ben Israel Isserles. Żydzi nazwali Polskę – Polin (tu spocznij).

Przed Becalem „kłaniać się musiały pieczęcie, buławy, laski", pisał z charakterystyczną emfazą Kraushar[50].

„Dwóch Żydów opanowało króla Jana. Jeden doktór Jona owładnął jego ciałem, drugi Becal, dochodami z komory celnej". Kraushar powoływał się w swej relacji i opiniach na francuskiego kronikarza Coyera, który napisał *Historię Jana Sobieskiego*[51].

Dodawał on, że Jakub Becal woził ze sobą krucyfiks, każąc na krzyż przysięgać chrześcijanom, którym na przykład pożyczał pieniądze i kosztowności, co miało być dowodem żydowskiej przewrotności i nieszanowania chrześcijańskich świętości.

Przypomnieli o tym w okresie międzywojennym A. Rawicz i Jędrzej Giertych[52].

Jedynie półgębkiem dodawali, że kariera Becala trwała krótko w szlacheckim państwie: w wyniku wytoczonego mu procesu jego ma-

---

[50] A. Kraushar, *Drobiazgi historyczne*, Petersburg–Kraków t. I, 1891, s. 182.

[51] Tamże s.177 i n.

[52] A. Rawicz, *Z ostatnich lat Sobieskiego*, „Myśl Narodowa" 1933, nr 40; J. Giertych, *op. cit.*, s. 52.

Nie mogąc prawnie posiadać ziemi, Izraelici wyspecjalizowali się w handlu, arendach, w filozoficznych spekulacjach i sztukach pięknych. Wnieśli ogromny wkład w kulturę światową. Antysemici sądzą, że uzyskali to dzięki lobowaniu, czyli popieraniu się wzajem, co nabrało rzekomo cech światowego spisku. W rzeczywistości przez wieki większość Żydów była skrajnie biedna, ulegająca mistycyzmowi, bierna.

jątek został skonfiskowany. Czyżby sławny król przejrzał na oczy i przegonił Żyda ze swego otoczenia?

Ale i to okazało się nieprawdą. Sumienny historyk Kazimierz Piwarski w artykule w *Polskim Słowniku Biograficznym* z 1936 roku podał, że w lipcu 1693 roku sprawa Becala w trybunale lubelskim zakończyła się „kondemnatą i infamią, mimo to jednak Becal i w następnych latach był faktorem królewskim, arendarzem i szafarzem soli samborskiej". Przedsiębiorczy ówczesny biznesmen nadal jako dzierżawca zmarł w tym samym roku, co jego dobroczyńca-król. Został pochowany w Żółkwi, ukochanej przez Sobieskiego.

Osoba Becala, przywoływanego przez antysemitów na dowód wichrzenia Żydów, nie wydaje się dowodem dalszego panoszenia się Izraelitów w Polsce. Wręcz przeciwnie – Becal wywołał nastroje antyżydowskie i przyczynił się do natychmiastowego ukrócenia roli Żydów w Polsce. Magnaci i szlachta podnieśli krzyk, co znalazło wyraz w paktach konwentach przedłożonych Augustowi II. Zabraniały one oddawania Żydom w dzierżawę królewszczyzn, żup solnych i innych.

Przed „narodowym trybunałem" Wszechpolaków stanął jednak jako główny oskarżony lekarz żydowski: rzekomy sprawca królewskiej śmierci. „O wiele łaskawszym okazał się los dla lekarza Emanuela de

Jona – pisał Rawicz. – Dwuznaczna rola Jony bowiem podczas choroby Jana III nasunęła poważne podejrzenie, że przyczynił się on do śmierci króla bohatera. Wytoczono mu proces o otrucie Sobieskiego. Uniewinniony, został zaszczycony przez współwyznawców" we Lwowie. Został tam ponoć mianowany jałmużnikiem Ziemi Świętej; historyk żydowski piszący po polsku, Majer Bałaban, podaje go za marszałka „generalności żydowskiej"[53].

Najpewniej udowodnione w dziejach polskich jest otrucie królowej Bony przez jej zaufanego dworzanina – Jana Papacodę. Śmierć królowej w Bari w 1557 r. nabrała cech czarnego symbolu w zestawieniu z podejrzeniami szlachty polskiej, że Bona otruła ostatnich książąt mazowieckich. W opinii historiografów Polska uchodzi za kraj, gdzie nigdy nie truto. Nie jest to jednak do końca pewne.

W ten sposób jednak można wszystko udowodnić i w każdy pogląd uwierzyć. Kontynuując taki sposób rozumowania, można spytać, dlaczego Rawicz nie obarczył winą otrucia także innych lekarzy, na przykład irlandzkiego doktora i historyka Bernarda O'Connora, który pojawił się na dworze polskim w 1694 roku[54].

Przecież znakomicie pasowałoby to do idei żydowsko-protestanckiego spisku! To taki sam trop, jak trop rzekomego Żyda-truciciela!

Domysły, przypuszczenia, plotki, a nie gruntowne badanie źródeł rodzą krzywy obraz historii. Jednakże te niecne insynuacje mają ogromną siłę rażenia, gdyż robią wielu ludziom zamęt w głowach, budzą agresję, wychowują nacjonalistów, szowinistów, rasistów, łyse pały itp. Psują też obraz historii jako nauki dociekającej prawdy; wywołują wrażenie, że historia jest giętkim instrumentem w walce politycznej, naginanym do z góry ustalonych tez, przyjętych na wiarę lub intuicję.

Hipoteza o otruciach jest najtrudniejsza do sprawdzenia. Za to najłatwiejsza do snucia oskarżeń i „rozumienia" biegu dziejów. Wedle powszechnych sądów i ustaleń historyków w Polsce raczej nie truto królów. Jedyne w pełni udowodnione otrucie polskich koronowanych pomazań-

[53] M. Bałaban, *Historia i literatura żydowska*, Lwów–Warszawa–Kraków 1925, t. 3, s. 317; por. A. Rawicz, *Z ostatnich lat Sobieskiego*, „Myśl Narodowa" 1933, nr 40.

[54] Z. Wójcik, *Jan Sobieski*, Warszawa 1983, s. 396 i in.

ców w czasach nowożytnych dotyczyło królowej Bony; odbyło się ono jednak nie w Rzeczypospolitej, ale we włoskim Bari, i to z rąk jej dworzanina Giovanniego Papacody.

Reszta rzekomych otruć królów wydaje się wynikiem domysłów dopasowanych do z góry założonych tez. Ale nie sposób też wykluczyć otruć w imię idei, że nie pasują one do wizerunku „cnego narodu", nieimającego się wrednych „włoskich, francuskich, moskiewskich" sposobów.

Literatura

CZĘŚĆ I

Rozdział 1 i 2

Brückner A., *Mitologia słowiańska i polska*, wyd. S. Urbańczyk, Warszawa 1980.
Brückner A., *Mythologische Studien III*, „Archiv Für slavische Philologie" 1892, XIV, 161–191.
Cetwiński M., Derwich M., *Herby, legendy, dawne mity*, Wrocław 1987.
Davies N., *Zachód i Wschód, czyli Piękny i Bestia*, „Tygodnik Powszechny" 20 VII 1997.
Długosz J., *Roczniki*, przekł. S. Gawęda i in., ks. I–II, Warszawa 1961.
Etnolingwistyczne i kulturowe związki Słowian z Germanami, red. I. Kwilecka, Wrocław 1987.
Gall Anonim (Monachus Littorensis), *Kronika polska*, przekł. R. Grodecki, Wrocław 1975.
Gasparini E., *Il martricato slavo. Antropologia culturale dei Protoslavi, Florencja 1973.*
Gieysztor A., *Mitologia Słowian*, Warszawa 1986.
Godłowski K., *Z badań nad rozprzestrzenianiem się Słowian w V–VII w. ne.*, Kraków 1979.
Greckie i łacińskie źródła do najstarszych dziejów Słowian, oprac. M. Plezia, Poznań 1952.
Helmolda kronika Słowian, Warszawa 1974.
Hensel W., *Słowiańszczyzna wczesnośredniowieczna. Zarys kultury materialnej*, Warszawa 1987.
Janion M., *Niesamowita Słowiańszczyna*, Kraków 2007.
Kmieciński J., *Nacjonalizm w germanoznawstwie niemieckim w XIX i pocz. XX w.*, Łódź 1994.
Kostrzewski J., *Zagadnienie ciągłości osadniczej na ziemiach polskich*, Warszawa 1956.
Kowalik A., *Kosmologia dawnych Słowian, prolegomena do teologii politycznej dawnych Słowian*, Kraków 2004.
Kronika Thietmara, przekł. M. Z. Jedlicki, Kraków 2002.
Leciejewicz L., *Słowianie zachodni. Z dziejów tworzenia się średniowiecznej Europy*, Wrocław 1989 .
Łowmiański H., *Początki Polski*, t. I–II, Warszawa 1964–1970.
Maciej z Miechowa, *Opis Sarmacji azjatyckiej i europejskiej*, przekł. H. Barycz, Wrocław 1972.
Miączyńska M., *Wędrówki ludów. Historia niespokojnej epoki IV–V w.*, Warszawa 1996.
Moszyński K., *Kultura ludowa Słowian*, t. II, cz. II *Kultura duchowa*, Warszawa 1967.
Orzechowski S. , *Kronika*, tł. M.Z.A Włyński, Sanok 1856.
Said E.W., *Orientalizm*, przekł. W. Kalinowski, Warszawa 1991.
Skrok Z., *Słowiańska moc*, Warszawa 2006.
Słownik starożytności słowiańskich, t. 1–8, Wrocław, wyd. od 1961.
Spór o Słowian, Warszawa 1986.
Strzelczyk J., *Wandalowie i ich afrykańskie państwo*, Warszawa 1992.
Sulimirski T., *Sarmaci*, Warszawa 1979.
Szabó Cs., *Trzy siostry. Europa Środkowa w chrześcijańskim średniowieczu*, przekł. E. Miszewska-Michalewicz, „Więź" 1989, nr 11–12.
Szafarczyk P.J., *Słowiańskie starożytności*, Poznań 2003.
Szyjewski A., *Religia Słowian*, Kraków 2003.

Testimonia najdawniejszych dziejów Słowian. Z. 2, Pisarze z V–X wieku, seria grecka; wyd. A. Brzóstkowska, W. Swoboda, Wrocław 1989.
Trawkowski S., *Jak powstawała Polska*, Warszawa 1962.
Urbańczyk S., *Dawni Słowianie. Wiara i kult*, Wrocław 1991.
Wachowski K., *Słowiańszczyna Zachodnia*, Poznań 2000.
Wielka Historia Polski do 1320, t. I, J. Wyrozumski, Kraków 1997.
Wielka Historia Polski, P. Kaczanowski, J.K. Kozłowski, *Najdawniejsze dzieje ziem polskich (do VII w.)*, Kraków 1998.
Zwolski E., *Kasjodor i Jordanes, historia gocka, czyli scytyjska Europa*, Lublin 1984.
Źródła arabskie do dziejów Słowiańszczyzny, oprac. T. Lewicki, Wrocław 1956.
Źródła skandynawskie i anglosaskie do dziejów Słowiańszczyzny, wyd. G. Labuda, Warszawa 1961.

Rozdział 3

Bartoszewicz J., *Historia pierwotna Polski*, w: *Dzieła*, t. III, Kraków 1878.
Długosz J., *Roczniki Królestwa Polskiego*, t. I, Warszawa 1974.
Dygo M., *Uczty Bolesława Chrobrego*, „Kwartalnik Historyczny", CXII, 2005, nr 3.
Gall Anonim, *Kronika polska*, przekł. R. Grodecki, Wrocław 1975.
Helmolda kronika Słowian, Warszawa 1974.
Kronika Thietmara, przekł. M.Z. Jedlicki, Kraków 2002.
Kronika Wielkopolska, przekł. K. Abgarowicz, Warszawa 1965.
Labuda G., *Źródła, sagi i legendy do najdawniejszych dziejów Polski*, Warszawa 1960.
Lechici, Polanie, Polska, wyd. G. Labuda, Warszawa 1965.
Lelewel J., *Historia polska do końca panowania Stefana Batorego*, w: *Dzieła* t. 6, Warszawa 1962.
Lewestamm F.L., *Pierwotne dzieje Polski*, Warszawa 1841.
Łowmiański H., *Początki Polski*, t. I–V, Warszawa 1963–1973.
Mistrz Wincenty (Kadłubek), *Kronika polska*, przekł. i oprac. B. Kürbis, Wrocław 1992.
Ostrów Legnicki, pod red. K. Żurowskiej, Kraków 1993, t. 1–2; Bibl. Narodowa III 1.190.747 III 1.391.509 A.
Piekosiński F., *O powstaniu społeczeństwa polskiego w wiekach średnich i jego pierwotnym ustroju*, Kraków 1881.
Piekosiński F., *Obrona hipotezy najazdu jako podstawy ustroju społeczeństwa polskiego w wiekach średnich z uwzględnieniem stosunków Słowian pomorskich i zaodrzańskich*, Kraków 1882.
Skrok Z., *Słowiańska moc*, Warszawa 2006.
Wielka Historia Polski t. II: J. Wyrozumski, *Dzieje Polski piastowskiej*, Kraków 1999.

Rozdział 4

Długosz J., *Roczniki, czyli kroniki sławnego Królestwa Polskiego*, Warszawa 1981.
Gall Anonim (Monachus Littorensis), *Kronika polska*, przekł. R. Grodecki, Wrocław 1975.
Helmolda kronika Słowian, przekł. J. Matuszewski, Warszawa 1974.
Janion M., *Niesamowita Słowiańszczyzna*, Kraków 2007.
Klinger J., *Nurt słowiański w początkach chrześcijaństwa polskiego* w: *O istocie prawosławia. Wybór pism*, przyg. M. Klinger, H. Paprocki, Warszawa 1983.
Kmietowicz F., *Kiedy Kraków był „Trzecim Rzymem"*, Białystok 1994.
Kronika wielkopolska, przekł. K. Abgarowicz, Warszawa 1965.
Kroniki staroruskie, oprac. Franciszek Sielicki, Warszawa 1987.
Lechici, Polanie, Polska, wyd. G. Labuda, Warszawa 1965.
Lehr-Spławiński T., *Od piętnastu wieków. Szkice z pradziejów i dziejów kultury polskiej*, Warszawa 1961.
Łowmiański H., *Początki Polski*, Warszawa 1964–1970.
Maciejowski W.A., *Pamiętniki o dziejach, piośmiennictwie i prawodawstwie Słowian...* t. I, Peterburg–Lipsk 1839.
Mistrz Wincenty (Kadłubek), *Kronika polska*, Wrocław 1992.

Szymański J., *Czy w Polsce istniał obrządek rzymsko-słowiański? Uwagi na marginesie...*, Zeszyty Naukowe KUL 1963, nr 2.
Święci i świętość u korzeni tworzenia się kultury narodów słowiańskich, „Biblioteka Ekumenii i Dialogu", t. 13/1 i 2, Kraków 2001.
Umiński J., *Obrządek słowiański w Polsce IX–XI wieku i zagadnienie drugiej metropolii polskiej w czasach Bolesława Chrobrego*, Roczniki Humanistyczne KUL, 1953, wyd. 1954, z. 4.
Widajewicz J., *Najdawniejszy piastowski podbój Pomorza*, Poznań 1931
Wielka Historia Polski t. II: Wyrozumski Jerzy, *Dzieje Polski piastowskiej*, Kraków 1999.

Rozdział 5

Balzer O., *Genealogia Piastów*, Kraków 1895.
Borawska D., *Kryzys monarchii wczesnopiastowskiej w latach trzydziestych XI wieku*, Warszawa 1964.
Jasiński K., *Sprawa śmierci Mieszka II*, Zapiski Tow. Nauk. w Toruniu, t. 17, 1952, s. 87–92.
Kętrzyński S., *Kazimierz Odnowiciel, 1034–1057*, Rozprawy AU t. 38, Kraków 1899.
Labuda G., *Mieszko Drugi, król Polski (1025–1034), czasy przełomu w dziejach państwa polskiego*, Kraków 1992
Labuda G., *Mieszko Drugi*, Poznań 1994.
Lewicki A., *Mieszko II*, Kraków 1876.
Podgórzak M., *Bolesław Zapomniany czy nie istniejący? Przekazy źródłowe i poglądy historyków*, w: „Teka Historyka" Koło Historyków UW Warszawa 2005, z. 25.
Pospieszyńska I., *Mieszko II a Niemcy*, „Roczniki Historyczne" t. 14, 1938.
Rosik S., *Mieszko II Lambert i jego czasy*, Wrocław 2002.
Tyc T., *Zbigniew i Bolesław*, Poznań 1927.
Wasilewski T., *Zapomniane przekazy rocznikarskie o Bolesławie Mieszkowicu, o niegallowe pojmowanie wczesnych dziejów Polski*, „Przegląd Historyczny" t. LXXX 1989, z. 2, s. 225–237.
Wojciechowski Z., *Bolesław Mieszkowic, Polski Słownik Biograficzny.*

Rozdział 6

Biedrowska-Ochmańska K., Ochmański J., *Władysław Jagiełło w opiniach swoich współczesnych*, Poznań 1997.
Długosz J., *Roczniki*, czyli kroniki sławnego Królestwa Polskiego, przekł. J. Mrukówna, t. XI, Warszawa 1982.
Duczmal M., *Jagiellonowie. Leksykon biograficzny*, Kraków 1997.
Dzieło Jadwigi i Jagiełły, oprac. W. Biliński, Warszawa 1989.
Formularz Jerzego, pisarza grodzkiego krakowskiego, ok. 1399–1415, wyd. K. Górski, Toruń 1950.
Klubówna A., *Cztery królowe Jagiełłowe*, Warszawa 1990.
Kłapkowski W., *Królowa Jadwiga i sprawa jej beatyfikacji*, Lwów 1939.
Krzyżanowski S., *Podwody kazimierskie*, Archiwum Komisji Historycznej t. XI.
Maleczyńska E., *Rola polityczna królowej Zofii Holszańskiej na tle walki stronnictw w Polsce w latach 1422–1434*, Lwów 1936, w: Archiwum Towarzystwa Naukowego we Lwowie, Dz. II, t. 19, z. 3.
Nikzentaitis A., *Witold i Jagiełło. Polacy i Litwini we wzajemnym stereotypie*, Poznań 2000.
Olejnik K., *Władysław III Warneńczyk*, Szczecin 1996.
Przybyszewski B., *Święta Jadwiga królowa*, Kraków 1997.
Rachunki dworu króla Władysława Jagiełły i królowej Jadwigi z lat 1388–1420, wyd. F. Piekosiński, Kraków 1896.
Strzelecka I., *O królowej Jadwidze. Studia i przyczynki*, Lwów 1933.
Święci i świętość u korzeni tworzenia się kultury narodów słowiańskich, red. W. Stępniak-Minczewa, Z. J. Kijas, t. 1–2, Kraków 2000.
Wdowiszewski Z., *Genealogia Jagiellonów*, Warszawa 1968.
Życie domowe Jadwigi i Jagiełły z regestów skarbowych 1388–1417, wyd. A. Przeździecki, Warszawa 1854.

Rozdział 7
Banek K., *Mistycy i bezbożnicy. Przełom religijny VI–V w. p.n.e.*, Kraków 2003.
Dzięgielewski J., *Sejmy elekcyjne, elektorzy, elekcje 1573–1674*, Pułtusk 2003.
Foucault M., *Historia szaleństwa w dobie klasycyzmu*, Warszawa 1987.
Green V., *Szaleństwo królów*, Kraków 2000.
Jaccard R., *Szaleństwo*, Siedmioróg, Wrocław 1993.
Kulcsar Z., *Tajemnice i skandale średniowiecza*, przeł. A. Mazurkiewicz, Warszawa 1993.
Meysztowicz J., *Upadek Marianny*, Warszawa1976.
Neumayr A., *Dyktatorzy i medycyna*, Warszawa 1999.
Orzelski S., *Bezkrólewia ksiąg ośmioro, czyli dzieje Polski od zgonu Zygmunta Augusta r. 1572 aż do r. 1576*, tł. W. Spasowicz, t. I–III, Petersburg 1856–1858.
Szwarc A., *Polskie miraże krewniaka wielkiego Napoleona*, maszynopis.
Tuchman B., *Szaleństwo władzy*, Katowice 1994.
Wielkie szalone, oprac. S. Duda, L.F. Pusch, 2000.

Rozdział 9
Besala J., *Barbara Radziwiłłówna i Zygmunt August*, Warszawa 2007.
Besala J., *Małżeństwa królewskie*, t. 1 *Piastowie*, Warszawa 2006.
Besala J., *Małżeństwa królewskie*, t. 2 *Jagiellonowie*, Warszawa 2007 .
Besala J., *Małżeństwa królewskie*, t. 3 *Władcy elekcyjni*, Warszawa 2007.
Biedrowska-Ochmańska K., Ochmański J., *Władysław Jagiełło w opiniach swoich współczesnych*, Poznań 1997.
Boras Z., *Książęta piastowscy Śląska*, Katowice 1978.
Dąbrowski J., *Ostatnie lata Ludwika Wielkiego*, Kraków 1918.
Dąbrowski J., *Rok 1444*, Warszawa 1966.
Dąbrowski J., *Władysław I Jagiellończyk na Węgrzech*, Warszawa 1922, w: Rozprawy Historyczne Towarzystwa Naukowego Warszawskiego t. 2, z. 1, 1922.
Delumeau J., *Strach w kulturze Zachodu XIV–XVIII w.*, przeł. A. Szymanowski, Warszawa 1986 .
Duczmal M., *Jagiellonowie*, Kraków 1997.
Dzieło Jadwigi i Jagiełły, oprac. W. Biliński, Warszawa 1989.
Formularz Jerzego, pisarza grodzkiego krakowskiego, ok. 1399–1415, wyd. K. Górski, Toruń 1950.
Grabski A.F., *Bolesław Chrobry. Zarys dziejów politycznych i wojskowych*, Warszawa 1966.
Grodecki R., *Bolesław Krzywousty*, „Jantar" 1938.
Grodecki R., *Zbigniew, książę Polski*, Studia staropolskie. Księga Pamiątkowa ku czci A. Brücknera, Kraków 1927.
Heck R., *Mentalność i obyczaje pierwszego księcia legnickiego Bolesława Rogatki*, „Szkice Legnickie" t. IX, 1976, s. 27 i n.
Jasiński K., *Bolesław Rogatka i jego małżeństwa*, „Szkice Legnickie" t. IX, 1976.
Jasiński K., *Drugie małżeństwo Bolesława Rogatki oraz problem „Zofii z Doren"*, „Sobótka" t. 34, 1979.
Jureczko A., *Henryk III Biały. Książę wrocławski (1247–1266)*, Kraków 1986.
Kłapkowski W., *Królowa Jadwiga i sprawa jej beatyfikacji*, Lwów 1939.
Księga Henrykowska, wyd. R. Grodecki, Poznań–Wrocław 1949.
Maleczyński K., *Bolesław III Krzywousty*, Wrocław 1975 .
Mitkowski J., *Bolesław Krzywousty*, Warszawa 1981.
Obyczaje w Polsce. Od średniowiecza do czasów współczesnych, pod red. A. Chwalby, Warszawa 2005.
Olejnik K., *Władysław III Warneńczyk*, Szczecin 1996.
Pietras Z., *Bolesław Krzywousty*, Kraków 1999.
Przybyszewski B., *Święta Jadwiga królowa*, Kraków 1997.
Rachunki dworu króla Władysława Jagiełły i królowej Jadwigi z lat 1388–1420, wyd. F. Piekosiński, Kraków 1896.
Rosik S., *Bolesław Chrobry i jego czasy*, Wrocław 2002.

Rymar E., *Córki Sambora II lubiszewskiego-tczewskiego*, „Rocznik Gdański" t. 38, z. 1, s. 51.
Strzelczyk J., *Bolesław Chrobry*, Poznań 1999.
Strzelecka I., *O królowej Jadwidze. Studia i przyczynki*, Lwów 1933.
Szajnocha K., *Bolesław Chrobry – opowiadanie historyczne według...* Lwów 1849.
Święch Z., *Ostatni krzyżowiec Europy*, Kraków 1997.
Wałkówski A., *Dokumenty i kancelaria księcia Bolesława II Rogatki*, Zielona Góra 1991.
Wdowiszewski Z., *Genealogia Jagiellonów*, Warszawa 1968.
Zakrzewski S., *Bolesław Chrobry Wielki*, Kraków 2000.
Życie domowe Jadwigi i Jagiełły z regestów skarbowych 1388–1417, wyd. A. Przeździecki, Warszawa 1854.

CZĘŚĆ II

Rozdział 1

Birkenmajer J., *Bogurodzica Dziewica. Analiza tekstu, treści i formy*, Lwów 1937.
Długosz J., *Opera omnia*, cura Alexandrii Przeździecki, t. IX, Cracoviae MDCCCLXIV.
Długosz J., *Roczniki czyli kroniki sławnego Królestwa Polskiego*, Warszawa 1981.
Górski K., *Studia i materiały z dziejów duchowości*, Warszawa 1980.
Jabłoński Z.S., *Jasna Góra bliska i daleka*, Jasna Góra 2004.
Kult Maryjny w Kościele rzymskokatolickim w Polsce i rosyjskim Kościele prawosławnym, Warszawa–Moskwa 1989.
Majkowski J., *Matka Boża w dawnej polskiej ascezie*, w: „Homo Dei" 1957, XXVI, nr 6.
Maliński M., *Czarna Madonna*, Poznań–Warszawa 1985.
Maliński M., *Polska ikona. Historia świętego obrazu w historii narodu polskiego*, Łódź 1994.
Matka Boska w poezji polskiej, oprac. M. Jasińska i in., Lublin 1959.
Matka Boża Częstochowska w naszych dziejach, Warszawa 1982.
Mazurkiewicz R., Napiórkowski S.C., Hryniewicz W., *O teologię „Bogurodzicy"*, „Biuletyn Informacyjny" 1988, nr 17, s. 31–34.
Misiurek J., *Historia i teologia polskiej duchowości katolickiej*, t. 1–3, Lublin 1994.
Signum Magnum – duchowość maryjna, red. Marek Chmielewski, Lublin 2003.
Wojnowski J., *Rozwój czci Matki Bożej w Polsce*, w: „Homo Dei" 1957, XXVI, nr 6, s. 849.
Wójcik Z., *Jan Kazimierz Waza*, Wrocław 1997.

Rozdział 2

Adamiak T., *Strachocina. Zarys dziejów parafii*, Strachocina 2001.
Andrzej Bobola Towarzystwa Jezusowego. Życie–męczeństwo–kult, Kraków 1936.
Będę jej głównym patronem. O świętym Andrzeju Boboli, red. M. Paciuszkiewicz i in., Kraków 1995.
Bolewski J., Oszajca W., *Rok u boku Św. Andrzeja Boboli. Nabożeństwa–Nowenna–Modlitwy*, Kraków 1999.
Borowski, K.: *Słownik polskich świętych*, Kraków 1995.
Chynczewska-Hennel T., *Świadomość narodowa szlachty ukraińskiej i kozaczyzny od schyłku 16 do połowy 17 w.*, Warszawa 1985.
„Duszochwat" – film o Świętym Andrzeju, scenariusz i reżyseria Krzysztof Żurowski, Warszawa 1999.
Epoka „Ogniem i mieczem" we współczesnych badaniach historycznych, red. Z. Nagielski, Warszawa 2000.
Gorzandt A.: *Mój święty patron*, Lublin 1988.
Hannower N., *Jawein Mecula, tj. bagno głębokie. Kronika zdarzeń z lat 1648–1652*, Lwów 1912.
Invicti Athletae – encyklika Ojca Św. Piusa XII z 16 maja 1957 r.
Kaczmarczyk J., *Bohdan Chmielnicki*, Wrocław 1988.
Koneczny F., *Święci w dziejach narodu polskiego*, Kraków 1988.
Martyrologium... red. Henryk Fros, Warszawa 1984.

Mikołejko Z., *Żywoty świętych poprawione*, Warszawa 2000.
Nasi święci. Polski słownik hagiograficzny, red. A. Witkowska, Poznań 1999.
Paciuszkiewicz M., *Andrzej Bobola*, Kraków 2002.
Paciuszkiewicz M., *Pod patronatem Św. Andrzeja Boboli*, Warszawa 1989.
Paciuszkiewicz M., *Znów o sobie przypomniał. Św. Andrzej w Starchocinie*, Warszawa 1996.
Pałubicki Z., *Święty Andrzej Bobola – patron Polski*, Warszawa 2002.
Piotrowski W.H., *Krótki zarys dziejów Strachociny,* niepublik. Gdańsk 1995.
Poplatek J., *Błogosławiony Andrzej Bobola T.J.*, Kraków 1936.
Siemaszko W. i E., *Ludobójstwo dokonane przez nacjonalistów ukraińskich na ludności polskiej Wołynia 1939–45*, t. I–II Warszawa 2000.
Stehle H., *Tajna dyplomacja Watykanu*, przeł. M. Drecki i M. Struczyński, Warszawa 1993.
Święci i świętość u korzeni tworzenia się kultury narodów słowiańskich, t. II, red. W. Stępniak-Minczewa, Z.J. Kijas OFM Conv, Kraków 2000.
The incorrupted body of St. Andreas Bobola – część eseju *The Juxtamortal Dream* na temat tzw. Near-Death Experiences.
Żurawski P., *Ukraińcy i Polacy – wzajemne wyobrażenie o sobie*, w: *Stereotypy narodowościowe w Europie XX w.* Materiały z konferencji naukowej w Radziejowicach Wydziału Historycznego UW, Warszawa 1992.

Rozdział 3

Bystroń J.S., *Dzieje obyczajów w dawnej Polsce*, t. 1–2 1933.
Bystroń J.S., *Polacy w Ziemi Świętej, Syrii i Egipcie 1147–1914*, Kraków 1930.
Chynczewska-Hennel T., *Świadomość narodowa szlachty ukraińskiej i kozaczyzny od schyłku 16 do połowy 17 w.*, Warszawa 1985.
Cudzoziemcy o Polsce. Relacje i opinie, wybrał i oprac. J. Gintel, Kraków 1971, t. 1.
Grzybowski S., *Sarmatyzm*, Kraków 1996.
Janion M., *Niesamowita Słowiańszczyzna*, Kraków 2007.
Jurkowski J., *Utwory panegiryczne i satyryczne*, oprac. Cz. Hernas i Karplukówna, Wrocław 1968.
Koehler K., *Słuchaj mnie, Sauromatha. Antologia poezji sarmackiej*, Kraków 2002.
Mańkowski T., *Genealogia sarmatyzmu*, Warszawa 1946.
Między barokiem a oświeceniem. Apogeum sarmatyzmu. Kultura polska 2. połowy XVII w., red. K. Stasiewicz i St. Achremczyk, Olsztyn 1997.
Relacje nuncjuszów apostolskich, wyd. E. Rykaczewski, Berlin–Poznań 1864.
Rzewuski H., *Listopad, romans historyczny*, Wilno 1840.
Sajkowski A. *Włoskie przygody Polaków. Wiek XVI–XVIII* PIW 1973.
Sulimirski T., *Sarmaci*, przekł. A. i T. Baranowscy, Warszawa 1979.
Tazbir J., *Kultura szlachecka w Polsce*, Poznań 1999.
Tazbir J., *Polska przedmurzem Europy*, Warszawa 2004.
Tazbir J., *Prehistoria polskiej utopii*, „Przegląd Humanistyczny" nr 3, 1966, s. 16.
Tazbir J., *Sarmaci i świat*, Kraków 2001.
Tazbir J., *Z dziejów fałszerstw historycznych w Polsce w pierwszej połowie XIX w.*, „Przegląd Historyczny" t. LVII, 1966, z. 4.
Ulewicz T., *Sarmacja. Studium z problematyki słowiańskiej XV i XVI w.*, Kraków 1950.

CZĘŚĆ III

Rozdział 1

Adamczyk W., *Ceny w Warszawie w XVI i XVII w.*, Lwów 1938.
Andrzejczak J., *Spowiedź polskiego kata*, Warszawa 1992.
Caillois R., *Żywioł i ład*, Warszawa 1973.
Geremek B., *Litość i szubienica. Dzieje nędzy i miłosierdzia.* Warszawa 1989.
Groicki B., *Porządek sądów i spraw miejskich prawa magdeburskiego w Koronie Polskiej*, Warszawa 1953.

Gulden Z., *Procesy o mordy rytualne w Polsce w XVI–XVIII wieku*, Kielce 1995.
Komoniecki A., *Dziejopis żywiecki*, wyd. S. Szczotka, Żywiec 1937.
Koranyi K., *Czary w postępowaniu sądowem*, Lwów 1927.
Kracik J., Rożek M., *Hultaje, złoczyńcy, wszetecznice w dawnym Krakowie. O marginesie społecznym w XVII–XVIII wieku*, Kraków 1986.
Łyjak A., *Dawne narzędzia tortur. Słownik*, Kraków 1998.
Pytlakowski P., *Czekając na kata*, Warszawa1996.
Recenzja J. Wijaczki i E. Kizika książki A. Zdziechowicz, *Staropolskie polowania na czarownice*, Katowice 2004, w: „Kwartalnik Historyczny" nr 1, 2006.
Sanson Ch.H., *Ośm spraw kryminalnych z czasów rewolucji francuskiej (wyjątki z pamiętników Kata Sansona)*, Warszawa 1870.
Zaremska H., *Niegodne rzemiosło. Kat w społeczeństwie Polski XIV–XVI*, Warszawa 1986.
Zdziechowicz A., *Staropolskie polowania na czarownice*, Katowice 2004.

Rozdział 2
Barycz H., *Z epoki renesansu, reformacji i baroku. Prądy–idee–ludzie–książki*, Warszawa 1971.
Bugaj R., *Michał Sędziwój (1566–1636). Życie i pisma*, Wrocław 1968.
Bugaj R., *Nieznany polski traktat alchemiczny Michała Sędziwoja*, „Przegląd Historyczny", t. LVI, 1965, z. 2.
Bugaj R., *W poszukiwaniu kamienia filozoficznego. O Michale Sędziwoju, najsłynniejszym alchemiku polskim*, Warszawa 1957.
Dziekański J.B., *Sędziwój, szkic o życiu i twórczości*, oprac. i przypisy A. Gromadzki, Warszawa 1974.
Gilchrist C., *Alchemy, The Great Work*, Wellingborough 1984.
Kroczak J., *Jeśli mnie wieździba prawdziwa uwodzi. Prognostyki i znaki cudowne w polskiej literaturze barokowej*, Wrocław 2006.
Szydło Z., *Woda, która nie moczy rąk. Alchemia Michała Sędziwoja*, Warszawa 1997.
Sędziwój M., *Cosmopolite ou Nouvelle lumiere chymique, Paris 1691.*
Thompson C.J.S., *The Lure and Romance of Alchemy*, Harrap and Co. 1932.

Rozdział 3
Długosz J., *Roczniki, czyli kroniki sławnego Królestwa Polskiego.*
Gibowicz S., *Trzęsienia ziemi*, Katowice 1961.
Listy polskie, red. K. Rymut, t. 1, Kraków 1998.
Malewicz M.H., *Zjawiska przyrodnicze w relacjach dziejopisarzy polskiego średniowiecza*, Wrocław 1980.
Pagaczewski J., *Katalog trzęsień ziemi w Polsce z lat 1000–1970,* „Materiały i Prace Instytutu Geofizyki PAN", t. 51, 1972.

Rozdział 4
A.G., *Lato głodu 1847*, „Czas" przedruk, Kraków 1866.
Charszewski, *Palec Boży*, Katowice 1932.
Kwak J., *Klęski elementarne w miastach górnośląskich (w XVIII i 1. poł. XIX w.*, Opole 1987.
Walawender A., *Kronika klęsk elemetarnych w Polsce i krajach sąsiednich w latach 1450–1586, t. 1 i 2, Lwów 1932 i 1935.*

CZĘŚĆ IV

Rozdział 1
A bliźniego swego..., Materiały z sympozjum św. M. Kolbe–Żydzi–masoni, Lublin 1997.
„Ars Regia", kwartalnik wolnomularski, wychodzi od 1992 r.
Baigent M., Leigh R., *Świątynia i loża*, przeł. R. Sudół, Warszawa 1999.

Cegielski T., *Ludwik Hass – historyk wolnomularstwa*, „Ars Regia" 2.
Cegielski T., *Sekrety masonów. Pierwszy stopień wtajemniczenia*, Warszawa 1992.
Chajn L., *Polskie wolnomularstwo 1920–38*, Warszawa 1984.
Dobrowolski T., *Wit Stwosz. Obraz Mariacki*, Kraków 1980.
Giertych M., *I tak nie przemogą. Antykościół. Antypolonizm. Masoneria*, Wrocław 2000.
Giertych J., *Tragizm losów Polski,* Pelplin 1999.
Hass L., *Ambicje, rachuby, rzeczywistość. Wolnomularstwo w Europie Środkowo-Wschodniej 1905–928*, Warszawa 1984.
Hass L., *Masoneria polska XX w.*, Warszawa 1993.
Hass L., *Wolnomularstwo w Europie Środkowo-Wschodniej w XVIII i XIX w.*, Wrocław 1982.
Hass L., *Wolnomularze polscy w kraju i na świecie 1821–1999*, Warszawa 1999.
Hass L., *Zasady w godzinie próby. Wolnomularstwo w Europie Środkowo-Wschodniej 1929–41*, Warszawa 1987.
Knight Ch., Lomas R., *Klucz Hirama*, 1997.
Krajski S., *Masoneria polska 1993*, Warszawa 1993.
Krajski S., *Masoneria polska i okolice*, Warszawa 1997.
Lassus de A., *Masoneria, czyżby papierowy tygrys*, Warszawa 1994.
Leżeński C., *Masoni bez maski,* Toruń 2006.
Marszałek J., *Polityczna historia Polski: Tajne zakony jako jedna z przyczyn rozbiorów Polski*, Warszawa 2003.
Morawski K.M., *Źródło rozbiorów Polski*, Poznań 1935.
Morawski K.M., *Wolnomularstwo a Polska w dobie dziejowej przed rewolucją francuską*, „Pamiętnik V Zjazdu historyków polskich w Warszawie", Lwów 1931, t. I.
Nasierowski T., *Wolnomularstwo bez tajemnic*, Warszawa 1996.
Pelczar J., *Masonerya, jej istota, zasady, dążności, początki, rozwój organizacya, ceremoniał i działanie*, Lwów 1914.
Shaw J. D., McKenney T. C., *Śmiertelna pułapka*, Gdańsk 1993.
Skałkowski I., *Towarzystwo Przyjaciół Konstytucji 3 Maja*, Poznań 1930.
Suchecki Z., *Kościół a masoneria*, Kraków 2002.
Sztuka królewska, red. N. Wójtowicz, Wrocław 1997.
Wilkoszewski W., *Rys historyczno-chronologiczny Towarzystwa Wolnego Mularstwa w Polsce*, Londyn 1968.
Zwoliński A., *Wokół masonerii*, Kraków 1993.

Rozdział 2

Bałaban M., *Historia i literatura żydowska*, Lwów–Warszawa–Kraków 1925.
Besala J., *Stefan Batory*, Warszawa 1992.
Cudzoziemcy o Polsce. Relacje i opinie, wybór i oprac. J. Gintel, Kraków 1971 t. 1.
Dopierała K., *Stosunki dyplomatyczne Polski z Turcją za Stefana Batorego*, Warszawa 1986.
Giertych J., *Tragizm losów Polski,* Pelplin 1999.
Kraushar A., *Czary na dworze Batorego*, Kraków 1888.
Kraushar A., *Drobiazgi historyczne*, t. I, Petersburg–Kraków 1891.
„Myśl Narodowa" 1933, nr 40, 52; 1934, nr 3.
Rawicz A., *Zagadka zgonu Stefana Batorego*, „Myśl Narodowa" 1934, nr 3.
Szczucki L., *Mikołaj Bucella, Polski Słownik Biograficzny.*
Szczucki L., *Simoni Simone, Polski Słownik Biograficzny.*
Scheuring H.Z., *Czy królobójstwo? Krytyczne studium o śmierci króla Stefana Wielkiego Batorego*, Londyn 1964.
Woolley B., *The Queen,s Conjuror: The Science and Magic of Dr. John Dee, Adviser to Queen Eizabeth I, Nowy Jork 2001.*

Rozdział 3

Bałaban M., *Historia i literatura żydowska*, Lwów–Warszawa–Kraków 1925, t. 3.
Fabiani B., *Na dworze Wazów w Warszawie*, Warszawa 1988.

Fabiani B., *Warszawski dwór Ludwiki Marii*, Warszawa 1976.
Giertych J., *Tragizm losów Polski*, Pelplin 1936, przedr. w 1993.
Kraushar A., *Drobiazgi historyczne*, Petersburg–Kraków t. I, 1891.
Libiszowska Z., *Królowa Ludwika Maria*, Warszawa 1994.
Libiszowska Z., *Żona dwóch Wazów*, Warszawa 1963.
Listy Piotra des Noyersa, Skrócony opis życia królowej Ludwiki Marii de Goznague, przekł. M. Nielubowicz, Bibl. Czart. Rkps. 966, s. 804–818 i n.
Łuniński E., *Ostatnie chwile Jana III. Wspominki. Z dni historycznych kart kilka*, Warszawa 1910.
„Myśl Narodowa" 1933, nr 40, 52; 1934, nr 3.
Niemcewicz J.U., *Zbiór pamiętników historycznych o danej Polszcze z rękopismów tudzież dzieł w różnych językach o Polszcze wydanych oraz z listami oryginalnemi królów i znakomitych ludzi w kraiu naszym*, t. 4 Warszawa 1822.
Pociecha W., *Ezofowicz Michał*, Polski Słownik Biograficzny.
Portfolio królowej Maryi Ludwiki czyli zbiór listów... przekł. K. Raczyńska, J. Radolińska, R. Ziołecki, Jastrzębski, Poznań 1844, t. 1–2.
Radziwiłł S., *Pamiętnik o dziejach*, przekł. A. Przyboś, R. Zelewski, t. 1–3, Warszawa 1980.
Radziwiłł S., *Pamiętnik o dziejach w Polsce*, przekł. A. Przyboś, R. Żelewski, t. 1–3, Warszawa 1980.
Rawicz A., *Wichrzenia żydowskie za Jana III*, „Myśl Narodowa" 1933, nr 52.
Rawicz A., *Z ostatnich lat Sobieskiego*, „Myśl Narodowa" 1933, nr 40.
Więckowska-Mitzner W., *Miłość i polityka. Maria Ludwika*, Warszawa 1961.
Wójcik Z., *Jan Sobieski*, Warszawa 1983.
Targosz K., *Uczony dwór Ludwiki Marii Gonzagi (1646–1667)*, Wrocław 1975.

Spis treści